S0-BDL-207

Biblioteca

MELODY

THOMAS

MELODY
THOMAS

Donde el corazón duerme

Traducción de
Encarna Quijada Vargas

Título original: *In My Heart*
Diseño de la portada: Departamento de diseño de Random House Mondadori / Judith Sendra
Ilustración de la portada: © Franco Accornero. Via Agentur Schlück GmbH

Primera edición en DeBOLS!LLO: octubre, 2008

Printed in Spain – Impreso en España

ISBN: 978-84-8346-788-6 (vol. 77/1)
Depósito legal: B-37896-2008

Fotocomposición: Revertext, S. L.

Impreso en Liberdúplex, S. L. U.
Sant Llorenç d'Hortons (Barcelona)

M 867886

Muchas, muchas gracias a Jean Newlin, Linda Kampschroeder y Anita Baker, diosas de la gramática y el ánimo, por vuestros años de apoyo y por ser los mejores ojos que podría tener.

Gracias a mi agente, Linda Kruger, porque creo que eres la mejor, y a mi editora, Erika Tsang, sin la cual este libro no habría encontrado su maravilloso hogar en Avon.

A mi esposo, Tom, mi inspiración, mi amor, mi corazón... te quiero.

1

Londres, primavera de 1866

—¿Ha perdido el juicio, lady Alexandra? —el profesor Atler dejó caer el informe sobre la mesa como si la tinta de aquellos papeles pudiera contagiarle alguna enfermedad.

—Alguien en este museo es un ladrón, profesor —consiguió decir Alexandra Marshall sin aclararse la ronquedad de la garganta—. He realizado mi investigación, y me limito a comunicarle mis descubrimientos. No estamos ante un caso de identificación equivocada.

—Una acusación de esta magnitud es excesiva. Por los claros de Cristo...

Aquel exabrupto del profesor le resultó tan chocante que la hizo pestañear y, al instante, supo lo que sería enfrentarse a la horca. La expresión «matar al mensajero» había adquirido un nuevo significado para ella.

Una lámpara de aceite de ballena iluminaba débilmente la habitación, llena de valiosas antigüedades. Había cuerpos momificados en cajas de madera, protegidos bajo el cristal, lejos de la luz del sol. Ya hacía tiempo que Alexandra se había acostumbrado al desagradable olor a moho que impregnaba aquella sala revestida de madera. Trató de sacar fuerzas de flaqueza respirando hondo. Pero con la misma certeza con que su mirada bajó de nuevo al decantador mongol que tenía en las manos, supo que acababa de sellar su destino.

Si la noticia llegaba a las personas equivocadas, su terrible descubrimiento haría que aquella academia elitista volviera a acogerse a sus planteamientos reaccionarios. Alguien había estado manipulando tesoros que no tenían precio. Alguien familiarizado con las rutinas del museo y con las antigüedades.

—No es mi intención perjudicar al museo. —Colocó aquel objeto que en otro tiempo tuvo un valor incalculable sobre la mesa—. Pero soy yo quien comprobó las piezas en cuestión cuando llegaron. Alguien ha sustituido las joyas por imitaciones. Son réplicas muy buenas, pero siguen siendo falsas. Quien sea que ha dado el cambiazo lo ha hecho muy bien.

—Algunos dirán que está usted tratando de encubrir sus propios errores con una acusación semejante. Tal vez se equivocó en su valoración del material desde el principio. ¿No se le ha ocurrido pensarlo?

—Yo... no me equivoqué, señor. —Pero la afirmación del profesor Atler había logrado su objetivo. ¿Y si ella se había equivocado al identificar las piezas cuando llegaron? Alexandra cruzó las manos sobre el regazo para no dar una palmada—. No me equivoqué.

—Pero no está segura.

—Cada una de las esmeraldas y los rubíes de ese decantador del siglo dieciséis son falsos. Las sujeciones han sido manipuladas o sustituidas. —Y señaló las otras piezas que había dejado sobre la mesa—. Así que volví y examiné otros objetos. Los elefantes de esmeraldas de China son réplicas perfectas de los originales. Y hay muchas otras cosas que no le he traído. Alguien se ha tomado muchas molestias para asegurarse de que no nos demos cuenta.

—Y sin embargo solo usted ha sido capaz de descubrirlo.

La insinuación contenida en aquellas palabras hizo que Alexandra sintiera un escalofrío.

—La luz, señor —explicó—. Las joyas sintéticas, incluso las

que son de cultivo, no poseen el mismo espectro. Detrás de un cristal las diferencias no se notan tanto. Estoy convencida de que el cambio se ha realizado hace muy poco.

Una de las pobladas cejas del profesor se levantó.

—¿Y cómo ha llegado a esa conclusión?

—Como bien sabe, esas vitrinas se cambian cada tres meses. Cuando estaba preparando la pieza, me fijé en los elementos de sujeción, luego en las gemas. Comparé el objeto con los resultados de mis investigaciones previas y el número de referencia de inventario. —Al ver que el profesor no decía nada, Alexandra añadió—: He redactado un informe, y deseo iniciar una investigación en toda regla.

A ambos extremos de la mesa había un par de grifos de bronce. El profesor Atler no había apartado la mirada de los papeles en ningún momento, y sus hombros endebles estaban decididamente caídos. Antes de que Alexandra llegara, había estado encorvado sobre la mesa, y su chaqueta de lana marrón se veía arrugada. Unas tupidas patillas del mismo tono encanecido del pelo enmarcaban su rostro fatigado. Alexandra sintió pena por él. Como director del museo, se enfrentaba a la ruina profesional. Un escándalo como aquel lo hundiría, y hasta ese momento no se había parado a pensarlo.

Con el corazón acelerado, Alexandra bajó la vista. Conocía al profesor Atler casi de toda la vida. Era uno de los colegas de su padre desde que trabajaron juntos en el cuerpo diplomático británico. Cuatro años atrás, cuando Alexandra se graduó en la universidad, el profesor la avaló en el museo. Y desde entonces Alexandra había publicado más estudios que la mayoría de los conservadores a tiempo completo. Gracias al afán de su padre por la exploración, había cursado estudios interdisciplinarios de antropología física. No había cosa que a Alexandra le gustara más que buscar huesos. Cuando Atler accedió a asesorarla, el profesor acababa de terminar un trabajo pionero en el campo de la egiptología después de descubrir un yacimiento de momias en Deir el-Bahari, cerca del Valle de los Reyes. Era un hombre muy respetado, caballero de la reina, y recientemente le habían nombrado director del Museo Británico.

Alexandra lo tenía en muy alta estima, y por eso justamente siempre procuraba estar alerta. Quería demostrarle sus aptitudes a él, a sus compañeros masculinos y al público, que la había convertido en objeto de su curiosidad. Un público que se fijaba más en el hecho de que fuera mujer que en sus dotes de arqueóloga, como si la materia gris pudiera variar por la presencia de unos pechos.

—¿Ha leído lord Ware el informe? —preguntó Atler por fin.

No deseando admitir su temor ante la reacción de su padre, Alexandra meneó la cabeza.

—He preferido avisarle a usted primero —informó; pensaba que él la apoyaría—. Desearía presentar esto ante los miembros del consejo de administración antes de que la noticia del robo se filtre.

—¿Para que todos sepan adónde han ido a parar sus preciosas aportaciones económicas? ¿Y si se equivoca? ¿Y si la culpa es suya?

Alexandra sintió que el calor le subía a la cara cuando comprendió las implicaciones del comentario. La mirada del profesor Atler se posó en el decantador mongol.

—Si realmente hay un ladrón, como usted dice, el escándalo nos arruinará a todos. —La miró con dureza—. Incluso a su padre, que está a la cabeza del consejo de administración, y llegará al Parlamento, que nos asegura el suficiente apoyo económico. Nuestro sustento depende de la benevolencia de las personas que apoyan el trabajo que hacemos aquí.

—¿Y por eso es mejor confesar un error en la identificación de las piezas que la existencia de un ladrón? —A Alexandra apenas le salían las palabras.

El profesor la miró. Sus lentes de montura metálica suavizaban la expresión de sus ojos castaños.

—Lo siento, Alexandra. De verdad que lo siento. —Rompió el informe en pedazos y tiró lo que quedaba de la carrera de

Alexandra en la papelera que había junto a la mesa atestada—. Si desea conservar su puesto aquí, por esta vez no dirá nada.

Alexandra se quedó mirándolo boquiabierta. No podía creer lo que estaba oyendo.

—Me ocuparé de solucionar este asunto adecuadamente con el consejo de administración.

Alexandra apenas lograba respirar. Su ira amenazaba con salírsele del ceñido corsé de su vestido. Desde luego, sabía lo bastante de política para adivinar cómo acabaría todo aquello. Cuando el escándalo pasara, seguramente la pondrían a transcribir manuscritos en el sótano para el resto de su vida, y eso si no la acusaban a ella del robo. Todo aquello por lo que había luchado desaparecería en la sala de nobles cabezas de turco. Allí había un ladrón. Alguien que entendía de antigüedades. ¿Cómo iban a encontrar al villano y resolver el delito sacrificándola a ella?

—Profesor Atler…

—Váyase a casa, milady. —Metió unos papeles en una agrietada cartera de cuero—. Por su bien y por el buen nombre del museo, deje que yo me ocupe de llevar la investigación interna como lo considere más oportuno.

Alexandra estaba ante el largo ventanal con vistas a una de las ciudades más maravillosas del mundo. Desde el río, Londres debía su belleza al horizonte de iglesias de sir Christopher Wren, las torres con aguja y los elaborados edificios de piedra. La catedral de San Pablo descansaba en lo alto de una colina. Alexandra contempló la cúpula gris, que la llegada inminente de la noche hacía casi invisible. La lluvia caía sobre las calles.

Dio la espalda a la ventana y se apoyó contra la pared. El frío se le colaba bajo la falda. Inconscientemente, tocó el guardapelo de plata que siempre llevaba bajo el corpiño del vestido. Debía de haberlo sacado por los nervios. Notaba el calor de la plata en su mano.

Contuvo la respiración y, una vez más, se asomó furtivamente a la esquina. Tras su entrevista con el profesor Atler, había tardado una hora en reunir el valor para pasar a escondidas ante el guarda de seguridad y volver a subir a su despacho. Las paredes del pasillo estaban tapadas por vitrinas de roble viejo. El sonido de voces la había obligado a ocultarse detrás de la palmera. El tiesto se le había quedado pequeño. Al parecer, solo quedaba la doncella. Avanzó por el largo pasillo, oyendo caer el chorro de agua en un cubo y la mopa puliendo el suelo de baldosas.

Cerró los ojos con fuerza y rezó una rápida plegaria. Luego asomó la cabeza por la esquina. El corsé casi la deja sin respiración cuando corrió a la habitación del otro lado del pasillo. Aún no había devuelto su llave a seguridad. Mascullando sobre la posibilidad real de desmayarse, Alexandra se inclinó, metió la llave maestra en la cerradura y la movió meticulosamente, hasta que oyó el clic. Pasillo abajo, la doncella seguía pasando la mopa, cantando, llenando el pasillo vacío con su hermosa voz. Alexandra entró y cerró la puerta.

La zona estaba apenas iluminada por la luz que entraba por unas pequeñas ventanas, y Alexandra se detuvo un momento para que sus ojos se acostumbraran a la oscuridad, pero también para que su corazón se apaciguara. Ante ella se insinuaba una mesa atestada. Libros y manuscritos antiguos la cubrían en lo que solo podía definirse como caos. Pero Alexandra tenía su propio sistema para organizarse. Solo tardó treinta segundos en encontrar las notas a partir de las que había redactado el informe. Notas que incluían el número de referencia de varias de las piezas manipuladas. Pasó a un cuarto de almacenaje adjunto. Los registros de acceso del museo contenían miles de objetos catalogados y conocimientos de embarco. A aquella sala solo tenían acceso los miembros imprescindibles del personal. Y sin duda, al día siguiente, ella ya no sería imprescindible.

Comparando sus notas con las hojas de inventario en las que había encontrado discrepancias, empezó a comprobar las firmas que había al pie de cada una. Sintió que el alma se le caía a los pies.

¿Cómo había podido estar tan ciega?

Sin duda el profesor Atler podía acusarla. Si comprobaban la firma de aquellas hojas, verían que su nombre aparecía como el de la especialista, y eso la vinculaba a todos los objetos afectados.

Aquello hizo que se sintiera aún más desamparada.

Metió las hojas en un libro. Las manos le temblaban. Ella no era una ladrona. Y, desde luego, jamás provocaba la discordia si podía evitarlo. Y sin embargo estaba haciendo algo que sabía que era un delito. Pero aquellos registros eran demasiado importantes.

La ira la ayudó a controlar el miedo. Diez años de estudios le habían permitido adentrarse lentamente en el campo cada vez más extenso de la arqueología, un campo al que muy pocas mujeres tenían acceso. Había hecho un gran esfuerzo para hacerse un sitio en una profesión que el pomposo género masculino acaparaba totalmente.

Pero su tenacidad y persistencia, su capacidad de desaparecer de una sala atestada durante una función, la habían convertido en un personaje tan invisible que se preguntó si alguien la echaría de menos si la despedían. Pensar que tenía tan pocos aliados entre sus semejantes le hizo considerar la gravedad de las acusaciones del profesor Atler. La mayoría de sus compañeros pensaban que si estaba en el museo era gracias a la influencia de su padre en el consejo. La privilegiada hija de lord Ware. A muy pocos les importaría que la sustituyeran.

Alexandra se echó la capa sobre los hombros. Bajaría por la escalera de servicio y saldría a la calle por la Sala de Antigüedades con el grueso de visitantes que abandonarían el museo antes de cerrar. Si nadie la veía salir, no sabrían que había estado allí arriba cuando no debía.

Estaba a punto de asir el pomo de la puerta cuando vio que giraba.

Su mano se quedó paralizada.

El guarda de seguridad siempre echaba un último vistazo en las diferentes salas cuando cerraban para limpiar, pero Alexandra le había visto marcharse. El profesor Atler debía de haber enviado a alguien. Quizá se había dado cuenta de que su llave no estaba.

Alexandra se ocultó detrás de la puerta, con sus notas en la mano, la espalda contra la pared y los ojos puestos en el techo. Pero enseguida se volvió a mirar a la puerta que llevaba a la habitación de almacenaje.

—Hola, Dickie. —Una suave voz femenina sacudió a Alexandra de su parálisis—. Me habías asustado. ¿Qué haces aquí?

Alexandra no pudo oír la contestación del hombre porque su corazón latía desbocado. Y tardó más de lo normal en comprender que aquellos dos estaban muy ocupados besándose.

Sin esperar a oír qué pasaba allá afuera, Alexandra entreabrió la otra puerta y volvió a la habitación de almacenaje. Unos minutos más tarde, había bajado y estaba en el vestíbulo principal; salió del museo entre una avalancha de gente. No podría devolver la llave esa noche.

En el exterior, ante la entrada, un cuadro de las llanuras africanas daba la bienvenida a los visitantes. Durante años, tres jirafas gigantes y las otras especies animales expuestas habían encandilado a jóvenes y viejos por igual. Un guarda observaba la larga escalinata de mármol que llevaba hasta abajo. Alexandra se echó la capucha sobre el pelo para cubrirse la cabeza. Su voluminoso recogido no dejaba mucho espacio. Nunca había sabido mentir y el más mínimo intercambio de palabras la habría delatado. Llevaba su culpa como un brillante halo rojo. Si abría la boca, hasta un ciego vería enseguida que había hecho algo malo.

De pronto, un segundo guarda se acercó al primero. Alexandra se detuvo. Una mujer que llevaba en brazos a un bebé topó con ella y eso la hizo erguirse. Con el corazón acelerado, avanzó entre la gente que estaba admirando los expositores del descansillo y esperó hasta haber recuperado un poco el temple para mirar atrás por encima del hombro. La aparición del segundo guarda le preocupaba. Sin querer, su brazo chocó contra el de un hombre que estaba a su lado. Ella iba con la capucha echada sobre el pelo, con la cabeza gacha.

El olor de una loción de afeitar con un toque exótico invadió sus sentidos. Y se dio cuenta de que provenía del hombre con el que había chocado. Extrañamente, mientras los segundos pasaban, la conciencia de Alexandra cada vez se apartaba más de la multitud y se concentraba más en aquel hombre, en la sensación de que, mientras permaneciera en la órbita de aquel aroma, estaría a salvo. Él le sacaba más de una cabeza, y eso le daba ventaja a la hora de ver los detalles de la exposición.

—... con cierto parecido a las jirafas —oyó Alexandra que le decía a alguien que estaba al otro lado, y el resto de sonidos parecieron remitir.

La voz de aquel hombre era suave, masculina, y le resultaba tan familiar que Alexandra sintió que se quedaba sin aliento. Tuvo que controlar el impulso de mirarlo.

—Nunca había visto un animal tan extraño. —La joven rió tontamente, aunque Alexandra no podía verla—. Y creo que son más altos que el tío David.

—Y más atractivas. Sobre todo la del medio.

La chica rió, y Alexandra trató de mirar. Muy lentamente, mientras la oía bromear, empezó a relajarse. Lo único que veía de aquel hombre eran unas manos enguantadas que sujetaban un elegante bastón. La levita de lana que vestía no dejaba asomar por debajo ni un milímetro del caro tejido que cubría su muñeca. No era hombre que hiciera ostentación de su riqueza.

—¿Qué es un... ungulado? —preguntó la voz femenina—. Qué nombre tan tonto.

Escondida bajo la capucha, Alexandra miró la placa que había ante el expositor.

—Parientes de Bessie, querida mía. —La mano enguantada del hombre tamborileó sobre la placa—. Podrían ser gemelas.

La chica rió como si aquella afirmación fuera ridícula y Alexandra intuyó la ternura y la camaradería que había entre los dos.

—Las vacas no se parecen ni de lejos a una jirafa.

—Dile todo eso a los encargados de organizar esta exposición —apuntó él.

—Lo haré.

—Ungulado es el término general que se utiliza para referirse a un grupo grande y variado de mamíferos, entre los que se encuentran los caballos, el ganado y animales emparentados —dijo finalmente Alexandra, aunque solo fuera para defender el honor del museo ante aquellos dos herejes—. Y se dividen en dos subgrupos dependiendo del número de dedos que tengan. La jirafa es un ungulado con un número par de dedos. Como la vaca.

Sus palabras fueron recibidas con silencio.

Un silencio total y absoluto.

Alexandra seguía con la vista clavada en el frente, pero sentía las miradas de aquellas dos personas y, sin poder contener una extraña satisfacción por haberlos sorprendido, sintió que una risa jugueteaba en sus labios. La presunción era algo bueno cuando quedaba disimulada tras una capucha, porque, de otro modo, jamás se habría mostrado tan atrevida. Desde luego, detestaba la mirada del público, a la que había quedado expuesta recientemente debido a su nombramiento como miembro del personal.

—¿Qué te había dicho? —la voz del hombre tenía una nota de humor—. Bessie tiene parientes en África.

—¿Y el caballo? ¿El caballo qué es? —preguntó la joven.

Alexandra se inclinó hacia delante para ver si le estaba preguntando a ella, y aspiró el olor masculino del hombre. Paralelamente, se dio cuenta de que la multitud que antes ocupaba el descansillo había ido desapareciendo. Las voces que llegaban de abajo resonaban por el inmenso vestíbulo de mármol. Los guardas ya no estaban en lo alto de la escalera.

Tenía que irse. Y entonces su atención se centró inesperadamente en los ojos de la joven, que esperaba su respuesta.

—Se considera que el caballo tiene un único dedo o casco —dijo Alexandra—. O sea, entra dentro de los ungulados con un número impar de dedos. —El hecho de que los dos parecieran deseosos de incluirla en lo que se había convertido en un serio diálogo la movió a añadir—: Igual que el rinoceronte. —Señaló la inmensa criatura disecada que había al final de la exposición, alzando con fiereza un cuerno al cielo imaginario. Los tres observaron a la extraña criatura con deferencia.

La joven gruñó.

—¿Cómo se pueden distinguir las diferentes especies de elefantes?

—Los elefantes asiáticos tienen más uñas en cada pata que los africanos —apuntó el hombre.

A Alexandra le impresionó que alguien pudiera conocer un detalle como aquel. La capucha volvía a ocultar su rostro e intuía los esfuerzos del hombre por atisbar algo más que su perfil.

—Sí, lo sé porque los he contado —explicó valientemente.

En ese instante, Alexandra reconoció un toque irlandés en su acento y su corazón se aceleró. La joven contuvo una risotada.

—¿Y no hay una forma más fácil de diferenciarlos?

La levita del hombre se abrió. La mirada de Alexandra ya había estudiado los pantalones negros, el chaleco de cachemira de color plata y la chaqueta.

—Las orejas —dijo él, inclinándose hacia delante para verla mejor—. Los elefantes asiáticos tienen las orejas más pequeñas. Normalmente viven en… en la India.

Aquellos ojos del intenso azul del cielo de Erin al amanecer hicieron que Alexandra se quedara sin aliento. Lentamente, apartó la capucha.

—Mi hermano sirvió en la India. Díselo, Christopher —dijo la joven. Las sombras abandonaron el rostro de Alexandra y parecieron caer sobre el del hombre. Aquellos familiares ojos azules parecieron helarse, y en cambio el rubor subió a las mejillas de Alexandra. Por un momento, pareció tan perplejo como ella.

Sin embargo, había algo más en aquellos ojos. Algo que no era frío en absoluto.

Al menos lo hubo durante un instante.

—Estoy seguro de que esta dama tiene cosas más importantes que hacer que estar aquí escuchándonos —contestó él escuetamente, y el legendario encanto Donally desapareció de sus ojos entornados.

—Sirvió en el ejército bengalí —explicó voluntariamente la joven picaruela—. La reina lo nombró caballero por sus servicios.

Christopher la miró con impaciencia.

—Sí, lo sé —dijo Alexandra.

Christopher Donally había sido oficial de inteligencia. Y también sabía que había resultado gravemente herido cuando estaba destinado en las provincias del noroeste. Sus ojos descendieron al pesado bastón que llevaba en la mano. Había tardado un año en volver a caminar; una hazaña que hizo quedar como mentirosos a los médicos que le mandaron de vuelta a Inglaterra. Pero claro, es que Christopher siempre tenía que mostrarse desafiante.

La última vez que Alexandra estuvo tan cerca de él, no debía de ser mucho mayor que aquella joven. Llevaba el pelo, negro y ondulado, muy corto, lo bastante para que pudiera decirse que iba a la moda. El rostro era duro y delgado, con una expresión masculina de benevolencia que era devastadora. Había cambiado el uniforme escarlata del regimiento real por el atuendo de un caballero. Y, sin embargo, en él había algo inherentemente predatorio que no podía ocultar con su apariencia civilizada. Una apariencia increíblemente atractiva.

El cuello blanco y almidonado, en marcado contraste con su complexión morena, lo definían como un hombre que se movía con soltura entre dos mundos.

Dios de los cielos, ¿cómo es que no se había enterado de que estaba en la ciudad?

Alexandra lo miró de soslayo, de pronto sintió que se había quedado sin palabras.

—¿Cómo está, Christopher?

Christopher la miró con expresión visiblemente irónica.

—Nunca me he sentido mejor, milady. —No la llamó por su nombre—. ¿Estás lista, Brea? —Con gesto protector, sujetó a la joven por el codo y le sonrió afectuosamente—. Tenemos un compromiso al que atender.

La mente de Alexandra remolineaba como uno de los miles de motas de polvo que pululaban suspendidas por los moribundos haces de luz del sol. Por el parecido que había entre ellos, sabía que la jovencita de pelo oscuro que la acompañaba era su hermana. Se preguntó si Brianna Donally la recordaría.

—¡Sir Donally! —El profesor Atler apareció por el pasillo.

Definitivamente, no podía quedarse más. No, sabiendo que Atila el huno iba directo hacia ella.

—Ha... ha sido un placer volver a verle, sir Donally.

Él entrecerró los ojos. Quizá no esperaba que le hablara con aquella deferencia.

En lo alto de la escalera, la mano de Alexandra aferró la baranda. Aunque todo le decía que siguiera andando, miró una última vez por encima del hombro. Pero Christopher no la miraba.

Ya había entrado en el museo por las elevadas puertas, charlando con el profesor Atler, y no se molestó en mirarla dos veces. El mundo seguía girando y, sin embargo, en su interior todo se había detenido. Era como si nunca hubiera significado nada para él. Alexandra ya había empezado a volverse cuando sus ojos vacilaron un momento al cruzarse con los ojos azules de aquella jovencita morena, que también miró atrás por encima del hombro. Su expresión parecía confusa.

Antes de que pudiera contenerse, la boca de Alexandra esbozó una sonrisa. La última vez que había visto a Brianna

Donally, la joven tenía siete años, era toda ricitos y lazos y sus ojos azules brillaban.

Diez años eran toda una vida.

Toda una vida para decir adiós a sus sueños.

Y a su corazón.

Con la vista baja, Alexandra descendió apresuradamente por la escalera de caracol de mármol. Hacía ya tiempo que había superado el dolor, por eso no entendía por qué tenía aquel nudo en la garganta.

Como buena parte de Gran Bretaña, en los últimos años Alexandra había seguido la vida de Christopher Donally. La prensa londinense lo adoraba: un hijo de Erin, de origen humilde, heredero de la fortuna que su padre hizo con la construcción de la primera vía férrea de acero. Cuando regresó del ejército, Christopher tomó las riendas del negocio familiar. Con mucho esfuerzo logró superar una herida que casi acabó con su vida. Y se mostraba implacable en su batalla por mejorar las condiciones laborales de los obreros de las fundiciones y fábricas siderúrgicas del norte. Los plebeyos aplaudían su valor al desafiar unas normas que habrían aplastado a alguien menos fuerte.

Alexandra se preguntó qué cruzada o proyecto lo habría llevado a Londres.

Aferrando su libro y las notas que llevaba bajo la capa, Alexandra pasó ante la caseta del guarda y se dirigió al carruaje de su padre. Sus zapatillas chancleteaban contra el camino de piedra mojado. Con aquella niebla la luna confería al ambiente un resplandor de tiza. Los faroleros de Londres estaban ya en la calle, y Alexandra saludó con expresión culpable al joven al que veía todas las noches. Para su disgusto se dio cuenta de que estaba tan pendiente de sus propios problemas, que se había dejado en el cajón el pan que le llevaba todos los días de casa. Antes de que pudiera decir nada, el lacayo se adelantó para ayudarla a subir al carruaje.

Lord Ware ya estaba dentro, leyendo el periódico, cuyas páginas retenían toda la luz del carruaje.

—Buenas noches, papá. —Le besó respetuosamente en la mejilla, justo por encima de sus patillas de bandolero.

Con el aspecto austero que le daban la capa y la lazada negras, el hombre consultó el reloj que llevaba en el chaleco.

—Llegas tarde, Alexandra. —Volvió a dejar el reloj en el bolsillo—. Sabes que detesto tener que esperar.

Arreglándose la falda, Alexandra se sentó ante su padre, en el sillón ricamente tapizado, con las notas bien seguras entre las páginas del libro que sujetaba bajo la capa. Su padre parecía cansado, y de pronto sus problemas con el profesor Atler le parecieron menos importantes.

—¿Cómo te ha ido el día, papá?

El hombre dobló el periódico.

—¿Lo habías olvidado? Habíamos quedado para cenar esta noche —dijo mirando a su hija por encima de sus lentes.

El carruaje empezó a moverse.

Alexandra no se había olvidado.

—No importa —dijo el padre—. Cenaré en el club.

El traqueteo del carruaje alentó sus pensamientos. Alexandra volvió el rostro y contempló por la ventanilla las calles mojadas. Pasaron por los jardines de Montague House. En el ala este se encontraba la residencia de la mayoría de los directores del museo.

—Richard Atler ha estado aquí antes de que llegaras. —Lord Ware estudió a su hija antes de seguir leyendo—. Parlotea como una mujer.

—Los Atler son viejos amigos de la familia, papá. ¿Por qué no iba a saludarte si pasaba por aquí?

Lo último que quería era perjudicar al granuja del hijo del profesor Atler, sobre todo porque era uno de los pocos amigos que tenía.

En aquellos momentos necesitaba desesperadamente algún gesto por parte de su padre. Que levantara la vista de su dichoso diario y viera que estaba preocupada. Que la viera como algo más que un simple compromiso en su agenda. El profesor Atler y él eran amigos de toda la vida. Quizá si su padre hablaba con él, el profesor no consideraría tan alegremente la idea de sacrificarla para salvar su trabajo.

Pero algo le decía que no debía meter a su padre en sus asuntos, que tenía que arreglar sus problemas por sí misma.

Se llevó la mano al guardapelo.

Y de pronto se sintió furiosa por desear con toda su alma algo que nunca tendría, por haber vuelto atrás diez años y sentirse otra vez como la jovencita ingenua que fue.

—Quítate eso en mi presencia, Alexandra.

Ella alzó la vista bruscamente. Su padre no se había molestado ni en levantar la nariz del diario. Sin discutir, Alexandra manipuló con nerviosismo el cierre y lo cogió por los pelos antes de que cayera sobre su regazo.

No sabía qué odiaba más, si los cambios de humor de su padre, que seguían aterrándola, o no tener la voluntad suficiente para enfrentarse a él.

2

—Acaba de llegar esto para usted, sir Donally. De su asesor legal en Londres.

La lluvia caía con violencia sobre la casa. Vestido con su chaqué de modo informal, Christopher miró por encima del periódico que estaba leyendo cuando su mayordomo se acercó desde la arcada de la biblioteca.

A Christopher no le gustó sentir aquel repentino acelerarse del pulso, totalmente inapropiado en la estoica fachada de su expresión. Aunque ya se había lavado y afeitado, sentía los efectos de una noche de insomnio en la rigidez de su pierna.

La noche antes, después de cenar con el profesor Atler y su hijo, él y su hermana llegaron tarde a casa. Christopher no había tenido tanta suerte como ella y no había podido dormir. Achacando la falta de sueño a su pierna, se había pasado la mayor parte de la noche andando arriba y abajo por la biblioteca.

—Señor... —Su criado se detuvo ante la mesa.

Christopher bajó el periódico y cogió el paquete, como si lo que contenía no le hubiera costado una fortuna y una legión de pecados. Sí, Christopher Bryant Donally, la plaga irlandesa de la ciudad londinense, había sido acusado de no tener apenas virtudes, pero paciencia no le faltaba.

Finalmente había conseguido para Donally & Bailey Steel and Engineering uno de los proyectos más prestigiosos del siglo. No había hombre más decidido a dejar su huella en la sociedad. Aquel deseo estaba tan hondamente arraigado en su ser como su alma. Y nada se interpondría en su camino: ningún prejuicio social, ni aquella maldita pierna, que le convertiría en un tullido si permitía que el dolor lo dominara.

Barnaby se volvió discretamente para marcharse. Como el resto del servicio de la casa, su mayordomo conocía muy bien sus cambios de humor.

—Barnaby. —Christopher lo hizo detenerse antes de que hubiera dado ni dos pasos—. ¿Has hecho pasar al mensajero para que tome un chocolate antes de devolverlo a su padre? El camino de vuelta a Londres es largo.

—Por supuesto, señor. —El anciano criado sonrió, mostrando una hilera de dientes desordenados—. Sobre todo después de que su hermana viera al señor Williams helado en el vestíbulo. Ahora está con él en la cocina.

Christopher frunció el ceño.

—¿Ah, sí?

—Sí, señor. Se animó enseguida...

Fue la forma en que Christopher entrecerró los ojos lo que detuvo el feliz soliloquio de Barnaby. Christopher ya no estaba pensando en el paquete que tenía en las manos, sino en Brianna.

—¿Ha llegado alguna otra cosa con el correo de la mañana? —preguntó.

—Dos contratos de la oficina de Southwark.

—Ya los he revisado. Los mandaré esta tarde.

—El Museo Británico le envía su eterna gratitud en reconocimiento por su apoyo. Tiene una carta de su hermano, de Carlisle. Y los directores de las siderúrgicas de Galloway y Sheffield le envían el informe de contabilidad trimestral.

El anciano vaciló, y su porte profesional cedió ante el visible afecto que sentía por la joven señora de la casa. Brianna se había ganado el corazón de todos.

—Estoy seguro de que llegará algo para la señorita Brianna en el correo de la tarde.

Christopher dejó el paquete junto a la taza vacía de café.

—No seas protector conmigo, Barnaby —dijo, y fue con paso inestable hasta el mueble de las bebidas. Pero no bebió. En aquella casa no había ni una sola botella de alcohol. Se sirvió un poco de agua, extraída de su propio pozo—. Sé perfectamente lo que está pasando aquí. Y tú también.

—Sí, señor. ¿Necesitará su bastón?

Sin contestar, Christopher alzó el vaso y examinó cada faceta, observando el hermoso brillo del caro cristal tallado. No habría tranquilidad para él. Ya habían pasado seis malditos años, y su muslo seguía acusando los cambios de tiempo. Una de las razones por las que detestaba estar allí era el carácter cambiante del clima de Londres.

Aunque había otras.

Dios, no esperaba encontrarse con Alexandra Marshall en el museo el día antes.

Con aquel negro pensamiento en la cabeza, ladeó el vaso.

—Dile a Brianna que asistiré al inicio de la temporada de ópera. No permitiré que la traten como a una leprosa.

—Pero... si no le gusta la ópera, señor.

El profesor Atler le había dado permiso para utilizar el palco reservado al museo en el teatro. Había llegado el momento de que empezara a relacionarse en sociedad.

—Si Gracie necesita algo para Brianna, házmelo saber. Mi hermana tiene una semana para prepararse.

—Sí, señor. —La sonrisa de Barnaby se iluminó con la sutileza de una traca—. La señorita Brianna nunca ha estado en la ópera, señor. —Y tras hacer una reverencia salió de la habitación.

Christopher miró el vaso vacío que tenía en la mano, consciente de que, en las afueras de Londres, se había desatado una tormenta tan intensa como la ira de una amante despechada. Un fuego ardía en la chimenea. Apoyó una mano contra la pulida repisa y fijó la vista en las llamas.

Brianna era la más joven de la familia, y tenía cinco hermanos. A sus diecisiete años, el amor que sentía por la vida no conocía la malicia. Pero su protegida educación en Carlisle no la había preparado para la realidad de no tener títulos y ser medio irlandesa en un maravilloso mundo de hadas. Él se había endurecido frente a la intolerancia de la sociedad, pero su hermana no. Él se enfrentaba a las normas con tanta frialdad y determinación como a cualquier enemigo extranjero, y en cambio Brianna solo quería gustar a los demás.

Quizá se había equivocado al animarla a ir con él a Londres. Pero cuando lo miró con aquellos ojos, como si fuera su héroe... ¿Cómo iba a decepcionarla?

Y sin embargo, él sabía que no era invencible.

Christopher miró a su alrededor. Él era el dueño de aquella casa solariega, de cada árbol, cada estanque y cada pez en un radio de ciento veinte hectáreas. Había llenado cada habitación de la casa con el cristal y los muebles más exquisitos. Piezas de Chippendale. Acuarelas chinas en las paredes. Su dinero le había permitido comprarse casa y tierras, pero poco más. Y estaba decidido a comprarle a su hermana su debut.

—¿Christopher? —La voz efervescente de Brianna le hizo volverse—. ¿Es cierto? —La joven entró en la habitación haciendo ondear su miriñaque, como un arco iris de tafetán amarillo y violeta—. ¿De verdad vamos a ir a la ópera?

—Sí, fierecilla. —El humor de Christopher se iluminó al ver el entusiasmo de su hermana.

—¿Puedo ponerme mi nuevo vestido con escote bajo?

Él dejó el vaso en la repisa.

—¿Te he comprado un vestido con escote bajo?

—En realidad todos lo llevan, Christopher. —Sonrió—. Es la moda.

Con aquel pelo negro y los ojos azules, no había duda de que tenían la misma sangre. A diferencia de los otros miembros de su extensa familia, él y Brianna tenían el aire indómito de irlandés moreno del padre. Pero ahí se acababa todo el parecido. Él sobrepasaba el metro ochenta al menos por ocho centímetros. Ella apenas le llegaba a los hombros.

Brianna le miró con seriedad, alzando el mentón.

—No me acompañarás porque te doy pena, ¿verdad?

—¿Yo? —Christopher se apartó de la repisa, con la boca formó una sonrisa—. Eres una mocosa. ¿Por qué me ibas a dar pena?

—Sé que mi presencia aquí ha arruinado tu vida social.

Christopher se detuvo ante ella.

—No has arruinado mi vida social.

—¿Ah, no? —Cruzó los brazos. Su falda rozó las dos sillas idénticas de cuero que había ante la mesa—. Desde hace casi un mes pasas los domingos solo, hermano, y fustigas a cualquiera que se te acerca.

Christopher le apartó unos mechones de pelo negro de la cara.

—No es por ti, Brianna.

—Júramelo por tu corazón.

—Lo juro por mi corazón. Y tendrás tu debut. Te lo prometo.

Brianna lo rodeó con sus brazos.

—Sé que estás decidido a hacerlo. —Apoyó la mejilla sobre su pecho—. Cuando era pequeña mamá siempre hablaba de Londres. Pensaba... pensaba que sería diferente.

Christopher le hizo alzar el mentón.

—¿Prefieres volver a Carlisle?

—No. —Brianna se apartó—. Quiero ver Londres. Ir a los sitios donde has estado.

Se puso a revolver los papeles que había sobre la mesa. Christopher sabía que quería preguntar por qué nadie la había invitado aún a tomar el té. La habían excluido de los círculos sociales más selectos. Pero no preguntó y Christopher la observó mientras se debatía consigo misma, y entonces vio que le cambiaba el semblante. Sus ojos se posaron en la mesa. En el periódico que él estaba leyendo cuando Barnaby entró. En medio de aquel prolongado silencio, Brianna cogió el periódico.

—No sabía que fueras un admirador del trabajo de lady Alexandra.

Christopher le cogió el periódico de las manos y cuando sus ojos azules se elevaron para mirarle vio en ellos un genuino desconcierto.

—Apoyo económicamente al museo —dijo él—. Estoy familiarizado con el trabajo de todos. Lo que me recuerda... —Se dio la vuelta y, tras estirar los brazos, cerró de un tirón los pesados cortinajes de terciopelo—. Tengo mucho trabajo que hacer antes de la comida.

—La mujer que vimos ayer en el museo era ella, ¿verdad?

—Sí, Brianna —apoyó las manos en la mesa—, era Alexandra Marshall.

La preciosa progenie del infame lord Ware.

Brianna frunció los labios.

—Yo me la imaginaba con una verruga en la nariz. No parece un engendro diabólico. ¿Tú crees que es más guapa que Rachel?

—No, no lo creo.

—Rachel está convencida de que os vais a casar. Me lo dijo después de bailar contigo durante la celebración del Yule el pasado diciembre.

—Brianna —la cortó Christopher con exasperación—. Nos veremos a la hora de comer. —La joven alzó el mentón cuando vio que su hermano la despachaba y se disponía a encender la lámpara—. Y mántente alejada de la cocina —dijo cuando ya se iba—. No eres una criada.

Su hermana se dio la vuelta en un remolino de tafetán violeta, mirándolo con los ojos muy abiertos, con una expresión mucho más sabia de lo que habría cabido esperar de sus diecisiete años.

—Eres un buen hombre, Christopher. Por mucho que finjas.

Cuando salió de la habitación, fue como si se llevara toda la calidez consigo.

Christopher, disgustado por su arrebato de mal genio, se

apoyó contra el lado de la mesa y cruzó los brazos. Ahora que D&B había logrado el éxito, anunciar formalmente su compromiso con Rachel no estaba tan lejos de su mente como Brianna pensaba. Ya no era ningún jovencito, y últimamente había empezado a explorar la posibilidad de tener hijos. Un pensamiento que nunca se había permitido. Por lo menos, no desde hacía diez malditos años.

Su mirada volvió al artículo sobre Alexandra Marshall. Su primer impulso fue arrojar el periódico al fuego y ver cómo se quemaba. Las largas horas que había pasado andando arriba y abajo para aplacar el dolor de la pierna no le habían ayudado a quitársela de la cabeza.

¿Por qué? Miró con furia la moldura del techo.

Casi no la había reconocido. Sus ojos verde océano ya no tenían el fuego que tan vivamente recordaba. No era una mujer guapa en el sentido tradicional. Nunca lo había sido. Pero solo por aquel mohín de la boca se merecía que la admitieran en la aristocrática sociedad de las mujeres con los labios más deseables.

Christopher levantó el periódico y lo acercó a la lámpara. Lo que le había dicho a su hermana era cierto. No había leído el artículo. Fue su suerte o su mala suerte lo que hizo que pasara la página sin querer cuando Barnaby entró. Pero esta vez no apartó la mirada y lo leyó entero. La prometedora dama arqueóloga había sido nombrada conservadora de antigüedades orientales. Ninguna mujer había ostentado nunca semejante honor.

La hija de lord Ware había logrado por fin su precioso sueño.

El agua helada cubría el cuerpo de Alexandra. Nadaba y nadaba con firmeza hacia el olvido, con el sonido del pulso rugiendo por sus venas. Agitando las piernas con todas sus fuerzas, salió a la superficie lisa del agua.

Y cerró los ojos, dejando que el aire helado llenara sus pulmones.

Los baños matutinos eran su única concesión a la frivolidad. Aquella actividad tan poco ortodoxa, sobre todo en los helados días de la primavera, contribuía a fomentar su imagen de excéntrica. Pero no le importaba. A los veintiocho años una mujer ya es lo bastante mayor para permitirse algún capricho sin que nadie la censure.

Alexandra avanzó por el agua, y regresó a buen ritmo por el estanque helado; luego volvió a sumergirse y salió a la superficie ya en el interior del invernadero. Allí dentro, el agua salía humeante de unas rocas magmáticas que su padre se había traído de una de sus excursiones a Borneo. El calor daba vida a una minijungla tropical en medio de una tormenta de finales de primavera.

Con la excepción de su doncella, que la esperaba con una toalla, todos los días Alexandra iba sola a aquel lugar. Como en casi todo lo demás que hacía en su vida.

—¡Santo Dios, milady! —La doncella ayudó a Alexandra a despojarse de la camisola empapada y luego le lió el pelo, que le llegaba al hombro, formando un exótico turbante rosa—. Hoy ha pasado dos minutos bajo el agua. Pensaba que se había ahogado. Y entonces ¿quién le daría la noticia al señor? Yo no, desde luego.

Alexandra se quitó la toalla de la cara.

—¿Papá está de mal humor otra vez?

—Durante todo el camino hasta aquí he oído cómo el señor le gritaba a un joven. Le va a dar una apoplejía, milady.

—¿Tenemos visita? ¿A estas horas de la mañana?

—Sí, madam. Me temo que el desdichado caballero se arrepiente de haber venido.

Alexandra rezó para que no fuera nadie del museo o algún otro reportero. Desde que se había convertido en la primera mujer en ocupar aquel puesto, involuntariamente había despertado el interés de la prensa.

Asegurándose bien la bata, salió a toda prisa del invernadero. La mansión de su padre en Londres era un edificio majestuoso, suavizado por las líneas estilizadas de las altas ventanas de la fachada de piedra. Una verja metálica separaba la casa de la calle y, a pesar de la presencia del estanque y el invernadero que ella cuidaba, el austero césped no daba una imagen particularmente acogedora.

Alexandra decidió esperar a que se le secara el pelo antes de vestirse. De todos modos, pensó mientras se examinaba con gesto crítico en el espejo un rato más tarde, tampoco se hacía gran cosa en el pelo, aparte de confinarlo en una redecilla que casaba muy bien con su habitual vestido gris... un vestido en nada excepcional, como toda su ropa. Mientras observaba su reflejo en el espejo que tenía junto a su cama con dosel, enclavada en el mausoleo de su vida, Alexandra vio subir y bajar un suspiro.

Su padre quería volver a Egipto al año siguiente. Y en parte ella se alegraba de que le estuviera resultando tan difícil encontrar un consorcio que financiara la expedición. No quería tener que dejar el museo, no ahora que podía luchar para hacerse su sitio allí.

O, en este caso, para exonerarse.

Se había pasado la noche compilando sus notas y comprobó horrorizada que su nombre aparecía vinculado a todas las piezas que faltaban o habían sido manipuladas en el museo. Sin duda las pruebas la convertían en sospechosa.

Necesitaba un aliado en el consejo. Alguien que no fuera su padre.

Y, con este pensamiento, aquel día se había levantado con un nuevo propósito. Para solucionar aquello solo podía contar con su intelecto. En lugar de ponerse nerviosa, se pondría en contacto con los miembros del consejo que habían hablado en su favor para que el puesto se le asignara a ella. Seguramente serían los más comprensivos y la escucharían. Su padre diría que aquello era politiqueo. Para ella se trataba de un acto a la desesperada.

Su mente se despejó y se encontró mirando con expresión grave a la mujer que veía en el espejo.

¿Qué había visto Christopher cuando la miró la noche antes?

En otro tiempo solía proteger su delicada psique contemplando su belleza. Pero ya no había en ella nada memorable. Ni su pelo castaño claro. El miriñaque, muy estrecho para los dictados de la moda, la hacía parecer demacrada. Y ya no se fijaba si los hombres la miraban o no.

Un nudo momentáneo de irritación se le formó en el estómago.

Salvo Richard Atler. Se hacía el galante hasta el punto de resultar ridículo. Y no contaba, porque se habían criado juntos, y la idea de tener contacto físico con él le parecía incestuosa.

En el espejo, su mirada se encontró con la mirada preocupada de la doncella.

—No me mires como si ya estuviera en la tumba. En la vida hay cosas peores que quedarse soltera.

—No estoy ciega, milady. Ha vuelto a pasar la noche fuera. Conseguirá ponerse enferma. —La doncella le abrochó el guardapelo de plata que siempre llevaba al cuello. La gargantilla que su padre tanto detestaba. Se la metió bajo el vestido—. Llevo con usted casi toda su vida y sé muy bien cuándo algo la aflige.

—No sé si se puede considerar que estuve fuera, Mary. Estuve trabajando en las cocheras.

—Tiene que cuidarse un poco, milady.

Alexandra había dormido en las viejas cocheras que había convertido en su santuario personal hacía cinco años. Aquella casita con tejado de paja, que parecía salida de una novela de Charles Dickens, estaba en medio de la zona boscosa que rodeaba la propiedad. Con frecuencia se pasaba la noche enclaustrada allí con sus preciosos libros.

Respiró hondo.

—Es que hoy tengo mucho que hacer, Mary. Nada más.

Alexandra salió apresuradamente de la habitación y bajó por la escalera, haciendo que su falda se acampanara. Su padre detestaba la falta de puntualidad.

Alexandra vaciló un momento ante la puerta del elegante

comedor, tratando de serenarse, y se alisó la falda. Como tenía por costumbre, su padre se encontraba sentado a la cabeza de la mesa ornamentada, y en aquellos momentos estaban acercando el carrito con el jamón a su lado. Sus ojos grises no se levantaron en ningún momento del periódico cuando Alexandra tomó asiento junto a él.

—Llegas tarde, Alexandra. —La misma cantinela de todas las mañanas.

—Lo siento, papá. —Su pesada falda susurraba cada vez que se movía. No le explicó que había tenido que secarse el pelo, entre otras cosas porque normalmente aquella no era la causa de su falta de puntualidad.

Su padre vestía una chaqueta recta de terciopelo y camisa de seda.

—¿Has visto esta basura? —Agitó el periódico delante de sus narices como si fuera un arma y acto seguido empujó la primera página contra el candelabro.

Ella miró, conteniendo a medias la respiración, sin saber lo que se iba a encontrar.

La fotografía de Christopher Donally aparecía en la página de sociedad pero, aunque su imagen captó su atención, su expresión permaneció totalmente sobria.

—Ese bastardo irlandés ha donado diez mil libras al nuevo fondo del museo. Está tratando de integrarse en un lugar al que no pertenece. Esto será la ruina de la sociedad.

La suma era inmensa se mirara como se mirase. El heredero advenedizo de D&B Steel and Engineering ciertamente se estaba haciendo notar si había alterado a su padre hasta ese extremo. Y Alexandra no pudo dejar de notar el chispazo de deslealtad que le produjo ver a su padre tan sofocado.

Con la vista baja, Alexandra removió la crema de su café... su bebida favorita del día.

—Sir Donally solo es un hombre —dijo como concesión al mal humor de su padre—. Tú eres un miembro respetado de la Cámara de los Lores. ¿Por qué te alteras tanto?

La silla crujió. Su padre se inclinó hacia delante, apoyándose en los codos.

Alexandra lo miró algo alarmada, con una súbita preocupación por la desapacible expresión de su semblante. El hombre siempre insistía en que había que mantener el decoro, pero aquella reacción desproporcionada iba más allá de las diferencias de clase. Alexandra dejó a un lado su café.

—Papá, ¿qué ha pasado?

—No puedo conseguir financiación para futuros proyectos con el museo. Y alguien ha comprado mis deudas en el club.

—Papá...

—El banco ya no es el dueño de la hipoteca de esta casa y no me adelantarán ningún préstamo este año. Si aún conservo mis propiedades en Ware es porque la tierra está vinculada. Y ahora esto... —Golpeó el periódico con la mano—. Resulta que han nombrado a Donally miembro del consejo de administración del museo. Y Atler ni siquiera me lo ha dicho. He tenido que enterarme por el maldito periódico.

Olvidando momentáneamente sus problemas, Alexandra empezó a trocear los huevos de su plato. Ni por un momento creyó que su padre pudiera ser objeto de un ataque. Que los bancos compraran y vendieran las hipotecas era algo totalmente normal, y si su padre no se hubiera endeudado tanto con sus viajes en aquellos últimos años, no estaría en aquella situación. También era algo frecuente que el derecho sobre las deudas de una persona fuera adquirido por algún indeseable que luego cobraba unos intereses desorbitados. Pero prefirió no decir nada de todo aquello.

—Quizá no habría estado de más si el año pasado hubieras asistido a las reuniones del consejo de administración.

Su padre golpeó la mesa con el puño, y eso la hizo pestañear. Siguió comiendo.

—Escúchame bien. Donally no está en el consejo del museo por el aprecio que tiene a las antigüedades. Está en Londres con un propósito muy concreto.

—Que haya hecho una aportación económica al Museo Británico no te apartará del puesto que ocupas en el consejo. Y es absurdo que sigas odiándolo de esa forma. Seguramente está aquí para presentar a su hermana en sociedad. Está con él. Y Dios sabe que va a necesitar todo el apoyo que pueda conseguir en esta ciudad.

—¿Has visto a Donally?

Alexandra bajó el tenedor. De pronto sentía el estómago pesado.

—Ayer. En el museo. —Levantó la vista.

Los ojos de su padre la miraron con incredulidad.

—¿Y ahora pretendes defenderlo en mi comedor?

Alexandra se sintió tan perpleja por aquella acusación que casi tartamudeó al contestar.

—No estoy defendiendo a nadie. Hace años que sir Donally volvió a Inglaterra. ¿Por qué iba a esperar este momento para hacer caer la ira de Londres sobre ti?

—Pensaba que tendrías más sentido común, jovencita. —Tiró la servilleta y se puso en pie. Era tan alto que parecía ocupar la habitación entera—. Nunca viste al verdadero Donally. Acuérdate de mis palabras. Ese hombre detesta el suelo que tú y yo pisamos.

Sin decir palabra, Alexandra vio salir a su padre, que dejó un frío silencio tras de sí. El reloj de cuco siguió marcando los segundos, hasta que Alexandra pestañeó y se dio cuenta de que se había convertido involuntariamente en el centro de atención. Los sirvientes que estaban junto al bufet trataron de parecer ocupados. Jugueteando con la servilleta de lino que tenía en el regazo, Alexandra volvió a concentrarse en su plato.

—¿Desea que le sirva más café, madam? —preguntó su criado.

—Gracias, Alfred. —Empujó la taza.

La incomodaba que su padre se hubiera comportado con tanta rudeza delante del servicio, así que se limitó a callar y apartó la mirada.

Al punto, sus ojos se posaron en el rostro de Christopher Donally, que la miraba desde el periódico. Y todos sus esfuerzos por olvidar durante años, todos los días que había tratado de seguir con su vida, se vinieron abajo.

El fantasma de una sonrisa curvó levemente las comisuras de sus labios. Quizá porque había mucha gente que quería ver hundido a Christopher. Y él no se había hundido. Se alegraba de que hubiera triunfado.

Se acercó el periódico y alisó las arrugas de los bordes. Casi habían pasado diez años desde que aquel hombre salió de su vida sin mirar atrás. Nueve años, seis meses y dos semanas. Y no es que llevara la cuenta, al menos no la había llevado hasta aquella noche, cuando se topó con él en el museo.

Christopher Donally era el único hombre a quien había amado.

Hablaba cinco idiomas con fluidez, y en otro tiempo estuvo asignado al equipo diplomático que trabajaba a las órdenes de su padre en Tánger: un lugar donde se mezclaban las diferentes culturas y desde donde Gran Bretaña quería ejercer su poderosa influencia. Fue allí donde lo conoció cuando tenía solo diecisiete años. Donde se enamoró de aquel apuesto oficial del ejército. Donde se casaron.

Pero la ira de Dios cayó muy pronto sobre ellos y Christopher, que era un oficial respetado, cayó en desgracia y fue embarcado a otro destino antes de que su matrimonio se hiciera público.

Su matrimonio con Christopher duró solo un poco más que su hijo. El bebé nació prematuro tras un embarazo difícil y no pasó de su primer día de vida. Alexandra ya había cumplido los dieciocho.

Aquel recuerdo tan hondo hizo que su mano buscara el guardapelo que llevaba oculto bajo el corpiño, tan oculto como tantas otras cosas en su vida.

Cuando sucedió todo aquello, ella solo tenía dieciocho años, y no pudo oponerse a la voluntad de su padre, ni evitar la anulación del matrimonio. Y, a pesar de todo, anunció desafiante sus planes de huir con Christopher cuando volviera a buscarla. Su padre no dijo palabra. Durante ocho meses, mientras se recuperaba del parto, había esperado con las maletas preparadas.

Esperó y esperó.

Pero Christopher no regresó.

Y, hasta la noche anterior, creía que aquellos diez años le habían ayudado a olvidarlo.

Fuera, la triste llovizna había cesado.

—Alfred. —Dejó la servilleta sobre la mesa y se puso en pie. El criado apareció en la puerta. Clavando su vista en el rostro enjuto del criado, le dijo que buscara a Mary—. Y que el carruaje me espere ante las viejas cocheras.

Había llegado la hora de aplicar sus esfuerzos a su bienestar personal. Cogería sus notas y buscaría la dirección de los miembros del consejo de administración a los que quería visitar.

—Pero, milady… —Alfred miró con indecisión por encima del hombro—. El coche con capota aún está guardado. Los martes lord Ware va al club.

Recordando la diatriba de su padre sobre su crédito menguante, Alexandra se sintió en la obligación de ayudarle a no salir de casa.

—Puedes preguntarle por sus planes cuando lleves el carruaje a donde te he dicho —agregó apresuradamente cuando se alejaba por el pasillo que conducía a la entrada de la casa.

Para entonces, ella y Mary ya se habrían ido.

Alexandra se alejó de la residencia londinense del presidente del Colegio de Médicos. Se ajustó la capa; seguía obstinada en arreglar aquel entuerto. Su intento de entrevistarse con sir Donald Owensby no había salido bien porque el hombre aún no había vuelto de un viaje al continente con su madre. Alexandra, decepcionada, lo tachó de su lista; solo quedaba un nombre de los cuatro con los que había partido aquella mañana. Dos, si contaba el que había garabateado en el último momento antes de salir de casa.

Lord Wellsby y su esposa vivían en Grosvenor Square. Tenían nueve hijos ya adultos, a los que Alexandra había ido conociendo en diferentes actos de beneficencia en los años anteriores. Ambos estaban entregados en cuerpo y alma a las causas benéficas y la mejora de la sociedad.

El camino de acceso discurría entre una larga hilera de árboles y terminaba en una moderna casa georgiana de ladrillo rojo. Cuando Alexandra se apeó del carruaje, el fuerte viento le agitó la capa y el pelo, recogido en un moño apretado. Las hicieron pasar al pasillo. El criado se llevó sus capas, y para Alexandra fue un alivio saber que lady Wellsby las recibiría.

—Buenas tardes, Alexandra. Qué agradable sorpresa. ¿Cuánto hace que no nos veíamos?

A Alexandra el saludo se le heló en los labios. La mujer iba vestida de negro, y una cofia blanca cubría su pelo canoso. No había visto ninguna guirnalda fúnebre a la entrada.

—Disculpe si he venido en mal momento —dijo a modo de disculpa.

—No te preocupes, querida —dijo lady Wellsby, y entonces la cogió de las manos y la hizo pasar al salón. El papel de las paredes y los pesados cortinajes eran de terciopelo rojo y crema, y combinaban adecuadamente con el color de la tapicería a rayas—. Necesito tanto tener compañía... Este mes he debido cancelar mi salón de lectura de los jueves. Me muero de aburrimiento.

—Mi visita no responde a motivos sociales. Vengo por negocios —replicó Alexandra.

—Las mujeres no hablamos de negocios a la hora del té. —Lady Wellsby indicó al criado que se acercara—. ¿Quieres tomar un refresco, querida?

—Por favor. —Alexandra dejó su ridículo en el regazo.

Cuando el criado salió, lady Wellsby se inclinó hacia ella.

—El tío de mi esposo falleció hace tres meses. Por fortuna,

no sufrió mucho, el pobre hombre estaba muy enfermo. La semana pasada lord Wellsby tuvo que ausentarse para arreglar ciertos asuntos en relación con sus bienes. Su tío no tenía ni hijos ni parientes, así que parece que mi marido heredará sus responsabilidades. Por supuesto, tendremos que encontrar maridos apropiados para sus primas.

Alexandra sintió un peso sobre los hombros. Lord Wellsby no regresaría en unos días, tal vez incluso semanas.

—Debe de haber sido terrible para ellas perder a su padre —dijo con recato.

El criado regresó con una bandeja de plata y la vajilla de porcelana.

—Pero, por supuesto, tú no tienes que preocuparte por si te quedas en la miseria —dijo lady Wellsby—. Tu padre fue hijo único y eres su única heredera. La futura condesa de Ware. Querida, es muy poco común que una hija herede un título. Pero me consta que tu padre lo ha arreglado todo para que así sea.

Alexandra dejó el pequeño plato en la mesita. No necesitaba lecciones de derecho sobre primogenitura y vínculos.

Había preparado aquella misión excluyendo todo lo demás, de modo que participó con gran distanciamiento en aquella trivial conversación tan típica de la hora del té. Lady Wellsby estuvo cotilleando sobre el inminente inicio de la temporada londinense, que solía iniciarse con la exposición de mayo de la Real Academia de las Artes, aunque ese año, debido a un incendio, se iniciaría con la gran inauguración de la temporada de ópera. A Alexandra le traía sin cuidado. Pero por lo visto tener una visita significaba mucho para lady Wellsby, y no fue capaz de manifestar abiertamente su falta de interés.

El reloj de la entrada ya había marcado la hora cinco veces cuando por fin pudo abordar el asunto que la había llevado hasta allí. Lady Wellsby la escuchó en silencio, y Alexandra sintió que el estómago se le encogía.

—Creo que lo que realmente necesito es que alguien me oriente sobre lo que debo hacer —dijo para concluir, y por un terrible instante fue consciente de todos los defectos de la exposición que había hecho.

—Querida, si he de serte sincera —la mujer miró a Alexandra y apoyó una mano en la de ella—, siempre te he tenido mucho afecto. Conocí a tu madre cuando vivíamos en Alejandría. Mi marido ocupaba el mismo puesto que tu padre. Estaba loco por ella. Era encantadora. Y tú tienes sus mismos ojos.

A Alexandra la habían llamado así por la ciudad donde había nacido. Era un lugar del que su padre siempre hablaba con afecto. Quizá porque su corazón estaba allí. Donde estaba enterrada su madre.

Lady Wellsby aspiró.

—Pero debo decirte que mi esposo no habría accedido a votar tu admisión de no ser por las maquinaciones de tu padre.

Consciente de que Mary estaba allí, en pie y en silencio detrás de ella, Alexandra cruzó las manos sobre el regazo.

—No comprendo.

—Lord Ware extorsionó o hizo chantaje a la mitad de los miembros del consejo para que pudieras ocupar ese puesto que tanto valoras. No me sorprende que no estuvieras preparada para el trabajo.

Alexandra estaba perpleja.

—Espero que lo entiendas, pero es mejor que lord Wellsby no se implique. Es amigo de tu padre.

—Aprecio su sinceridad, lady Wellsby. —Alexandra se puso en pie—. Nadie se había molestado en decirme la verdad.

Lady Wellsby la siguió.

—No lo sabías. No sabías lo de tu padre.

—Tenía la esperanza de que me hubieran concedido mi puesto como adjunta en la universidad porque había sacado las notas más altas en todas las pruebas de campo. Mi tesis sobre antigüedades orientales y la herencia nómada de los artesanos mongoles está en los archivos nacionales. Si el nombramiento no se hizo público es porque soy mujer, y a las mujeres no se les otorgan títulos académicos.

—Pues tendrían que hacerlo. Pero eso no es ocupación para gente como nosotras, querida. Deberías estar casada y tener un montón de críos.

—Lady Wellsby no tenía derecho a decirle esas cosas, milady —le dijo Mary cuando volvieron al carruaje.

Alexandra iba sentada muy rígida, mirando por la ventanilla. La bóveda celeste era de un azul tan intenso que sentía que el cráneo le palpitaba.

—No creo que quisiera ofenderme, Mary.

—Se ha ganado el puesto que ocupa, milady. Nadie puede negarlo.

Alexandra volvió la cabeza y sus ojos se encontraron con los de Mary. Era curioso, pero no estaba pensando en su trabajo. Estaba pensando en su hijo.

—¿Qué vamos a hacer ahora, milady?

Los ojos de Alexandra se posaron en el último nombre de la lista que llevaba medio estrujada en su mano enguantada. Tendría que buscar un plan más viable y encontrar al ladrón ella sola.

3

Christopher sujetó a su hermana por el codo y la guió entre una turba de gente hasta el tercer nivel del teatro de la ópera. Su primer evento importante de la temporada londinense y habían tenido que esperar media hora en la cola para que el carruaje lograra acercarse lo bastante a la entrada y pudieran apearse. Encontraron el palco enseguida. Brianna sacó los impertinentes de su ridículo y se los colocó sobre la nariz para examinar las cinco gradas de opulentos palcos que subían hasta el gallinero.

—Debe de haber miles de personas —dijo suspirando con admiración.

De pronto se oyó un sonido atronador. La orquesta había empezado a ensayar en el foso, y el público supo que debía ocupar sus asientos.

—Gracias, Christopher. —Brianna bajó sus impertinentes—. ¿El espectáculo será en inglés?

—Es *Die Zauberflöte*, de Mozart, *La flauta mágica.*

—No sabía que hablabas alemán —dijo ella con una risa.

—Creo que te gustará. Es una historia de amor.

La sala cavernosa estaba cada vez más llena, el murmullo de la multitud iba en aumento. El olor de perfumes caros flotaba como una nube en el ambiente.

Verde hierba, intensos púrpura y rosa se confundían con el destello de las joyas y formaban una imagen sorprendente. Al principio Christopher no la vio. Y entonces, como si una mano divina hubiera intervenido, la multitud se abrió y allí estaba Alexandra Marshall, de perfil. Sin darse cuenta, Christopher se acercó a la baranda del palco.

Cuando se la encontró en el museo, la capucha de la capa le había impedido verle bien la cara. Ahora, Christopher estudió sus facciones. Con su pelo castaño recogido en un manojo apretado de rizos y su cuerpo esbelto envuelto en un vestido de seda que casi parecía negro bajo la pálida luz de las lámparas de gas del teatro, nunca se habría fijado en ella.

Estaba en pie, junto a un hombre alto y distinguido al que reconoció enseguida. Y se puso rígido.

Aunque les separaban miles de personas en un teatro abarrotado y diez años de un pasado que había logrado superar, le sorprendió la crueldad de los pensamientos que ennegrecieron su mente.

En aquel momento Alexandra miró hacia arriba y sus ojos se encontraron. Su mirada lo atravesó, y fue como una pluma contra su esternón, algo totalmente inesperado. Lord Ware miró a su hija y enseguida se volvió para seguir su mirada.

Con una indiferencia fatalista que ya no sentía, Christopher sintió la ira intensa de la mirada de Ware. Pero ya no era el hombre que en otro tiempo estuvo ante las puertas del reluciente mundo de Alexandra como un niño viendo un espectáculo de circo desde fuera, con la nariz pegada contra las caballerizas de las carpas. Christopher tenía todas las cualidades necesarias para competir en aquel mundo; desde sus tiempos de militar, había perfeccionado aquellas cualidades tan a conciencia como todos los otros aspectos de su vida. Solo le hacía falta un poco más de entusiasmo para participar en el juego. Las más de las veces, no tenía necesidad de hacerse notar en una sala llena de gente. Si alguien quería algo de él, siempre le encontraba. Pero, aunque despreciaba la hipocresía del mundillo de la política, necesitaba que lo aceptaran si quería que D&B creciera y prosperara. Y, por el bien de su hermana, debía comportarse.

Así que avanzó por la espada de doble filo de sus principios y se prometió a sí mismo que sería educado.

Con un breve gesto de la cabeza, Christopher los saludó educadamente.

—Mira. —Brianna escrutaba la sala con sus impertinentes entrecerrando los ojos—. Allí está lady Alexan...

Lord Ware se volvió bruscamente con su hija, y Brianna captó perfectamente el desaire.

La joven bajó los impertinentes.

—No le gustamos, ¿verdad?

Pensar que Ware había extendido su desprecio a Brianna hizo que Christopher sintiera una fría sensación de ira en la boca del estómago.

—No, me temo que no.

Pero fue la mirada de Alexandra lo que le hizo dudar. ¿Cómo podía haber seguido siendo fiel a aquel desgraciado?

Christopher pasó el brazo por el respaldo de la silla de su hermana, y en ese momento la cortina se abrió detrás de ellos y una pareja algo dispar entró en el palco. Christopher reconoció al hombre, era otro de los miembros del consejo de administración, y se puso en pie. Se hicieron las presentaciones.

—Hay mucha gente esta noche —comentó sir Owensby cuando instaló a su madre en su asiento. Se limpió la frente con un pañuelo y echó una ojeada por el auditorio con forma de herradura—. He oído decir que un incendio retrasó la sesión de apertura de la Academia de las Artes —dijo, y añadió que normalmente la exposición en la Academia marcaba el inicio de la temporada londinense.

Christopher fingió interés. Era increíble que hubiera podido vivir tantos años sin conocer aquellos detalles.

—Eso he oído.

Y entonces Owensby se inclinó hacia delante y se sentó.

—Quizá tendríamos que mandar a todos estos ricachos al proyecto de alcantarillado del South End. Y ponerlos a trabajar, ¿eh? —Rió por lo bajo y Christopher supo que había encontrado un alma gemela—. Conozco su nombre por D&B. —Owensby se metió el pañuelo en la chaqueta negra y se acomodó en el asiento—. Soy arquitecto. Mi empresa ha tenido el placer de trabajar con la suya en numerosos proyectos. Según tengo entendido, él está en Calais.

—Donald, querido —lo interrumpió su madre, que tenía una cara perfectamente redonda—. ¿Aquellos no son lord Ware y su hija?

El hombre se llevó un monóculo a su ojo.

—Últimamente esa joven se ha convertido en una celebridad. —Owensby volvió a recostarse en el asiento y miró a Christopher—. Nunca está de más frecuentar a la gente adecuada. ¿Ha tenido ya el placer de conocer a su padre?

Dedicándole una sonrisa divertida, Christopher se volvió en su asiento. Mejor no contestar a aquello. Por Brianna.

Tras dedicar una fugaz mirada a Christopher, Alexandra levantó sus impertinentes y trató de demostrar interés por el colorido espectáculo del escenario. Hasta la mitad de la ópera no se dio cuenta de que aquella noche el interés estaba en el público. Y tuvo que cubrirse la boca para contener la sonrisa ante algunas de las pullas que volaban de un lado a otro entre la multitud inquieta, bajo el palco de su padre.

—Qué basura. —Lord Ware resopló con desaprobación.

Normalmente Alexandra se concentraba en el espectáculo. A su espalda, la cortina volvió a abrirse y entró otro de los colegas de su padre. Esta vez, su padre salió, y ella cambió enseguida la dirección de los impertinentes.

Había algo perverso en el hecho de espiar descaradamente a alguien, aunque muy a su pesar descubrió que la estimulaba. Christopher Donally y su hermana estaban sentados en la primera fila del palco que quedaba frente al escenario, y miraban el espectáculo. Él tenía el brazo alrededor del respaldo de la silla de la hermana, y de vez en cuando le susurraba algo al oído.

Alexandra sabía que Christopher hablaba alemán. Seguramente le estaba traduciendo el diálogo.

Alexandra bajó los impertinentes al recordar la rudeza que había demostrado su padre un rato antes. Christopher le había mirado a los ojos, y no apartó la mirada. Alexandra sonrió para sus adentros. Que ella supiera, era el único hombre que no se amedrentaba ante la imponente figura de su padre.

—¿Lo estás pasando bien? —Richard Atler la sobresaltó cuando se sentó a su lado. Llevaba una colonia muy fuerte y Alexandra agitó la mano como si quisiera despejar el aire de humos nocivos.

—¿Qué haces aquí?

—Te visito, si me lo permites. Estas localidades son mucho mejores que las mías.

Alexandra vio que había dejado a su amada más reciente aparcada junto a los Owensby en el palco reservado al museo. La mujer vestía de un rojo deslumbrante, y su falda se extendía como una rosa con exceso de fertilizante. A veces Alexandra se preguntaba si Richard no iría a Cremorne Garden a buscar a sus amiguitas.

—Esta noche tu padre está en su elemento —dijo él.

—Hay sesión en el Parlamento. Hay que forjar alianzas.

—Ayer no viniste al trabajo. Todo está muy misterioso, ¿sabes? —dijo susurrando exageradamente—. La dama de la comunidad académica. ¿Qué has hecho esta vez, Alexandra?

—¿Yo? —Muy propio de él acusarla de causar problemas.

El hombre apoyó el codo en la pierna. Alexandra conocía a Richard casi de toda la vida. Era un adonis, alto, y la mayoría de las mujeres lo consideraban apuesto. Pero ella nunca había superado el hecho de haberlo visto desnudo en una ocasión. Cuando ocurrió los dos tenían cinco años. Y fue un shock descubrir que los chicos orinaban de forma diferente a las chicas.

Aun así, habían acabado por ser más amigos que rivales, y él la había ayudado a superar más de una entrevista desde que pasó a formar parte del personal del museo. Pero, al igual que la mayoría de los que eran como él, prefería dedicar sus esfuerzos a jugar y divertirse que a trabajar duro. Si ella no le hubiera hecho la mitad de los trabajos, no habría terminado sus estudios universitarios. Con los años, Richard Atler se había convertido en un añadido tan inofensivo en su vida que ni siquiera se fijaba en sus payasadas... hasta que soltaba algún comentario sobre su carácter.

Lo miró enfadada.

—Ni se le ocurra insinuar que he hecho algo malo, señor Atler. —Y, sin mencionar su mal gusto con las mujeres o su falta de carácter, agregó—: Tú, precisamente, eres quien menos derecho tiene a juzgarme.

—Por supuesto, porque nunca cometes errores.

—Si te refieres a mi trabajo, no.

Y tenía intención de demostrarlo.

Richard paseó la mirada por el teatro.

—Hace tiempo que estás disponible.

Salvo por alguna aparición totalmente necesaria y algún té ocasional, Alexandra rara vez se mostraba en sociedad. Su presentación se había hecho diez años atrás en un exótico palacio en un país extranjero. Se alisó la seda del vestido y levantó la vista hacia donde estaba Christopher.

¿Qué recordaría él de aquella noche en Tánger?

De pronto Richard chasqueó los dedos ante su rostro.

—No has oído ni una palabra de lo que he dicho. ¿Dónde estabas?

Y su mirada siguió la de ella.

—Ya veo. ¿Qué podría decir sobre un irlandés que tiene el poder de hacer que tu frío corazón se derrita? —Agitó la mano en el aire—. Da diez mil libras al museo y casi es un lord. Pero no del todo. En el club ya están haciendo apuestas para ver cuánto tarda su hermana en convertirse en la querida de algún respetado lord, porque desde luego no podrá encontrarle marido entre esa venerable gente.

—No seas desagradable, Richard —espetó ella—. Incluso

yo me canso de tus continuos sarcasmos. Probablemente el señor Donally mataría a cualquier hombre que insultara de esa forma a su hermana. Asegúrate de no participar en eso.

—¿Detecto un dejo de aprobación?

—Admiro a un hombre capaz de incluir su nombre en la empresa que posee. Y ¿por qué no iba a poder presentar en sociedad a su hermana? Desde luego, se ha ganado ese derecho.

—No he dicho que estuviera de acuerdo con los chistes que circulan, querida. Me he limitado a señalar lo obvio. No lo olvides, yo mismo soy un simple plebeyo. La única diferencia es que la reina me ha nombrado caballero.

—Vete, Richard.

Él se irguió.

—Me iré, sí, princesa mía, puesto que veo que no has perdido tu frialdad habitual.

Cuando Richard se fue, Alexandra se puso el ridículo en el regazo. Tenía la sensación de que todos verían más allá de la fachada y sabrían enseguida que era una criminal. Tenía los nervios a flor de piel.

Con ayuda de la llave robada, había entrado en la principal cámara de almacenaje del museo y retirado el artículo 422 de su bolsita de terciopelo, que estaba guardada bajo llave en una caja. El auténtico Cisne Blanco, un rubí casi incoloro, no tenía precio. En cambio el que ella había sustraído era falso. El sha Jahan había regalado el Cisne original a su verdadero amor. Y más adelante hizo construir el Taj Mahal en su memoria. La semana anterior, Alexandra estaba preparándolo todo para subir aquella fruslería a la sala de exposiciones cuando descubrió los robos.

Y no se le pasó por alto la ironía del número de la caja de madera cuando volvió a colocarla entre las docenas de cajas que se alineaban en los estantes: 422. Ella y Christopher se habían casado el 22 de abril de 1855.

Deseando con toda su alma que la ópera se acabara, Alexandra miró de nuevo a Christopher.

Esta vez, él también la estaba mirando.

—¡Dele fuerte, señor Williams! ¡En la mandíbula! —gritó Brianna.

Christopher saltaba ágilmente de un pie al otro, haciendo fintas para frenar el derechazo de Williams.

—Pégame aquí, Willie. —Christopher evitó un *swing* y golpeó a Williams en la mandíbula.

El chico se tambaleó y estuvo a punto de caer de espaldas sobre la hierba.

—¡Christopher! —Brianna se aferró a la cuerda—. ¡Le vas a hacer daño!

—No, no va... a hacerme daño —dijo Williams jadeando y haciendo una finta hacia la izquierda—. Puedo tenerme en pie perfectamente... Y no me llamo Willie.

—Tienes que levantar las manos. Así. —Christopher le hizo una demostración.

Brianna andaba arriba y abajo ante la línea de las cuerdas.

—Espera y verás, Christopher Donally.

El rostro de Williams parecía concentrado. Golpeó y falló dos veces más.

Christopher sonrió. El sol había aparecido desde detrás de los árboles como un trovador largamente oculto, y él se puso a bailar al son de la música.

—Eres valiente, Willie. Reconozco que tienes agallas.

El sudor brillaba sobre el pecho de Christopher. Sus músculos se flexionaban y se contraían. Se había quitado la camisa antes de entrar en el ring que había construido un año antes bajo las extensas ramas de dos olmos gigantes. Aún llevaba puestas las botas y los pantalones de montar de su salida aquella tarde. Pasaba demasiadas horas detrás de una mesa de despacho para no moverse cuando tenía ocasión.

Y el boxeo era un deporte del que disfrutaba especialmente. Incluso con su pierna, podía bailar en círculos alrededor de casi cualquiera, salvo de su hermano pequeño, Ryan. Con el rabillo del ojo, Christopher vio que alguien se acercaba por el camino de acceso. Últimamente, desde que Brianna estaba en la casa, llegaban paquetes de la oficina de Londres con cierta regularidad. Barnaby estaba en la terraza, preparando la mesa para una comida algo tardía.

—Brianna —dijo por encima del hombro sin apartar los ojos de su adversario—. Dile a Barnaby que tenemos otra visita.

Ella no se movió ni un ápice. Su silencio obstinado era desafiante, pero antes de que Christopher pudiera repetirle que se fuera, ella se dio la vuelta con indignación y se marchó, haciendo balancear su miriñaque rosa con ira contenida. La sonrisa de Christopher desapareció en cuanto se volvió hacia Stephan Williams.

La nuez del joven se movió.

—Si esto es por lo que ha pasado esta mañana, señor…

—Tu problema es la sincronización, Willie.

Ahora que Brianna se había ido, ya podían quitarse los guantes, metafóricamente.

Christopher le golpeó. Lo bastante fuerte para hacerle vacilar, y ponerlo más nervioso de lo que ya estaba.

—No es lo que piensa, señor. Su hermana me gusta.

—No estás en posición de responsabilizarte de una esposa.

Una gota de sudor resbaló por la sien de Williams. Su respiración empezaba a parecer trabajosa.

—Yo… algún día tendré mi propio bufete, señor.

—Algún día no es ahora. Y ahora solo eres el mozo de los recados. Espero que mañana tu padre mande a otro. Porque si vuelvo a verte por aquí, la próxima vez que tengamos esta discusión no pienso utilizar los guantes. —Siguió bailando un poco por el ring—. ¿Está claro?

Williams había cometido el error de meterse en un lugar que no era el suyo. Aquella tarde Christopher había vuelto de su paseo a caballo y se lo había encontrado en amoroso coloquio con Brianna, o casi.

El impulso inicial de Christopher fue azotar a aquel granuja y despedir a su padre como asesor legal. Pero sabía que la culpa, en parte, era de su hermana. Bajo aquella fachada de recato, tenía una vena muy rebelde que bien valía unos cuantos cachetes. Si Brianna le había echado el anzuelo, el pobre joven no tenía ninguna posibilidad. Y la culpa de aquella rebeldía había que achacarla al hecho de que se hubiera criado bajo la tutela de sus cinco hermanos mayores y leyendo un montón de novelas absurdas. Necesitaba una guía femenina adecuada.

—Sí, señor. Lo ha dejado muy claro. —Williams levantó las manos y evitó un golpe—. Pero eso no significa que me guste.

Lo cierto es que Christopher sintió cierto respeto por el joven. Había demostrado gran valor al subir a aquel ring. Tenía agallas, y eso le haría llegar lejos en la vida. Pero, antes de que pudiera contestar, algo hizo que se detuviera y mirara más allá de las terrazas que formaban los jardines, hacia el camino de acceso bordeado de árboles, más abajo.

Alexandra Marshall se apeó del cabriolé.

La brisa agitó su falda.

Sus ojos se dirigieron a la elegante casa solariega, con parteluces en las ventanas, enmarcadas por pilastras y coronadas por tejas. Luego miró a los jardines. Unos jardines que le pertenecían. Los habían diseñado basándose en sus conocimientos de botánica. No había setos de espino ni setos vivos que marcaran los límites con el patio. Las terrazas se desbordaban artísticamente, con los colores y las texturas exactos que uno encontraría si entrara en el país de las maravillas de la naturaleza.

Alexandra se colocó la mano por encima de los ojos. Y Christopher supo exactamente en qué momento lo vio. Williams aprovechó el descuido y le asestó un buen gancho de izquierda en la mandíbula que le hizo caer contra las cuerdas.

Y, de ahí, al suelo.

—No sé si sabe que nadie viene nunca por aquí. —Una voz masculina hizo que Alexandra se volviera de golpe. El cochero del cabriolé estaba a su lado. Sus ojos se pasearon por la mansión y luego volvieron a ella—. No si valora un poco su futuro.

—¿Por qué no?

—Porque aquí el jefe —y señaló con un gesto por encima de su hombro— es muy posesivo con su hermana. Por eso.

—¿Conoce a sir Donally?

Bajo las diferentes capas de su capote de cochero, el hombre llevaba una camisa a cuadros rojos metida en unos pantalones anchos.

—¿Quién no conoce al capitán? Cuando compró esto, todo el distrito estaba muy descuidado. Él ha reconstruido prácticamente todas las casas arrendadas y las ha reconvertido en granjas. —Se puso el sombrero sobre su pelo rizado y negro—. Mi hermana vive en el pueblo. Son veinte chelines, milady. Por la ida y por la vuelta.

—¡Veinte! —dijo ella sin aliento. Cuando lo contrató aquella tarde no sabía que iba a cobrarle tan caro. Tendría que pagarle cuando regresara a la ciudad.

Una fría ráfaga de viento agitó las copas de los árboles. Alexandra se iba a sujetar la capa cuando recordó que se la había dejado en el cabriolé.

—Tiene usted mi capa. Espero que sirva como prenda hasta que volvamos a Londres.

—Cobro por cada media hora, madam.

No importaba. Dependiendo de lo que durara su entrevista, quizá pasaría muy poco rato allí. Poquísimo.

Sujetándose la falda por un lado, Alexandra echó a andar y pasó del sendero de grava al de piedra. No era tan ingenua como para pensar que era aceptable en ningún sentido presentarse allí sin escolta.

Christopher estaba a cierta distancia. Lo reconoció enseguida. Sus pantalones negros de montar marcaban las líneas nervudas de sus piernas. Y se estaba poniendo una camisa de un blanco níveo.

Momentos antes, había sentido el fuego de sus ojos al mirarla, y entonces el joven que había en el ring le golpeó. Ahora los dos hablaban.

—Mi hermano es capaz de aguantar cualquier cosa.

Alexandra se giró al oír la voz. La hermana de Christopher se acercó. Parecía muy recatada con aquel voluminoso vestido de muselina rosada.

—Quien me preocupa es el pobre señor Williams. Supongo que no volveré a verle.

Alexandra detectó el tono soñador de sus palabras. Las dos observaron cómo el joven en cuestión bajaba del ring y se dirigía hacia los establos por el césped. A sus hombros les faltaba la apostura y la madurez que llega con la edad. No como a Christopher, que era la viva imagen de la perfección masculina.

—Oh, Dios mío. —Brianna agachó la vista e hizo una reverencia—. Qué descuidada soy. —Se presentó, aunque Alexandra ya conocía su nombre—. ¿Desea tomar un té, milady?

¿La recordaba del museo o no sabía quién era?

Instintivamente, Alexandra pensó en rechazar la invitación, pero cambió de opinión.

—Sí, me encantaría.

—La cocinera prepara el mejor té del mundo. Y el mejor café, si le gusta. A Christopher le gusta más el café que el té.

Parloteando como un pajarillo, Brianna la hizo rodear la casa por un sendero de piedra cubierto de emparrados con forma arqueada y que iba hasta la terraza de la parte de atrás. De pronto Alexandra se encontró en el santuario secreto de Christopher. Todo aquello le habría parecido divertido de no ser porque se sentía como una intrusa. Evidentemente, la hermana de Christopher era plenamente consciente de ese hecho.

Sus pasos resonaban bajo el emparrado. La casa era hermosa y estaba llena de vida, incluso entre las piedras. Los líquenes, de un verde pálido, le daban un aire majestuoso. Brianna le estaba hablando del trabajo de restauración que Christopher había hecho en aquel edificio de estilo isabelino.

—Es muy creativo, de verdad —dijo—. Construye puentes y vías de tren. Que hiciera algo así ha sido todo un cambio. —Sus ojos se iluminaron—. Usted ha vivido en diferentes lugares del mundo, ¿no es cierto? Christopher también —dijo antes de que Alexandra pudiera contestar—. Aunque nunca habla de sus tiempos de soldado. Supongo que es por la herida.

Sin saber muy bien qué decir, Alexandra preguntó:

—¿Se quedará mucho tiempo en Londres?

—Christopher quiere presentarme en sociedad. El mes pasado fui presentada en la corte. Siempre había querido conocer a la reina. La presentación se hizo en el palacio de Saint James. ¿Alguna vez ha estado allí?

Alexandra se sentía totalmente hechizada por la falta de pretenciosidad de Brianna.

—Cuando era muy joven.

—Seguro que conoce los lugares de Londres más dignos de verse —dijo tras unos momentos—. ¿Podría decirme cuáles son? Me gustaría conocer a más gente de mi edad.

Alexandra hacía años que no salía.

—No tengo ningún lugar favorito. —Trató de pensar algo que hubiera podido decir lady Wellsby—. Creo que el próximo evento social importante de la temporada empezará con la apertura de la Real Academia de las Artes, y están las carreras de caballos en Ascot. —Eso lo sabía por su padre—. Y luego, las regatas en Henley, en julio.

—¿No me digas que de verdad piensas dejar el museo? —Era Christopher, que se acercó desde atrás.

Antes incluso de darse la vuelta, Alexandra percibió la intensidad de su presencia. Llevaba la camisa abierta, y estaba segura de que lo hacía a propósito para demostrarle su completa y escandalosa falta de educación. Se obligó a apartar la vista de los músculos endurecidos de su estómago. Muy propio de

Christopher Donally saltarse las normas del decoro. No estaba dispuesta a tolerarlo.

—Le sorprendería saber hasta dónde soy capaz de llegar, sir Donally. Y con quién.

El hecho de que estuviera allí ya daba una idea de su osadía. O su estupidez.

—Oh, por favor, tiene que contármelo todo, milady. Christopher tiene buenas intenciones, pero no es una mujer a quien se puedan contar cotilleos.

Alexandra paseó la mirada por el pecho de Christopher. Su estómago duro. Una oscura línea de vello desaparecía bajo la cintura de sus pantalones.

—Ninguna mujer medianamente inteligente tomaría a su hermano por una mujer —se sorprendió diciendo. Sobre todo porque sintió que se moría de ganas de meterle las manos por debajo de la camisa, y eso le hizo cuestionarse si no estaría siendo presa de alguna repentina locura. Notaba el olor almizclado de su piel, la solidez del calor que emanaba de él.

—Milady —dijo Brianna alegremente—. Es usted maravillosamente transgresora.

Los ojos de Christopher se clavaron en su rostro aparentemente comedido, con aquella arrogancia desdeñosa que tan bien recordaba.

Solo que ella también conocía su otra cara. El tacto de sus manos. La forma en que le sujetaba la cabeza cuando la besaba. Cómo su cuerpo se deslizaba sobre el de ella, entre sus piernas. De pronto fue como si el aire quemara entre ellos.

Christopher miró a su hermana.

—Dame cinco minutos, fierecilla.

La expresión de Brianna se ensombreció.

—Pensaba que a lo mejor quería acompañarnos durante la comida. Barnaby ya casi lo tiene todo preparado.

—No se quedará.

Alexandra intuyó un enfrentamiento entre hermano y hermana; luego Brianna se volvió e hizo una reverencia.

—Entonces le deseo un buen día, milady.

Cuando Brianna se fue, Christopher se volvió de nuevo hacia ella. Llevaba una toalla, y se la echó al cuello. Estaban bajo las extensas ramas de un olmo, y era como si no hubieran pasado diez años separados.

—¿Qué quieres, Alex?

—Veo que sigues boxeando. —Trató de esbozar una sonrisa educada. Su altura le daba una ventaja que la incomodaba—. ¿El señor Williams es el joven caballero con el brillante gancho de izquierda?

La sonrisa de Christopher le dio una momentánea panorámica de sus dientes blancos y fuertes.

—Vamos, milady, después de diez años no puede ser que de pronto me añores.

—Quiero saber por qué estás en Londres. —No pretendía sonar tan impertinente, pero todas las acusaciones que su padre había hecho ardían con intensidad en su mente. Y de pronto no pudo evitar fijarse en la coincidencia entre la aparición de Christopher en Londres y la sucesión de desastres financieros que habían afectado a su padre. Y también a ella.

Tenía que asegurarse.

Una expresión divertida apareció en los ojos de Christopher.

—¿Hay alguna ley que diga que no puedo visitar esta ciudad? —Levantó una mano—. «Prohibido el paso a Christopher Donally, por orden de lord Ware —bajó la mano, mirándola directamente a los ojos— y la esnob de su hija.»

En modo alguno impresionada por aquel sarcasmo, Alexandra insistió en su interrogatorio.

—Es tu hermano quien dirige tus negocios aquí. Todo el mundo sabe que tú te ocupas de la rama del norte.

Él comenzó a darse toquecitos en la cara con la toalla.

—¿Sabes todo eso de D&B? Estoy impresionado. Quizá tendría que haberme mantenido informado sobre tus actividades estos años. Estoy en clara desventaja.

—No sea pretencioso, señor Donally. Casi todo Londres lo

ha visto en los periódicos. Actualmente tu empresa es una de las pocas que se están barajando para el análisis del proyecto del túnel del Canal.

—¿Te interesa el fango inglés?

—¿Siempre contestas a las preguntas con más preguntas?

Alexandra intuyó un cambio en el ánimo de Christopher, aunque ligero.

—Yo ya era ingeniero antes de tener ningún poder en la empresa. El análisis del proyecto del Canal es mío. Son mis ideas. Mis propuestas. —Cruzó los brazos—. ¿Hay más detalles sórdidos que quieras conocer?

Alexandra abrió con nerviosismo el cierre de su ridículo y buscó algo en el interior. Le entregó la imitación del rubí Cisne Blanco. Sus dedos se rozaron. Sus ojos se encontraron. Pero eso sucedió únicamente porque Alexandra se negaba a mirarlo por debajo del cuello, a mirar aquel ostentoso despliegue de músculo y nervio que exhibía bajo la camisa abierta. Una barba incipiente le oscurecía el mentón.

—Necesito saber dónde puedo encontrar a alguien que haga gemas sintéticas. Esmeraldas y rubíes, para ser más exactos.

Él hizo rodar la pieza por su mano.

—¿Tu padre tiene problemas para comprártelos buenos?

—No sea patán, señor Donally.

Christopher apoyó la mano en el árbol que Alexandra tenía detrás. Le rozó el pecho con el antebrazo.

—¿Qué te ha pasado, Alex? —Sus ojos azul cielo la examinaron y repararon en su sencillo vestido gris.

Alexandra tenía la espalda recostada contra el árbol.

—Lo siento, no sé a qué te refieres.

No había nada educado en aquel repaso al que la estaba sometiendo. Le recordó a un halcón enjaulado: los barrotes eran lo único que frenaban sus instintos.

—Antes te gustaba acalorado y sudoroso. Y con mucha menos ropa de la que llevo ahora.

—¡Oh! —Levantó los brazos para evitar que sus pechos

entraran en contacto con el pecho sudado de él. La última barrera de hielo acabó por fundirse. Sintió que se sonrojaba. Christopher despedía un olor grosero y terrenal. El sol salpicó las sombras de su bello rostro.

Sus ojos lo miraron, luego se apartaron. Miró deliberadamente a la casa.

—Es usted un bruto, señor Donally.

—¿Qué haces aquí, Alex?

Ella volvió a mirarle bruscamente.

—Mi nombre es Alexandra.

—Para tus colegas estirados puede, pero no para mí.

—Ya te he dicho para qué he venido.

Una ráfaga de viento jugueteó con la camisa de Christopher.

—Ah. —Deslizó el pulgar sobre la joya. A Alexandra no se le escapó el cariz amenazador del gesto—. Quieres saber quién produce gemas sintéticas. Entonces no tengo por qué preocuparme. No has venido a suplicarme por tu fantástica carrera.

Alexandra se quedó helada.

—Atler me ha contado —continuó Christopher— que ha abierto una investigación interna para aclarar ciertas discrepancias que se han detectado recientemente en el inventario. —Se echó hacia atrás e hizo saltar el Cisne en su mano—. Y curiosamente mencionó tu nombre. ¿Es esta una de las piezas implicadas?

—El profesor Atler me acusará de incompetencia antes que permitir un escándalo reconociendo abiertamente que han robado en el museo.

El azul de los ojos de Christopher se ensombreció.

—Seguramente las gemas nunca se recuperarán. Piénsalo; si tiene que haber un escándalo, tu sacrificio será menos gravoso. Si esto saliera a la luz, la reputación del museo quedaría por los suelos. En cambio, si su único delito es haber contratado a alguien sin experiencia, la cosa cambia.

—El responsable de todo esto ha elegido los objetos con demasiada precisión, es evidente que sabía que era yo quien los había inventariado. Y seguramente también sabía que el profesor Atler iba a hacer exactamente lo que está haciendo.

—Entonces diría que esa magnífica carrera que te has labrado está a punto de venirse abajo.

—¡No! —Le dieron ganas de pegarle—. Mi trabajo es lo único que me importa en la vida, señor Donally. No tengo nada más. —Alexandra alzó el mentón y sus ojos se encontraron con los de él, aunque las sombras los velaban—. No dejaré que me arrebaten lo que es mío por una cuestión política.

—¿Política? —Entrecerró los ojos. Alexandra no entendía por qué de pronto se mostraba tan frío y amenazante—. Bienvenida al mundo real.

—No dejaré que ganen.

—¿Qué quieres de mí?

Su corazón latía acelerado. Todo lo que le importaba en el mundo dependía de que pudiera atrapar al ladrón.

—Todas las joyas sintéticas llevan la marca del laboratorio que las ha creado. Necesito que averigües quién fabrica este tipo de joyas. No puede haber tanta gente que se dedique a esto. Sé que necesitarás tiempo, pero te pagaré.

—No me ofendas.

—No hago esto para ofenderte. Estoy desesperada. Tengo que encontrar al ladrón y recuperar las joyas. No creo que sea tan difícil.

Su expresión, agria y divertida, la desinfló.

—¿Por qué no has acudido a tu padre?

—Si él interviene antes de que lo haya resuelto, nadie volverá a respetarme en la profesión. Todos pensarán que ha comprado mi perdón. —Le dedicó una mirada furtiva—. Pero tú... tú conoces a gente.

La risa de Christopher le dolió.

—Muy inteligente. ¿Crees que tengo contactos con los elementos criminales de nuestra sociedad? ¿Es porque soy irlandés o por otra cosa?

Ella contempló sus cabellos agitados por la brisa.

—Si he de serte sincera, por las dos cosas. —Y porque no tenía a nadie más a quien recurrir—. Seguro que aún conoces a gente que...

—Permíteme que te abra los ojos, Alex. Hace falta un químico experto para perfeccionar este arte. Hombres que venden sus productos a los ricos. Que esconden a sus amantes y no les entregan las reliquias de la familia a cambio de sus favores sexuales.

—Y supongo que eso lo sabes por experiencia.

—Yo no regalo a mis amantes esmeraldas o rubíes falsos. —Le mostró sus blancos dientes en una sonrisa tan arrogante que Alexandra se indignó. Él le arrojó la gema—. Pero si descubro alguna pista en los antros para opiómanos o en los palacios del placer de los barrios bajos de Londres, te lo haré saber.

Evidentemente, si aquel hombre era capaz de sentir algo bueno, lo reservaba únicamente para su hermana.

—Siempre fuiste un presuntuoso, Christopher Donally.

—¿Yo? —Tuvo la desfachatez de poner cara de ofendido.

—Vete al infierno. No te necesito.

Christopher la siguió con la mirada cuando se alejó con la espalda tiesa.

—Sí —le dijo casi a gritos—. Ese fue siempre el problema.

Que nunca le había necesitado.

Desde luego, no había luchado por él con el mismo ahínco con que estaba luchando por aquel condenado trabajo. Antes que volver a entrar en su vida se helaría el infierno.

—Barnaby. —Christopher se anudó el pañuelo al cuello. Se había aseado y cambiado de ropa. Su olor volvía a ser tolerable—. ¿Tu hermano todavía trabaja en el juzgado de paz de Marlborough Street?

—Sí, señor.

—¿Y no se ocupa la policía metropolitana de la seguridad en los museos?

—Desde hace cinco años, señor. —Barnaby cepilló su chaqueta y luego le ayudó a ponérsela—. Según tengo entendido, la señorita trabaja en el museo. La señorita Brianna me ha mostrado un pequeño artículo que escribió en el periódico.

La mirada de Christopher se encontró con la de su mayordomo en el espejo.

—¿Y todo eso lo habéis hablado mientras yo estaba ahí fuera?

—Por supuesto, señor. No habríamos osado hablar de ella delante de usted.

—Por supuesto. —Christopher dio la espalda al espejo. Estaba dispuesto a conceder que Alex era una curiosidad. Pero no pensaba aguantar cotilleos. Bastante malo era ya tener que aguantárselos a su hermana.

Su habitación estaba bellamente amueblada, y en los techos altos y la cama con cuatro postes se apreciaban las trazas de la historia de la casa. Los cortinajes eran de Clarence House. Las sillas sin brazo estaban tapizadas con tejidos de Scalamandré. Ajeno a todo aquello, Christopher abrió un joyero para sacar la leontina de su reloj.

—La semana que viene, si tienes tiempo —se metió la leontina en el bolsillo del chaleco—, me gustaría pasarme a hablar con tu hermano.

—¿Debo enviarle un mensaje para avisarle, señor?

—Te lo agradecería —dijo, algo divertido. Evidentemente, su mayordomo lo tenía por un necio y le consentía sus malos humores.

—La señorita Brianna ya está a la mesa, señor —dijo Barnaby cuando Christopher salía de la habitación. La gruesa moqueta amortiguaba el sonido de sus pasos—. Ha dicho que estaba demasiado hambrienta para esperarle.

—Probablemente haya dicho «furiosa».

Pero él también lo estaba. Antes de marcharse a la oficina de Londres, le daría un bonito discurso.

—El joven Williams parece buena persona —añadió Barnaby—. Aunque estos jóvenes de ahora a veces son algo irritantes.

—El joven Williams es eso justamente. Joven.

Cuando Christopher salió a la terraza, Brianna ya iba por la mitad de la comida. Sintió que el sol bañaba sus sentidos.

—Espero que no te moleste que haya empezado sin ti —dijo Brianna—. He esperado y esperado y esperado. Casi pensaba que este céfiro repentino de primavera se me llevaría volando.

Christopher apartó su silla, se sentía terriblemente molesto con su hermana. Tenía uno de sus malos humores, y no acababa de recuperar el control.

—¿Qué hacías ahí fuera, Brianna, invitándola a té...?

Ella siguió comiendo, pero agachó más la cabeza.

—Me gusta —le pareció a Christopher que respondió.

—¿Cómo dices?

—Me gusta. —Levantó la vista con brusquedad—. Me parece agradable.

—Maldita sea, a ti te parece que Williams puede caminar sobre el agua. ¿Qué sabes tú de la gente o de su carácter?

—Más que tú. Resulta que el señor Williams es un buen chico, y que te admira. Sabe Dios por qué, porque tú te has empeñado en machacarlo solo porque le gusto. Hoy te merecías que te hubieran dejado tirado en el suelo. Y por lo que se refiere a lady Alexandra, ya la conocía. Un poco —rectificó.

Christopher aceptó el café que le ofrecía su sirviente.

—¿Conocías a lady Alexandra? —Su tono era dubitativo.

—Fue hace mucho tiempo. Estuvo en Carlisle.

—¿Cuándo?

—Poco después de que volvieras de la India. Fue cuando estabas enfermo. Nadie quiso dejar que te viera. —Brianna dio un sorbito a su té—. Papá le dijo que haría que la arrestaran por entrar en una propiedad privada, por muy hija que fuera de quien fuera. Sentía curiosidad por saber quién era... —Brianna aspiró hondo— y la seguí.

—Quiero que entiendas una cosa, fierecilla...

—Cuando la alcancé en la calle, estaba llorando. Me preguntó si era tu hermana, y dijo que me parecía mucho a ti. Y entonces dijo que lo sentía. No sé por qué. Y sigo sin saberlo, solo sé que su padre tiene algo que ver con tu pasado. Y que nadie quiere hablar de ello. —Brianna cruzó las manos sobre el regazo—. Según creo, te vas a casar con Rachel. Es lo que papá quería. Pero hasta que no vi cómo mirabas a lady Alexandra en el museo no me di cuenta de que nunca te había visto mirar así a ninguna mujer. Y una mirada así vale la pena investigarla. ¿No te parece?

Christopher se pasó la mano por el pelo.

—No te pongas a fantasear porque creíste ver algo que no estaba.

Brianna encogió los hombros con gesto coqueto y cogió de nuevo su tenedor.

—Aun así, me gusta. Incluso si a ti no.

—Señor. —Barnaby entró en el comedor, seguido por un hombre de pelo entrecano con un bombín lastimoso—. Es el cochero que ha traído a lady Alexandra. Dice que ya ha esperado demasiado y desea regresar a Londres.

Christopher miró a uno, luego al otro.

—La dama se fue hace una hora.

—A lo mejor se fue o a lo mejor no —dijo el hombre con acento arrastrado—. Pero no se fue conmigo. Y no me ha pagado el viaje hasta aquí.

—Ha estado jugando a dados con algunos de los mozos del establo —le explicó Barnaby—. El cabriolé tenía suelta una pieza del eje y le di permiso para que se la arreglaran. Ignoraba que no se había marchado con la dama.

—Págale. —Christopher arrojó la servilleta sobre la mesa y se levantó—. La señorita no ha vuelto aquí, lo que significa que se ha ido a pie.

El cochero se rió con disimulo.

—Imagínese, una dama tan distinguida manchándose sus bonitas zapatillas.

Christopher se volvió muy despacio. Y el hombre se puso blanco.

—No he dicho nada…

—Solo hay un camino hacia Londres —le dijo Christopher a Barnaby mientras el mayordomo le ayudaba a ponerse su abrigo—. Que mi carruaje lo siga. Yo cogeré a César. Me reuniré con el cochero por el camino.

Y con esto, Christopher partió.

4

El viento era cada vez más fresco. Christopher tiró de las riendas y su agitado semental se dio la vuelta. Había llegado al cruce que dividía los límites de su propiedad. No había tantos árboles. Miró a la izquierda y finalmente decidió continuar su búsqueda en la misma dirección. Alexandra era demasiado inteligente para seguir por el camino que no era. Allá en lo alto, un grupo de nubes ocultó el sol de media tarde. Una sombra se desplazó sobre los campos. A lo lejos, veía ovejas.

Renegando, espoleó al caballo. O Alexandra era la mujer más rápida del mundo o había subido a un carruaje. Y esta última posibilidad le preocupaba. Ya era malo que hubiera tenido que alquilar un coche para ir a su casa. Y él sabía perfectamente por qué lo había hecho. No quería que su padre supiera que iba a verle.

Le dieron ganas de reír. Algunas cosas nunca cambiaban.

Y lo más irónico de todo aquello es que seguramente la incansable fábrica de cotilleos la habría metido en su cama antes de que el mes se acabara.

Guió al caballo hasta lo alto de una loma. La vio a lo lejos, entre los árboles. Una ráfaga de viento le agitó los pliegues del abrigo. Apretó las piernas contra los lomos del caballo para que no avanzara. El sol salió de detrás de las nubes. Y entonces vio que Alexandra se daba la vuelta y, protegiéndose los ojos con la mano, miraba hacia donde él estaba. Sintió un estremecimiento de emoción cuando supo que ella le había visto. Tiró ligeramente de las riendas y permitió que César diera unos pasos antes de espolearlo y salir al galope.

El camino descendía unos cien metros. Cuando llegaron a lo alto de la siguiente colina, Alexandra había desaparecido. Christopher no tardó en encontrar el lugar donde había abandonado el camino. Entrecerró los ojos y escudriñó el bosque, tratando de percibir algún sonido que la delatara. La vegetación era demasiado tupida para seguir a caballo. Aquella huida tenía tanta sofisticación como cualquier cosa hecha de forma precipitada.

Bueno, bueno..., así que la dama prefería recorrer a pie los ocho kilómetros que había hasta Londres antes que verle.

Las comisuras de su boca se curvaron levemente.

Siempre le había gustado participar en una buena cacería.

Alexandra se detuvo por tercera vez en otros tantos minutos para sacarse una piedra de la zapatilla. Aunque con el corsé no era fácil agacharse. Maldito Christopher. Primero, porque aun viendo lo desesperado de su situación no había querido ayudarla, y segundo por tener la osadía de salir a perseguirla al saber que el cochero la había dejado a su suerte.

Miró con indignación su zapatilla cubierta de barro. Se le había hecho un agujero en la suela. Su mirada pasó con incredulidad a la falda. El desgarrón en la seda gris lo debía a las prisas por huir de una cabra testaruda. Había perdido un guante en la verja. Los cabellos le colgaban en mechones enredados sobre los hombros. Por primera vez desde hacía años, su pensamiento no se demoraba con bondad en las masas desfavorecidas. Era imperdonable que el cochero se hubiera marchado; no pensaba pagarle, pensó con gesto desafiante. Y encima se había quedado con su capa revestida de pieles.

Alexandra estudió la dirección que debía seguir. Pasó entre

un grupo de árboles y echó a andar en dirección a una taberna que había visto a un lado del camino cuando pasó por allí por la tarde. Llevaba su ridículo pegado al pecho. Seguramente encontraría a alguien que se dirigiera a Londres. Y una vez en la ciudad, alquilaría otro coche.

Un goterón le cayó en la mejilla. Se puso la mano por encima de los ojos y miró el cielo. El frágil calorcillo de la tarde se había evaporado ante el aumento de las nubes. Un viento frío azotaba los campos y se colaba bajo su falda.

La lluvia empezó a repiquetear sobre las hojas húmedas a sus pies. Pasó sobre un tronco caído y apretó el paso. Estaba empapada y tenía frío. Por encima de las ráfagas de viento, el relincho de un caballo la puso en alerta y le hizo levantar la cabeza bruscamente. Se apartó el pelo de los ojos. En mitad del claro había un cobertizo ruinoso. Su techado de paja medio hundido sin duda había conocido tiempos mejores. Allá por la Edad Media, pensó Alexandra agriamente mientras evitaba con tiento una sustancia sospechosa amontonada en el suelo.

Andaba cojeando; prácticamente había entrado en el cobertizo cuando lo vio. Su corazón ahogó la exclamación que quería brotar de sus labios.

Christopher estaba apoyado contra la entrada. Con los brazos cruzados, y el aspecto de acabar de salir de una ilustración con lo último en la moda para hombre, la miraba con expresión engreída.

—¡Oooh! —Le dieron ganas de tirarle una piedra. ¿Cómo había adivinado por dónde saldría del bosque?

El bajo del abrigo azotaba sus botas salpicadas de barro. Miró al cielo.

—¿Querías darte un baño, Alex?

A Alexandra los dientes habían empezado a castañetearle. No podía respirar.

—Mi nombre es Alexandra, señor Donally. —Y pasó a toda prisa junto a él para resguardarse en el interior del cobertizo—. Todo esto es culpa tuya. Si me muero, ¡nunca te lo perdonaré!

Qué injusto era todo. Ponérselo delante de las narices. No había hecho nada para merecer que su vida se trastocara de aquella forma. Se inclinó tratando de recuperar el aliento. Dios, se iba a desmayar. El viento se le colaba entre la falda.

Él se quitó sus guantes de montar y avanzó hacia ella.

—Date la vuelta.

Ella trató de incorporarse.

—Yo..., yo... no.

—Oh, por el amor de Dios. —Le puso las manos sobre los hombros y la obligó a volverse—. No tienes nada que no haya visto antes. ¿O prefieres desmayarte en mis brazos y que te desvista mientras estás inconsciente? Llevas el corsé demasiado apretado.

Temblando como una hoja, Alexandra notó su calor a su espalda. Le desabrochó el vestido y luego sus manos empezaron a desatar con rapidez los lazos del corsé. Desde luego, sabía cómo manejarse con las vestiduras de una mujer. Un aire dulce y helado llenó los pulmones de Alexandra. Y percibió el aroma masculino y cálido del cuerpo de Christopher.

—Por si esa cabecita tuya tan inteligente no se había dado cuenta, señorita... —sus manos le apartaron el pelo del cuello—, estoy furioso.

—No m...más que yo, s...s...señor Donally.

Alexandra oyó que un caballo resoplaba y golpeaba los cascos contra el suelo y miró a través de la maraña de sus cabellos. El semental parecía inquieto; su larga cabeza asomaba por encima de la caballeriza.

Christopher la envolvió con su abrigo. Sus manos se apoyaron sobre sus hombros y la obligaron a darse la vuelta, y entonces se encontró mirando su bello rostro. Trató de no pensar en aquel olor a jabón de afeitado y a sol. De no pensar que ella olía tan mal como el cobertizo. Christopher la sujetó por el abrigo y contempló su pálido rostro.

—¿Cuánto tiempo creías que podrías seguir caminando?

—N...no no tengo ningún problema para caminar.

A pesar de su débil resistencia, Christopher la obligó a ir hasta un barril que estaba volcado. El voluminoso miriñaque no le permitió sentarse con comodidad, ni resistirse cuando él se arrodilló a sus pies. Contempló su cabeza inclinada. El pelo corto y negro contrastaba con el blanco del cuello de la camisa.

—¿Dónde querías ir?

Ella hundió el mentón en la tela del abrigo.

—Hay una taberna no muy lejos. Quería llegar hasta allí.

Christopher apoyó un codo en una rodilla y alzó el rostro.

—¿Preferías pedir a un extraño que te llevara a Londres a volver a mi casa?

A desgana, Alexandra tuvo que reconocer que no era un plan muy brillante. Pero era el único que tenía.

—Tendrías que haber vuelto a mi casa, Alex. Mi cochero te habría llevado a donde quisieras.

Gracias al abrigo, Alexandra había entrado en calor, había dejado de temblar. Y tenía que admitir que Christopher había hecho bien al aflojarle el corsé. Aunque ni en un millón de años se lo diría.

—De haber sabido que iba a hacer una excursión por el campo me habría vestido más apropiadamente —dijo ella—. El ejercicio no me irá mal.

—Sí —repuso él con tono admirado, y se levantó.

El caballo relinchó y Christopher lo sacó de la caballeriza.

Y entonces la miró de arriba abajo y la mueca de sus labios se transformó en un mohín divertido.

—Esperaba encontrarte medio muerta a un lado del camino hace por lo menos cuatro kilómetros. Me has impresionado.

Ella lo miró entrecerrando los ojos, pero no pudo seguir enfadada con él. De todos modos, tampoco tenía mucho sentido. Él estaba allí; ella había entrado en calor.

—Bueno, ¿cómo sabías dónde encontrarme?

Christopher guió al semental hasta la entrada de la cuadra.

Fuera, la lluvia caía con fuerza. El aire olía a paja y hierba mojada.

—Estás en mis tierras. Te llevo ventaja. Lo único que tenía que hacer era cabalgar hasta el primer lugar lógico donde pudieras parar.

—¿Todo esto es tuyo? —Alexandra se levantó del barril y se acercó a su lado.

Christopher llevaba un chaleco negro de lana y pantalones también negros remetidos en las botas. Tenía la mano apoyada en la cadera, con la chaqueta ligeramente levantada: el ademán de un hombre de mundo, seguro de sí mismo; y sin embargo era tan vulnerable..., como un niño al que acabaran de entregarle un regalo muy frágil.

Volvió la cabeza, y en cada una de las líneas de expresión de su rostro Alexandra vio su profundo amor por la tierra.

—No está mal para un muchacho irlandés.

Alexandra sintió una profunda ternura por él. Christopher había llegado muy lejos desde sus comienzos cuando era joven. A pesar de su ira, a pesar de todo lo que había sucedido entre ellos, estaba orgullosa.

—Es muy bonito —le dijo con voz suave.

El sonido de la lluvia llenaba el espacio que había entre ellos. Y entonces Alexandra vio que algo cambiaba en sus ojos, como si le hubiera dejado ver una parte de sí mismo que no quería compartir con nadie. Y menos con ella.

Christopher se apartó un paso. Dentro del cobertizo, se oía el goteo del agua.

—Tendría que pasar más tiempo aquí, pero no lo hago. La propiedad que tengo en Carlisle es más apropiada para educar a una niña. No me gusta tanta política.

—¿Tienes hijos?

Aquella pregunta impropia le hizo alzar la mirada. Pasó la mano con suavidad sobre el morro negro del caballo y le dijo algo para tranquilizarlo.

—Que yo sepa no.

Alexandra frunció el ceño mientras observaba el movimiento de sus manos expertas. Evidentemente, no habría sido célibe todos aquellos años, pero la idea de que hubiera estado en la cama de otra mujer le dolió como si le hubieran clavado un cuchillo.

—Brianna se acuerda de ti. Dice que fuiste a Carlisle poco después de mi regreso de la India.

Su chaqueta se había abierto y dejaba ver el chaleco. La estaba mirando fijamente. Todo en él resultaba abiertamente masculino y peligroso, y los pensamientos de Alexandra eran demasiado íntimos, demasiado personales para expresarlos ante un hombre que se había convertido en un extraño. Sin embargo, habían tenido un hijo juntos. Habían compartido risas y sueños durante el poco tiempo que estuvieron juntos en Tánger. Habían compartido la intimidad física, una intimidad que acabó para siempre con sus fantasías de niña.

Quizá no había logrado dejar del todo atrás el pasado. Pero no pensaba decirle a Christopher que fue a Carlisle porque quería que continuaran donde lo habían dejado. Ni que había intentado traer los restos mortales de su hijo a Inglaterra. La familia de Christopher la despreciaba, y Alexandra solo quería olvidar.

—Eso fue hace mucho tiempo, Christopher. Casi ni me acuerdo.

—Está convencida de que tendríais que ser amigas.

—Espero que no pienses que la he animado.

—Te creo.

La lluvia empezó a remitir con la misma rapidez con que había comenzado. Christopher fue hasta la entrada.

—Parece que la tormenta está pasando. ¿Cuánto hace que no comes?

—Tengo que volver al museo. Lo antes posible.

Oyeron el avance de un carruaje por el camino. Christopher le dijo que se quedara en el establo. Cuando volvió, diez minutos más tarde, el caballo ya no estaba con él.

—Bueno, pues vamos al museo —le ofreció—. No tengo que desviarme mucho de mi camino. Si te parece bien. —Y arqueó una ceja.

El primer impulso de Alexandra fue rechazar la oferta, pero habría sido una tontería, porque era evidente que necesitaba quien la llevara y se había hecho muy tarde. Sujetó el abrigo con fuerza.

—Usted primero, milady.

Alexandra echó a andar por un sendero boscoso que llevaba al camino principal. Un carruaje negro y majestuoso, con dos caballos negros igual de imponentes que tiraban inquietos de sus bocados, les esperaba. Christopher la ayudó a subir. El carruaje estaba ricamente equipado con asientos de cuero negro. Todo lo que tenía que ver con Christopher era siempre blanco o negro.

Excepto sus ojos.

Alexandra se apretujó contra un rincón. La rodilla de él tocaba la suya. Totalmente consciente de su presencia, se puso a sacudirse las gotas de la falda, y de pronto se sintió muy cansada.

Con una sacudida, el coche empezó a moverse, entre el perezoso chirrido de las ruedas y el tintineo de los arneses. Alexandra miró por la ventanilla. Una tarde gris y nublada había sustituido la mañana soleada y luminosa con la que se había levantado. El calor del pesado abrigo de Christopher le daba sueño y, a pesar de saber que lo tenía tan cerca, cerró los ojos.

Alexandra despertó con un sobresalto cuando el carruaje pasó sobre un charco. Se irguió y miró a su alrededor. Habían bajado la intensidad de la lámpara. En aquellos momentos pasaban ante casitas con tejado de paja y vallas de estacas. Ya hacía rato que habían dejado atrás las afueras de Londres.

Christopher estaba sentado en el otro rincón. Tenía el codo apoyado en la cabecera de su asiento y la cabeza en el puño. Sus ojos quedaban en sombras. Alexandra sintió que el calor le subía al rostro. La había estado observando mientras dormía. Y tuvo que controlar el impulso de bajar la vista para asegurarse de que su honor seguía intacto.

—¿He dormido mucho?

—Media hora.

Debía de parecer terriblemente desarreglada. Fuera, las calles estaban encharcadas. Se arrebujó en el abrigo.

—¿Qué te ha hecho, Alex?

Ella levantó la vista, asustada.

—¿Quién?

—¿Tú qué crees? ¿O todavía le sigues buscando excusas?

—Mi padre es uno de los hombres más inteligentes que conozco.

—No confundas la arrogancia con la inteligencia, Alex. Ni manipulación con compasión. Te has convertido exactamente en lo que él quería.

Aquella actitud era una clara muestra de los problemas que habían tenido en el pasado. Alexandra bajó la mirada a sus manos y comenzó a sacudirse la falda. Christopher nunca había entendido a su padre. Su madre fue la única mujer de su vida, y murió durante el parto. Pero en vez de dejar a Alexandra en manos de institutrices o tutores, siempre la llevaba con él. Había desafiado el protocolo y le había permitido tener una auténtica educación en un mundo en que lo único que se enseñaba a las mujeres era la disciplina de las normas de sociedad. Sí, tal vez hubiera manipulado al consejo de administración para que consiguiera su puesto en el museo, pero lo había hecho porque la quería.

Eso no disculpaba su espantoso comportamiento, desde luego, pero hacía que Alexandra viera sus actos con otros ojos. Cualquier cosa que hubiera podido hacer fue para protegerla.

Los ojos de Christopher se veían negros bajo aquella luz tan tenue. Dejó caer su mano enguantada, con el Cisne Blanco, y lo hizo rodar en su palma. Ella desvió la vista a su ridículo, que estaba junto a ella, en el asiento.

—¿De cuánto estamos hablando? —Sostuvo el Cisne a la luz, y sus ojos se encontraron con los ojos perplejos de ella por encima de la gema—. ¿En cuánto estimas que valen las piezas robadas?

El corazón de Alexandra se aceleró, trató de pensar una respuesta.

—¿En el último año? —Mentalmente calculó el precio de mercado de las joyas desaparecidas, aunque en realidad muchas de ellas no tenían precio—. Setenta mil libras, tal vez.

Christopher se inclinó hacia delante.

—Jesús. —Se apoyó en las rodillas—. Entonces todo esto va en serio.

Ella cruzó las manos sobre el regazo.

—Nunca bromearía con algo así.

—No. —La miró con expresión grave—. Supongo que no.

—Tú solo piensas en la cuestión económica —dijo Alexandra, sintiéndose insultada al ver que se tomaba a la ligera algo que tanto significaba para ella—. Esos objetos han sido destrozados, y ¿por qué?

—Un comentario muy propio de alguien que ha nadado en la abundancia toda su vida. La gente hace cosas mucho peores por dinero.

—No me refería a eso. —Christopher no parecía entender que alguien había destruido unas piezas antiquísimas, que no tenían precio, por pura avaricia—. Si esa persona hubiera querido dinero, solo tenía que robar una depositaría. Esas piezas tenían cientos de años de antigüedad. Se crearon cuando este país aún vivía en la oscuridad y luchaba con espadas y flechas, mientras que culturas como la china y la egipcia ya tenían más de siete mil años de historia.

—Bravo, Alex. —Christopher estudió su rostro—. Y entonces, ¿cómo es que nadie ha notado nada durante tanto tiempo?

—Todo se cataloga y permanece guardado bajo llave en una sala. Las piezas en exposición se van alternando, se cambian cada tres meses. Pueden pasar hasta quince meses antes de que la misma pieza vuelva a exponerse.

—Entonces los ladrones llevan bastante tiempo actuando.

—No me di cuenta hasta que el último grupo de antigüedades pasó a la exposición.

Finalmente, con una mirada que no era en modo alguno desagradable, Christopher se recostó de nuevo en el asiento y cruzó los brazos. La tela de la chaqueta se le tensaba en los hombros.

—Pensaré en lo que me has dicho.

—O me crees o no me crees.

—He dicho que lo pensaré.

—Pero ¿qué tienes que pensar? Te lo he contado todo.

—No es tan sencillo, Alex.

Ella volvió la cabeza y miró por la ventanilla.

—Es verdad —dijo con una risa—. ¿Cuándo ha sido algo sencillo en esta vida? —En la calle, el viento agitaba las hojas.

—¿Te gusta el arte? —preguntó él de pronto. En su voz había un dejo inesperadamente afectuoso, y Alexandra alzó la vista—. Tengo entendido que la inauguración de la exposición de la Real Academia de las Artes se ha pospuesto hasta finales del mes que viene.

Ella pestañeó, muy seria.

—¿Me estás pidiendo que te acompañe?

El asiento de cuero crujió. Christopher se inclinó hacia delante y apoyó los codos en las rodillas para mirarla con unos ojos tan azules que a Alexandra le sorprendió su pureza.

—No es ninguna trama secreta para seducirte —giró un momento la cabeza y luego volvió a mirarla—. De hecho, esta tarde, cuando te fuiste, fue un descanso.

Las comisuras de la boca de Alexandra se curvaron ligeramente.

—Vaya, no me había dado cuenta.

—Necesito presentar a mi hermana en sociedad —dijo él como si acabara de tomar una decisión de gran trascendencia—. Y no entiendo gran cosa de las maquinaciones de vuestra temporada londinense. Nunca he tenido ni la necesidad ni el deseo de participar en la caprichosa política de la ciudad. Brianna necesita que la vean con la gente apropiada. Y tú puedes llevarla a lugares que a mí me están vedados.

—¿Yo? —Tuvo que contenerse para no decirle que ella era la mujer socialmente más inepta de toda Gran Bretaña, y se estremeció solo de imaginarse haciendo de niñera de nadie.

—Digamos que creo que, si te lo propones, puedes ser una mujer muy capaz.

—Mi presentación en sociedad no fue precisamente un éxito.

Con su mano enguantada, Christopher le hizo levantar el mentón.

—Te equivocas, Alex. —Y le deslizó el pulgar por el labio inferior—. Mira todo lo que has logrado desde entonces. No te infravalores. No delante de mí.

Alexandra sintió que se acaloraba, plenamente consciente de la intensidad de la mirada de Christopher y del hormigueo que sentía. Solo había tenido que tocarla y había hecho caer todas sus defensas.

—¿Quieres hacer un trato conmigo? ¿Mi ayuda con Brianna a cambio de la tuya?

—Mejor aún. —Su boca se curvó ligeramente, aunque era indudable que cada milímetro de su ser era frío y oscuro—. Descubriré a tu ladrón.

—No será una de vuestras famosas fanfarronadas irlandesas, ¿eh, Christopher Donally? —dijo ella, imitando el acento que Christopher ocultaba tan bien—. Nadie debe saber que yo te he dado la información.

Él hizo una mueca, como diciendo que había cosas que nunca cambiaban. Ya había cargado con todo el riesgo otras veces.

—No te preocupes, tu secreto está a salvo conmigo —dijo,

y se metió el Cisne Blanco en el bolsillo del chaleco—. Tú atente a tu parte del trato y yo me atendré a la mía. Tú decides. Sea como fuere, Brianna necesita un mentor —dijo con voz neutra.

Alexandra consideró sus palabras. Bajó la vista a su regazo con una fuerte sensación de inseguridad. Inseguridad a causa de la velocidad de su pulso. A causa de Christopher. Pero sobre todo, por sí misma. En sociedad no era precisamente hábil, y no estaba segura de poder ayudar a su hermana y no ser un estorbo.

—Si tuviera que ayudar a Brianna, la gala de la Academia de las Artes sería el mejor sitio para empezar —concedió.

—¿Sales con alguien? —le preguntó Christopher cuando el silencio empezaba a alargarse.

Ella rió por la poca sutileza de la pregunta.

—¿Te preocupa que no pueda encontrar acompañante si decido asistir a la gala?

Él le dedicó una blanca sonrisa.

—A menos que pienses que papá Ware lo vería con buenos ojos si me presento en vuestra casa —dijo, sin hacer caso de la mirada furibunda que le dedicó Alexandra al ver que hablaba de su padre con aquel sarcasmo—. Bueno, ¿tienes novio? —Se sacudió los pantalones—. ¿Hay alguien que ocupe tus pensamientos con asuntos de naturaleza… menos intelectual?

La voz de Christopher la hizo estremecerse de arriba abajo.

—Tengo un pretendiente, por supuesto. De hecho, estoy saliendo con él —dijo, mintiendo descaradamente.

Miró al exterior para que él no viera que se ruborizaba. No era asunto suyo a quién viera o dejara de ver.

—¿Y tú? —preguntó Alexandra un momento después. Empezaba a oscurecer, y veía el parpadeo de las luces de los coches que pasaban.

—No, no tengo pretendientes. Sinceramente —su voz sedosa bajó de tono y Alexandra se volvió a mirarle—, nunca me he permitido comportamientos tan degenerados.

—Oh. —Alexandra apartó la vista de los ojos lascivos de Christopher—. Tu sentido del humor es tan absurdo como tu carácter.

Pero lo cierto era que para ella aquel diálogo resultaba extrañamente liberador. No le interesaba que Christopher la sedujera. Le encantaba su trabajo en el museo, y necesitaba su ayuda, nada más.

Un golpecito en la ventanilla le indicó que el carruaje estaba a punto de detenerse.

—Ya estamos —dijo Christopher, expectante, como si esperara su respuesta.

Alexandra se inclinó hacia delante para mirar por la ventanilla. Montague House y las alas del museo construidas más recientemente ocupaban toda la manzana. Fuera, las calles estaban en movimiento.

—Oh, Dios mío —exclamó.

Christopher siguió su mirada hasta la esquina, donde lord Ware andaba arriba y abajo, a menos de seis metros de donde el carruaje se había detenido. Llevaba puestos abrigo y sombrero, y se golpeaba el muslo con impaciencia con el periódico.

Alexandra se echó hacia atrás contra el asiento.

—Seguramente se estará preguntando dónde estoy. ¿Qué voy a decirle?

Christopher le quitó su abrigo de encima de los hombros. Ella lo miró con expresión alarmada.

—¿Qué haces?

Él le abrió la puerta.

—No pienso dar la vuelta a la manzana para que no te vea. Tarde o temprano sabrá que hoy has estado conmigo.

Y bajó antes de que Alexandra tuviera tiempo de empujarle y huir entre la multitud. Se puso el abrigo. Alexandra no podía moverse.

Acto seguido, Cristopher se volvió hacia la portezuela y apoyó un pie en el escalón de madera.

—Por una vez intenta decirle la verdad, Alex.

—No lo entiendes...

—Tienes razón. No lo entiendo. Dime, ¿hemos hecho un trato o no?

—Necesito tiempo para pensarlo.

Él le dedicó una leve sonrisa. Antes de que pudiera detenerlo, le rodeó la cintura con las manos y la levantó para sacarla del carruaje. Ella apoyó las manos contra su pecho mientras la volvía y la dejaba en la calle. La impresión de estar tan pegada a él la dejó sin aliento.

—Tienes hasta el final de esta semana. —Bloqueando la calle con aquellos hombros persuasivamente anchos, se llevó la mano de Alexandra a los labios.

El efecto fue el mismo que si la hubiera besado en los labios delante de Dios y de todo Londres. Los ojos de Christopher parecían divertidos, y Alexandra se apartó con brusquedad.

—Oh —espetó con voz áspera—. Lo has hecho a propósito, Christopher Donally.

—¿De veras?

Alexandra vio que sus ojos se dirigían hacia su padre, que parecía haberse quedado petrificado en la última edad del hielo.

—Milord —dijo Christopher secamente, e hizo una reverencia tan servil como la actitud de David frente a Goliat—. Milady —añadió, y le dedicó una mirada de connivencia—. Hasta que volvamos a vernos.

Alexandra, sin habla, vio cómo volvía a subir al carruaje. ¡Maldito fuera!

Se dio la vuelta.

Y pasó ante su padre con rapidez.

—No es lo que piensas, papá. —Sin esperar la ayuda del lacayo, se sujetó su falda rasgada y subió al coche de su padre.

Fuera lo que fuese que había entre su padre y Christopher Donally, no estaba dispuesta a seguir siendo el objeto de la discordia.

Cuando llegó a su despacho, Christopher estaba sumido en sus pensamientos. Cerró la puerta y, tras despojarse del abrigo y los guantes, se acercó a las ventanas que miraban sobre el Támesis. La ciudad estaba cuajada de luces, comenzaba a despertar. La niebla empezaba a bajar.

La pierna le dolía. Se sentó en el enorme sillón orejero de cuero.

Las paredes estaban cubiertas de fotografías de los proyectos de D&B enmarcadas en teca. En lo alto de unos estantes había un tiesto con un helecho que necesitaba desesperadamente agua. Sus hojas cubrían el suelo.

Oyó que llamaban a la puerta, y al momento su secretario asomó la cabeza.

—¿Piensa quedarse mucho rato, señor?

Christopher encendió la lamparilla de su mesa.

—Esta noche trabajaré hasta tarde.

Ahora que Ryan estaba fuera, esa semana tendría que revisar muchos papeles.

—Sí, señor.

—Stewart... —Christopher se levantó, se quitó la chaqueta y la arrojó sobre el abrigo. Su atuendo informal difícilmente habría hecho pensar que estaba al frente de una de las empresas más prósperas de Gran Bretaña. Se remangó la camisa—. Envía una nota a mi asesor legal. Hay ciertos asuntos que deseo discutir con él mañana.

Stewart miró por encima de sus gafas metálicas.

—¿Tiene eso algo que ver con su hijo Stephen?

¡Por Dios! ¿Es que en Londres todo el mundo estaba al corriente de sus cosas? Pero lo cierto era que aquello no tenía nada que ver con el joven.

—Su asesor legal estuvo aquí hace menos de una hora, señor —explicó Stewart— y se disculpó ampliamente por el atrevimiento de su hijo con su hermana. ¿Desea que le diga sus palabras exactas?

—No, gracias, Stewart.

—Además, de la oficina de Southwark ha llegado el listado con las especificaciones para la siguiente fase del proyecto de los diques. Le he dejado los bocetos sobre la mesa.

—¿Ha dicho Ryan cuándo vuelve de Francia?

—No, señor. Pero ha dejado una llave de su casa en la ciudad. Puedo quedarme aquí hasta más tarde si usted me necesita, señor.

—Váyase a casa con su familia. No hay necesidad de que esté fuera con este tiempo.

—Gracias, señor.

Al salir, el hombre cerró la puerta.

Christopher giró la silla y su mirada se perdió en las luces lejanas. Tendría que haber estado disfrutando de aquel éxito largamente esperado, en algún prestigioso club, codeándose con los miembros del Parlamento que blandían la espada de la financiación sobre la mayoría de los proyectos en Gran Bretaña. Sí, y un hombre listo habría aprendido hacía tiempo que codearse con la realeza podía hacer que acabara colgado en el patíbulo de las torpezas sociales.

La sirena de un barco sonaba desde algún lugar río abajo. Con aquel sonido amortiguado de fondo, Christopher fue hasta la librería de madera de cerezo y echó agua al helecho con un decantador que había allí.

Más tarde, salió al pasillo vacío y oyó el resonar de sus propios pasos. D&B era la propietaria de aquel edificio de ladrillo de tres plantas que albergaba quince oficinas que miraban sobre el río Támesis.

Entró en la larga sala que había al final del pasillo. Varias hileras de mesas de dibujo ocupaban el centro de la sala. Aquello era la esencia de su empresa. Donde nacían las ideas. Donde los proyectos se plasmaban sobre papel.

El olor a tinta saturaba sus sentidos. Aquel era el único lugar donde se sentía realmente a gusto. Como no lo estaba en sus extensas propiedades. Ni en el mundo que había comprado con dinero.

Se instaló en la última mesa, la que estaba más cerca de la ventana. Sacó las notas del proyecto de los diques de contención. Ahora, gracias a sus esfuerzos y los de Ryan, su empresa era una de las principales aspirantes a preparar el análisis para el túnel del Canal en el estrecho de Dover. El sueño de cualquier ingeniero.

Si D&B conseguía el encargo, ningún profesional volvería a mirar por encima del hombro al temerario advenedizo irlandés, que no solo había conseguido salir adelante tras la muerte de su padre, sino que había llegado a lo más alto. Lo único que lamentaba era que su padre no estuviera allí para ver el éxito de la empresa que él había creado.

Christopher siempre supo que su padre lo consideraba perfectamente capacitado para aquel trabajo. Él mismo no lo veía tan claro. Pero había cosas que quedaban grabadas en la mente de un hombre y que nunca se iban. Y a él la autoridad lo había pisoteado las suficientes veces para saber cuándo debía actuar con cautela.

Así y todo, una década de lecciones no había conseguido enfriar el fuego que había alentado sus sueños cuando era joven.

Su mirada se perdió en aquella noche de niebla. Había iniciado su carrera como ingeniero construyendo puentes y carreteras para el ejército. En aquel entonces era un joven idealista, y sirvió a las órdenes del general Windham en Crimea. Pero aquello fue antes de empezar a trabajar en inteligencia, a las órdenes del secretario de Asuntos Exteriores. Antes de ir a trabajar al consulado de Tánger.

El peor error de su vida.

Su pensamiento empezó a apartarse de su trabajo. Se sacó el Cisne Blanco del bolsillo y lo dejó sobre la mesa de dibujo, junto a los tinteros.

Christopher apretó los dientes y maldijo el día en que miró al otro lado de una sala de baile en un reluciente palacio situado en Marruecos y vio a Alexandra Marshall. La hija de uno de los más grandes milagros diplomáticos de Gran Bretaña, y una de las pocas mujeres presentes en aquella ocasión. Era curioso, pero todavía recordaba con todo detalle el vestido de seda color platino que llevaba. En aquella sala bañada por la luz dorada de las velas, Alexandra era como un rayo de luna. Y lo que empezó como una apuesta con sus compañeros a que no se atrevía a sacar a bailar a la glacial hija de lord Ware derivó rápidamente en un encendido romance que acabó cuando ella se quedó embarazada.

Cuando se casó con ella.

No hubo ninguna dispensa especial para él. Ella tenía diecisiete años. Él, veintiuno, y era un joven sin títulos nobiliarios, irlandés, y tan condenadamente enamorado que habría bailado descalzo sobre el fuego por tenerla.

Dios, qué loco.

Y Alexandra Marshall no había cambiado.

Seguía sin ser capaz de plantarle cara a Ware, igual que hacía diez años.

Aunque Alexandra estaba embarazada de él, lo expulsaron del cuerpo diplomático. Lord Ware evitó un consejo de guerra, es cierto, pero se aseguró de que no volvería a acercarse a su hija. Y, cuando su hijo murió, Christopher se alejó del titilante mundo de Alexandra sin mirar atrás.

Christopher despreciaba la moral pretenciosa y elitista de la aristocracia. Detestaba tener que alternar con la estrecha jerarquía de un gobierno que determinaba el valor de un hombre por sus títulos y no por sus actos. En Crimea, había visto al conde de Cardigan enviar a la muerte a seiscientos hombres en la batalla de Balaclava tras hacer oídos sordos a la información aportada por los servicios de inteligencia. No tenían ninguna posibilidad frente a los quince mil efectivos del enemigo. Había visto esa misma arrogancia en la India, donde los comandos fueron cayendo uno a uno en una rebelión provocada por la vanidad de la élite.

Irónicamente, fue su servicio en la India lo que le hizo ganarse el título de caballero. Y no es que le gustara recordar aquello. Lo mandaron de vuelta a Inglaterra con el diagnóstico de que no volvería a andar.

La fe que su padre tenía en él y un año de recuperación emocional le ayudaron a reincorporarse a la raza humana. Y, con el tiempo, volvió a hacer lo que mejor se le daba: construir puentes y carreteras.

Gracias a la patente que su padre tenía sobre el proceso para transformar el arrabio en acero, su empresa participó en la construcción de las primeras vías de acero en Candem Goods Station y Northwestern Railways en 1862. Desde entonces, D&B había culminado con éxito el trazado de mil seiscientos kilómetros de vía y era responsable también de la construcción o el diseño de más de cien puentes por toda Gran Bretaña.

Y ahora, a sus treinta y dos años, Christopher estaba a la cabeza de D&B Steel and Engineering. Era miembro de la Academia de las Ciencias, de la Real Sociedad Británica de Arquitectos, y el año anterior el Instituto de Ingenieros Civiles le había concedido la Copa de Oro.

Su empresa aspiraba a ocuparse de uno de los proyectos más prestigiosos del siglo; pero, a pesar de eso, necesitaba el aval de algún par para acceder a los clubes más exclusivos de Londres. Su sangre no tenía el color necesario para que las clases altas acogieran a su hermana.

Y lo peor de todo: era irlandés. Y a mucha honra.

Había tratado de convencerse de que Alexandra sería el puente que necesitaba. Después de todo, ese era su trabajo: construir puentes.

Pero permitir que Alexandra volviera a entrar en su vida, incluso si solo era por Brianna, era mucho más que un simple acuerdo necesario o una parte más de su guerra contra el malnacido de su padre.

Siguió pensando en la lógica o la falta de lógica de su razonamiento, sin acabar de saber muy bien si era lo uno o lo otro.

Quizá lo que le había acabado de decidir fue saber que Alexandra había ido a Carlisle y se había enfrentado a su familia para poder verle.

O que nadie se lo hubiera dicho.

5

—Mi pelo ya está seco, Mary. —Alexandra se ajustó el guardapelo bajo el corpiño—. Haz lo que haga falta. Tengo que llegar al museo.

—Tiene mucha prisa, milady. —Mary recogió el pelo de Alexandra en un grueso moño a la altura de la nuca—. El señor ha subido dos veces para hablar con usted esta mañana.

—Lo sé.

Su padre había tratado de hablar con ella la noche anterior, antes de que se retirara a las cocheras a trabajar, y también aquella mañana, antes de que saliera a nadar. Apenas habían cruzado unas palabras desde que Alexandra subió a su carruaje tan empapada como si acabaran de sacarla del río. Le dijo que la lluvia la había cogido por sorpresa y que Christopher, con la misma galantería que una rata, la llevó de vuelta al museo. Evidentemente, no utilizó la palabra «rata», pero eso fue lo que pensó. Y su padre se sentó en el carruaje con una expresión que a Alexandra no le gustó y no dijo nada.

Pero ¿qué podía decir?

Él no era su dueño. No era dueño de su corazón. Ni de su futuro, a menos que ella se lo permitiera.

Alexandra se había rendido a sus emociones, plenamente consciente de que eran obra de Christopher. Apenas dormía desde hacía días. Y aquella extraña exaltación había arruinado su sentido común y le impedía sentir nada que no fuera entusiasmo por su propuesta. Ya le había enviado una nota.

Iba a confiar a Brianna a su cuidado y su tutela. Con esto en mente, decidió que su primera tarea del día sería buscar a Richard Atler y pedirle que la acompañara a la gala de la Academia de las Artes a final de mes. Lo buscaría en el museo. Él trabajaba en el departamento de antropología.

—Mary. —Alexandra examinó con aire crítico su reflejo, bajando la mirada a su práctico vestido de muselina gris. Dio la espalda al espejo de cuerpo entero y cogió su capa de encima de la cama—. Esta temporada voy a entrar en sociedad.

—¿Usted, milady? —Mary corrió tras ella hacia el pasillo.

—Lady Wellsby organiza un salón de lectura los jueves. —Alexandra se echó la capa sobre los hombros—. Imagino que preparar mi entrada en el grupo no será una violación del protocolo.

—No, milady. Con lo que le gusta leer…

Las escaleras bajaban trazando una curva hacia el elegante vestíbulo de mármol. Una araña de cristal titilaba. En algún lugar de la casa había una ventana abierta y Alexandra notó una brisa fresca y perfumada. Su mirada fue hasta el reloj de pared que había al pie de la escalera. Con un poco de suerte, Alfred haría venir el carruaje antes de que su padre la oyera en el pasillo.

—¡Vaya! —Las manecillas del reloj no se habían movido desde la noche anterior—. Ha vuelto a pararse.

¿Llegaba tarde o pronto?

—No va bien desde que el señor equilibró las pesas el año pasado —dijo Mary a su espalda.

—El péndulo no oscila.

—No lo abra, madam —dijo Mary sin aliento—. Ya sabe lo mucho que le gusta al señor.

—Es un bonito reloj —replicó Alexandra—. Tendría que funcionar. —La puerta de cristal estaba cerrada con llave. Alexandra levantó la vista a la esfera del reloj. De todos modos, para poner las manecillas en su sitio necesitaba una silla—. Dile a Alfred que, si él no puede arreglarlo, haga venir a un relojero. No permitiré que un objeto tan antiguo se descuide de este modo.

Con expresión perpleja, Mary vio cómo Alexandra salía por la puerta.

—Sí, milady.

Durante cinco años, Alexandra había llegado todos los días al museo antes de que este abriera sus puertas al público. Ese día llegaba tarde.

Saludó al guarda y entró por la puerta reservada para el personal. Y mientras subía por la escalera pensó dónde podía encontrar a Richard.

La puerta de su despacho no estaba cerrada con llave. La abrió de par en par y se quedó parada en la entrada. La persona a la que estaba buscando estaba sentada a su mesa.

—Milady. —El joven se puso en pie.

Un mechón rubio y juguetón le cayó sobre la frente. Vestía una camisa con el cuello almidonado y pañuelo de seda, y pantalones a cuadros azules. Para ser un hombre que trabajaba con antigüedades, su vestimenta siempre rayaba lo insultante.

—Llegas tarde —dijo, consultando ostentosamente su reloj de bolsillo de plata—. ¿Estás enferma? ¿He de llamar a un médico?

Alexandra pasó junto a él al tiempo que recorría el despacho con la mirada por si había alguna anomalía. Si había algo fuera de sitio lo sabría al instante.

—¿Qué haces fuera de tu guarida, Richard?

Él arqueó una ceja.

—Quizá estuviera preocupado por ti.

Ella se quitó los guantes. La habitación era pequeña y sin ventilación, y la colonia de Richard la abrumaba. Ya le había advertido mil veces que no se pusiera aquello cuando estaba con ella. Le hacía estornudar.

—Apuesto a que lo que quieres es que te diga si me traigo algo entre manos —dijo ella en tono afable.

Él apoyó una pierna en la mesa.

—¿Es demasiado pedir de mi futura esposa? —Sus ojos chispeaban divertidos—. Además, ¿dónde va a encontrar un esposo que le permita pisotearle como hace conmigo, milady? —Hizo una reverencia.

—Richard —dijo ella interrumpiéndole—. ¿Qué haces aquí tan temprano?

El joven se estudió exageradamente la manga de la camisa antes de levantar la vista y mirarla.

—En realidad, necesito que me ayudes abajo. Con un cargamento que acaba de llegar.

Alexandra se irguió al instante. El entusiasmo hizo que el pulso se le acelerara.

—¿Ha llegado el cargamento de El Cairo?

—Anoche —dijo, y señaló con un gesto las fotografías que había sobre la mesa y en las que Alexandra no había reparado.

Ella desplegó las fotografías con incredulidad. El papel aún conservaba el olor de los líquidos del revelado.

—¿Acaban de salir del cuarto oscuro?

—Pensé que te gustaría verlas. Las piezas son excelentes, pero la gente que se ha encargado de empaquetarlas no ha sido muy cuidadosa. Necesito un antropólogo que sepa cómo documentar cada objeto para su exposición. Aunque es evidente que tú estás muy ocupada...

—Espera. —Alexandra se puso en pie. Richard se volvió de nuevo hacia ella, con expresión aburrida, esperando claramente que ella se postrara a sus pies pidiendo disculpas—. No estoy acostumbrada a que nadie demuestre interés por mis capacidades. Si te he pisoteado... —se aclaró la garganta y lo dijo muy deprisa— te pido disculpas.

Él abrió los ojos exageradamente, fingiendo sorpresa.

—¡La dama se ha disculpado! —dijo levantando los ojos al

techo—. Dios del cielo, esto tendría que quedar registrado para la historia.

—¿Necesitas mi ayuda o no?

—A mí siempre me han interesado tus capacidades. Y tu trabajo, por supuesto.

Sin hacer caso de sus indirectas, Alexandra decidió sacar el tema.

—¿Te gusta el arte? Había pensando que quizá querrías venir conmigo a la gala de la Academia.

Él arqueó las cejas.

—Será un arreglo estrictamente platónico, Richard —le advirtió—. Estaremos en público.

—¿Quieres decir que me utilizarás para poder coincidir con el nuevo miembro del consejo de administración del museo? —Al ver la expresión sorprendida de Alexandra, el joven cruzó los brazos—. Mi padre me dijo que vieron al señor Donally cuando te devolvía a tu padre. Y que estabas sorprendentemente desarreglada. La gente ya ha empezado a murmurar.

—Tú también habrías quedado muy desarreglado si te hubiera pillado una tormenta.

—Ah, entonces se comportó como un caballero.

Alexandra se sentó.

—He aceptado el encargo de introducir a su hermana en sociedad. De hacerle de mentora, por así decirlo.

—¿Tú? —Richard rió. Alexandra empezaba a molestarse—. ¿Y qué sabes tú de la sociedad, querida mía?

—¡Puf! He pasado toda mi vida empapándome de esa atmósfera.

—¿De verdad crees que la gente aceptará a la hermanita irlandesa de Donally?

—Tiene que gustarles.

—¿Por qué? ¿Para que su hermano mayor sea amable contigo?

Ella lo miró furiosa.

—Esto no tiene nada que ver con Christopher.

—Conque Christopher, ¿eh? —Fue pavoneándose hasta la puerta y apoyó un hombro en el marco—. ¿Qué mejor lugar puede haber en el mundo para presenciar el drama de la ciudad en toda su gloria que la gala de inauguración de la Academia de las Artes? Quienquiera que sea alguien asistirá. Pero mi ayuda tiene un precio. —Sonrió—. Te espero cada tarde abajo para que me ayudes a catalogar el cargamento de El Cairo. Y quizá te pediré que me acompañes a una o dos comidas.

Se fue dando un portazo. Alexandra pestañeó y se masajeó las sienes. Se sentía fatal. El pulso se le aceleró porque una vez más su pensamiento se fue a la figura de anchos hombros del nuevo miembro del consejo de administración.

Richard se equivocaba. Si había aceptado la tutela de Brianna no era por Christopher. Lo hacía por sí misma. Christopher la ayudaría a encontrar a la persona o personas responsables de los robos.

Se dio la vuelta en su silla y se concentró en el trabajo. La exposición de El Cairo estaba programada para final de mes. Extendió las fotografías sobre la mesa. Sacó la lupa del cajón y se dispuso a examinarlas. El entusiasmo de Richard era contagioso. Un deslumbrante despliegue de cráneos, semillas, polen, urnas y estatuas estaban colocados sobre tres mesas de trabajo. Unos ejemplares magníficos. Pasó al siguiente grupo de fotografías y diagramas. Estaba totalmente absorta cuando oyó que llamaban a la puerta.

—¿Lady Alexandra? —Tras llamar una vez más, abrieron. Alexandra reconoció la voz tímida de su secretaria.

—¿Qué pasa, Sally? —preguntó sin levantar la vista de la mesa.

—El profesor Atler estuvo aquí esta mañana preguntando por usted. Me pidió que le dijera que fuera a su despacho cuando llegara. La policía quiere verla, milady.

—¿La policía? —Alexandra dejó la lupa.

Era imposible que el profesor se hubiera percatado del robo del Cisne. No había tenido tiempo de hacer un inventario.

—¿Tiene problemas, madam?

—No. —Alexandra se puso en pie y se arregló la falda.

Pero el miedo que sintió atenazándole el estómago le recordó que pisaba terreno peligroso. Porque el robo era un delito, incluso si el objeto robado era falso.

Unos momentos más tarde, Alexandra estaba abajo.

—Querida. —El profesor Atler la hizo pasar a su despacho, sujetándola, como si pensara que sola no podría llegar a la silla negra de madera que tenía ante su mesa. Las paredes estaban ocupadas por librerías de roble que iban del suelo al techo—. Me alegra que finalmente hoy haya podido venir al trabajo.

El tono era inconfundiblemente animado. Tras mirar a los dos hombres presentes, Alexandra tomó asiento en la silla vacía. Se sentía como si acabaran de invitarla a comparecer ante la Inquisición.

—Milady. —El policía hizo una leve reverencia.

Era un hombre alto y delgado, y vestía uniforme azul oscuro. Un monóculo sujeto a una cadena le colgaba del cuello. Se presentó por su nombre; llevaba un cuaderno de notas en la mano.

—¿De qué se trata? —le preguntó Alexandra.

—¿Conoce usted a una mujer llamada Bridgett O'Connell? Trabajaba como doncella en la misma planta que usted.

—¿Bridgett? —Miró al profesor Atler, confundida—. La veo cada noche.

—Hace casi una semana que desapareció, milady, y estamos interrogando a todos los que trabajan en la misma planta.

—¿Una semana?

—¿Cuándo la vio por última vez?

Asustada, Alexandra cruzó las manos sobre su ridículo.

—Antes de salir del museo. El lunes por la noche.

—¿A qué hora fue eso?

Ella se aclaró la garganta.

—A las siete en punto.

El hombre consultó sus notas.

—¿Cómo es que estaba en el museo tan tarde?

Alexandra no miró al profesor. Aquel día le había ordenado que se fuera a su casa y ella había desobedecido. Había robado las hojas de inventario del museo y aún tenía su llave.

—La oí hablando con el guarda delante de mi despacho. Creo que lo llamó Dickie.

El policía consultó de nuevo sus notas, y la larga lista de nombres que tenía delante.

—¿Dickie? —Miró al profesor por encima de la cabeza de Alexandra—. ¿Nos hemos dejado a alguien? No veo ningún guarda con ese nombre.

El profesor Atler la miraba con gesto severo.

—¿Está segura de que ese es el nombre que oyó?

A Alexandra le molestaba enormemente aquella costumbre que tenía de cuestionar todo lo que hacía o decía.

—No me equivoco.

El policía cerró el cuaderno.

—Y dice que la oyó hablando con ese tal Dickie.

En un diálogo más que amistoso.

—Me dio la sensación de que se conocían muy bien. ¿Creen que le ha pasado algo?

—Hemos de seguir todas las pistas, milady, pero si quiere mi opinión, no sería la primera que huye con un hombre guapo. —Se volvió hacia el profesor—. Solo espero que no tarde mucho en ponerse en contacto con su familia.

Alexandra, sentada con recato en el borde de la silla, vio salir al policía. Los hombres eran tan arrogantes… ¿Qué sabrían ellos del corazón de una mujer? Quizá a su familia no le gustaba el hombre al que amaba. Hizo tamborilear con gesto ausente los dedos. Si la doncella había huido, le deseaba lo mejor.

La puerta se cerró y de pronto la habitación pareció encogerse. El profesor Atler volvió a su sitio tras su mesa atestada y llena de marcas. Alexandra reparó en la fría expresión de su semblante y sintió como si toda la sangre de sus venas estuviera aporreando sus tímpanos.

—El lunes por la noche no firmó el registro a su salida del museo. ¿Por qué?

—Debí de olvidarme.

Él cruzó las manos por las muñecas.

—El jueves también estuvo en las cámaras de seguridad.

—Voy con frecuencia a las cámaras de seguridad. Trabajo aquí.

Las mejillas del profesor enrojecieron.

—Haré venir a un equipo de expertos de la universidad para que hagan un inventario. —La mirada de sus ojos marrones era pesarosa—. Espero sinceramente que no haya manipulado las pruebas. Por Dios, podrían acusarla de falta de ética, como mínimo. Y no me importa quién sea su padre.

Alexandra apretó la mandíbula y bajó la mirada a la pequeña tira de encaje de su manga. A pesar de las diferencias que pudiera haber entre ellos, su padre siempre había creído en su talento. Pero también era un miembro respetado de la Cámara de los Lores. Un escándalo como aquel lo arruinaría.

De pronto, el poder del profesor Atler sobre su vida le pareció excesivo. Aspiró hondo y prefirió no añadir más leña al fuego diciendo que todas las piezas manipuladas eran de su departamento. No tardaría en descubrirlo por sí mismo, y entonces sacaría las conclusiones que quisiera.

—Hasta que termine la investigación, quedará relegada a la sala de lectura —dijo—. Y lo mismo con el personal que tenga asignado.

—Mis ayudantes no han hecho nada —musitó—. Son estudiantes. Por favor, asígnelos a algún otro departamento. Una cosa así podría arruinar sus carreras.

—No hasta que se aclaren los hechos. —Se miró las manos, cerradas en puños—. Necesito su llave. La llave que aún no ha devuelto.

Alexandra frunció los labios con rabia. Aunque por fuera parecía tranquila, el estómago se le había revuelto. Rebuscó en su ridículo. No se molestó en improvisar una excusa para explicar por qué aún tenía la llave en su poder. Para su disgusto, sintió que las lágrimas le escocían en los ojos.

—Espero tener pronto noticias de su padre —oyó que le decía Atler.

Sin hacer caso del tono de recelo del hombre, Alexandra se levantó y dejó la llave con fuerza sobre la mesa.

—Tengo tantas ganas de que este incidente se resuelva como usted, profesor. No quisiera tener que pedir a mi padre que acuda en mi rescate. Pero tampoco permitiré que me impliquen.

Los ojos del profesor relampaguearon. Se puso en pie.

Pero ella no se apocó.

—No me he equivocado en la identificación de ningún artículo. Alguien en este museo es un ladrón. Alguien que ha tenido acceso a las cámaras de seguridad durante meses. Debería destinar a todos los conservadores a la sala de lectura hasta que la investigación termine.

Tras salir del despacho del profesor, Alexandra corrió a buscar a sus ayudantes para darles la noticia. Sally tenía tres hijos. Y sus dos ayudantes eran universitarios que habían decidido hacer las prácticas con ella a pesar de que era mujer. Luego tuvo que ver cómo los de seguridad clausuraban su despacho. En aquellos momentos, Alexandra estaba sola en la galería de mármol, con sus inmensas vitrinas, y sintió una punzada de desesperación.

El museo y su elegancia ya no tenían el poder de despejar su mente y aliviar su corazón. Pasó de largo ante las jirafas de la entrada, bajó corriendo por la escalinata de mármol y abandonó el museo cubierta con su capa. Se sentía entumecida, en cuerpo y alma, pero aminoró el paso y se obligó a no correr. Y, al recordar el desgraciado incidente del corsé, inconscientemente su pensamiento se desvió a Christopher y al hecho de que prácticamente la había desnudado en aquel cobertizo.

Él era el único que había accedido a apoyarla.

Las calles hervían de actividad. El clop clop de los cascos de los caballos era un eco lejano en el fondo de su mente. Pasó ante tiendas de curiosidades, panaderías, niñas que vendían flores de primavera. Alguien le dio un golpe al pasar. El aire olía a sal y, al levantar la vista, reparó en que había llegado al Támesis. Las gaviotas planeaban en el cielo.

Cuando se dio cuenta de que había estado caminando sola, vaciló. Nunca había estado en aquella parte de Londres, y ver tanta miseria le disgustaba. Sin pensar, siguió caminando. Tratando de huir de las miradas y los comentarios lascivos, entró en una calle bulliciosa y pasó ante más y más almacenes y cocheros que conducían enormes carretas.

Tal como esperaba, encontró la estructura de ladrillo en los límites del distrito de negocios en Westminster. Entró en el edificio, se recogió la falda y subió los tres tramos de escaleras. En la puerta de cristal ahumado se leía: DONALLY & BAILEY STEEL AND ENGINEERING.

Dentro, la sala burbujeaba. Un hombre larguirucho, con lentes y pelo color panocha, levantó la vista de los papeles que estaba leyendo. Estaba sentado ante una mesa atestada, a la izquierda.

—¿Puedo ayudarla, madam?

Alexandra dejó que la puerta se cerrara a su espalda y, más que verlo, intuyó que todos los presentes habían reparado en su presencia. La capucha aún le cubría la cabeza.

—¿Ha venido hoy el señor Donally?

—Está en una reunión, madam. ¿Tenía cita?

La voz profunda de Christopher llegaba desde el fondo del pasillo que tenía a la derecha. Alexandra volvió la cabeza.

—¿Madam? —insistió el hombre.

—Yo…

Alexandra jamás había estado en un lugar semejante. Una extraña sensación de energía lo impregnaba todo. Era el terreno de Christopher. Su mirada se desvió a las fotografías de las paredes. Puentes a medio construir, hombres cargados con pico y pala… un mundo que estaba muy lejos de cualquier cosa que ella pudiera conocer.

La gente como Christopher Donally construía mundos.

—¿Madam?

Alexandra se volvió a su interlocutor.

—Yo... quizá sea mejor que vuelva en otro momento.

Al fondo del pasillo, en el despacho de Christopher, las voces cesaron. La puerta se abrió y tres hombres salieron.

—Todo avanza como estaba previsto, señor Donally —dijo el más alto. Se puso un bombín marrón—. Estoy deseando presentar su propuesta ante el comité.

Los ojos de Alexandra se cruzaron con los de Christopher, y vio que vacilaba. Algo muy próximo a la emoción la recorrió cuando sus miradas se encontraron. Su rostro se ruborizó. Christopher vestía de modo informal. La camisa, de un blanco inmaculado, remangada, dejaba al descubierto sus antebrazos bronceados. Chaleco y pantalón negro, corbata gris.

Y en ese mismo instante reconoció también al más bajo de los tres hombres. Era lord Somerset, que ocasionalmente formaba equipo con su padre en las partidas de *whist* y había visitado su casa en más de una ocasión. Con el corazón acelerado, Alexandra se volvió de nuevo hacia las fotografías de la pared.

—Bien, hasta el mes próximo —dijo lord Somerset—. Entonces ya habremos tomado una decisión.

Los hombres pasaron de largo. Con el rabillo del ojo, Alexandra vio que la puerta que daba al descansillo se cerraba. Casi se le doblaron las rodillas de alivio.

—¿Qué haces aquí, Alex? —Christopher estaba a su lado.

Alexandra escrutó su rostro. Hasta ese momento había tenido muy claras sus razones para ir hasta allí. En cambio, ahora se sentía abochornada y tenía la impresión de haberse colado donde no debía.

—Cuentas con la confianza de dos hombres muy poderosos —comentó—. Y eso sin duda es bueno para los negocios.

Él frunció el ceño.

—¿Estás sola? —Una mirada confirmó sus sospechas: sí, estaba sola—. ¿Cómo has llegado hasta aquí?

Ella cruzó los brazos.

—Andando.

—¿Has venido andando desde Bloomsbury?

Consciente del enfado de Christopher, Alexandra habló con decisión.

—¿Has tenido ocasión de seguir alguna pista?

—No, no la he tenido.

—Pero ¿por qué? —Era imposible que aún no hubiera hecho nada. Le había mandado la nota el día antes.

Como si de pronto le preocupara que se convirtieran en el centro de las miradas de todos, Christopher la hizo salir al descansillo y bajaron por la escalera. Alexandra era muy consciente de la mano con la que Christopher la sujetaba por el brazo, y notaba su calor a través de la tela de su vestido. Un exuberante arreglo floral ocupaba la estrecha entrada. En el ambiente reinaba el olor a tierra.

—Bueno, ¿qué significa todo esto? —preguntó él cuando llegaron abajo.

Ella se apoyó contra la pared.

—Tienes mi respuesta desde ayer.

Él se rió y Alexandra le dedicó una mirada furiosa.

—Precisamente, Alex.

—Y estás muy ocupado.

—Pues la verdad es que sí. Pero no se trata de eso. —Fuera, el paso de una carreta hizo vibrar el suelo—. Tienes que confiar en mí. Esto no es un asunto que pueda resolverse de un día para otro. Llevará su tiempo.

Alexandra sabía que estaba siendo irracional y trató de controlar el pánico.

—Pues la verdad, Christopher Donally, es que tengo todo el derecho a hacer preguntas. Estamos hablando de mi vida.

Él cruzó los brazos y apoyó un hombro contra la pared. Su brazo rozaba el de ella.

—El lunes tengo que reunirme con cierta persona.

—Aún falta mucho para el lunes. —Él arqueó una ceja y

Alexandra, consciente de su enfado, bajó la vista a una hoja que tenía a los pies—. ¿Con quién?

—He concertado una entrevista con un policía que tiene conocidos en Bow Street. —Le levantó ligeramente el mentón—. Seré discreto.

—¿Me lo prometes, Christopher? ¿Por tu honor?

—¿Mi honor? —Su voz se suavizó—. Bueno, lo juro. Si te sirve de algo, he hablado con mi asesor legal esta mañana y está reuniendo los nombres de todos los joyeros conocidos de Londres.

Alexandra se echó a llorar y apoyó la frente contra él. Estaba demasiado cerca para no tocarle. ¿Qué le estaba pasando? Sus emociones se habían desbocado totalmente, y ahora se sentía como si viajara en un tren fuera de control. En un momento estaba feliz, y al siguiente se sentía totalmente desolada y se echaba a llorar. Era como si desde que Christopher había vuelto a entrar en su vida las esclusas se hubieran roto.

¡Ella no era una llorona!

Él la rodeó con el brazo.

—¿Por qué lloras, Alex?

Ella se arrebujó más en su capa. Se sentía tan infantil...

—Lo siento. —Sus palabras quedaron amortiguadas contra el linón blanco de su camisa—. No tenía que haber venido a molestarte. No volverá a pasar. Sé que será motivo de habladurías.

—Alex. —Su voz le hizo levantar la mirada—. ¿Ha pasado algo más?

Sus hombros temblaron con un suspiro. Sacó un pañuelo de su ridículo.

—Por si te interesa saberlo, me han retirado de mi puesto en el museo. —Suspiró indignada—. El profesor ha relegado mis talentos a la sala de lectura, donde tendré que atender a turistas y estudiantes el resto de mi vida.

Christopher le cogió el pañuelo y le secó las mejillas con ternura.

—¿Confías en mí, Alex?

Involuntariamente, Alexandra levantó la vista. El Christopher Donally que le devolvió la mirada no era el hombre sin corazón en que los rumores lo habían convertido con los años. Tiempo atrás había mirado esos mismos ojos azules, en una atestada sala de baile, cuando lo vio caminando hacia ella. Vestido de uniforme. En aquel entonces era joven, osado, y sus ojos tempestuosos la desafiaron a bailar con un hombre que no era más que un súbdito de a pie de la corona. Un irlandés. Era el hombre más emocionante al que había conocido.

Alexandra se rió de sí misma por su sensiblería y le quitó el pañuelo para sonarse la nariz.

—Así me gusta —dijo él, y apoyó una mano en su mejilla—. Espero que rías de alivio. Si no, me sentiré estafado.

—Soy yo quien tendría que preguntarte si confías en mí —dijo Alexandra, recuperándose valientemente. Hacía tanto tiempo que no compartía esa clase de camaradería con nadie...

La camisa de Christopher se veía de un blanco impoluto contra el negro de los pantalones y el chaleco. Aquel hombre era una hermosa visión, bañado entre luces y sombras.

—No me explicaste en qué consistirá el acuerdo entre tu hermana y yo.

Christopher esbozó una sonrisa algo forzada.

—No, parece que aún no hemos acabado de concretar nuestro acuerdo.

—Necesitamos un lugar donde reunirnos.

—Por supuesto. —Le apartó unos mechones de las sienes—. No espero que vengas cada día hasta mi casa.

—Sería divertido, ¿no te parece? ¿Dónde crees que debemos encontrarnos? —De pronto sus ojos se abrieron exageradamente, pues acababa de recordar algo de suma importancia—. Brianna necesitará ropa...

—Estoy seguro. —Christopher sonrió débilmente, y se preguntó si Alexandra sería consciente de que acababa de insultarle al sugerir que no cuidaba de su hermana apropiadamente.

Pero de pronto aquello ya no importaba. Alexandra había alzado el rostro y, al mirarla, sintió una profunda ternura. La tenía abrazada, con una mano apoyada contra su nuca. Y estaban en aquella escalera, en Donally & Bailey Steel and Engineering, en un mundo que él había creado.

—Tenemos mucho que hacer. —Alexandra rompió el silencio, obligándolo a volver a la realidad.

Arriba, una puerta se cerró de un portazo.

Se oyeron pasos en la escalera. Christopher la sujetó por el codo y salió con ella a la luminosidad del exterior. Se metió las manos en los bolsillos y, tras admirar la brillante cúpula del cielo, desvió sus ojos hacia ella. Un banco de metal los separaba.

Cuando Stewart salió, estaban de pie en la acera, tortuosamente conscientes de la presencia del otro.

—Señor. —Lo saludó con el gesto—. Tenemos una cita en Southwark.

Durante cinco minutos, en aquella escalera, Christopher se había olvidado de todo.

—Gracias, Stewart. Subo enseguida.

—Sí, señor.

Antes de volverse y entrar de nuevo en el edificio, Stewart dedicó a Alex una mirada severa.

Ella vio que Christopher la miraba. Llevaba el pelo recogido en un moño en la nuca; sus facciones eran demasiado delicadas para un peinado tan severo. A la luz del sol, sus ojos eran de un verde inconfundible.

—Es mejor que me vaya y te deje trabajar —dijo.

Ninguno de los dos se movió. La mano de ella describía círculos sobre el respaldo del banco.

—He estado mirando las fotografías que había en la pared. Es impresionante.

—Gracias. —El cumplido hizo que algo se moviera en su interior—. Mi hermano está en Calais —dijo al cabo de un momento, y le explicó que Ryan estaba tratando de conseguir el proyecto del análisis de viabilidad para el túnel conjunto del

Canal—. Esa es una de las razones por las que estoy en Londres. Estoy trabajando en colaboración con el comité británico de financiación y planificación.

Ella asintió, como si entendiera lo que acababa de explicarle. Demonios, si ni siquiera él sabía lo que acababa de decir. Se sacudió mentalmente. Detuvo un cabriolé, la instaló en el asiento y apoyó un pie en el escalón.

—Ryan y yo compartimos una casa en Belgrave Square. No es lo mismo que el West End, pero está lo bastante cerca para que se considere respetable.

—Papá y yo ni siquiera vivimos entre la alta sociedad. Nuestra casa está cerca de la universidad. —Y rió, tratando claramente de quitarle importancia al asunto y, aunque no hacía falta, Christopher apreció el gesto—. Me gustaría conocer a tu hermana un poco más antes de la gala.

—Entonces, ¿has encontrado un acompañante?

—Por supuesto que sí. —Se arregló la falda—. Ya te dije que salgo con alguien.

—Por supuesto. —Apoyó un codo en la rodilla y sonrió—. Tú nunca mientes.

Entonces se volvió hacia el cochero, dándose unas palmadas en el chaleco, y se dio cuenta de que se había dejado el dinero arriba.

Una sonrisa destelló en los ojos de Alexandra.

—No te preocupes, Christopher. —Golpeó el techo del carruaje—. Es bueno saber que algunas cosas no cambian.

Antes de que él pudiera contestar, el cochero sacudió las riendas y, con las manos en las caderas, la vio marchar.

Alexandra se detuvo en la entrada y le entregó al criado la capa y los guantes. Al mirar el reloj pestañeó. Al menos volvía a funcionar.

—No está en casa, milady —dijo Mary desde lo alto de la escalera—. Tenemos orden de guardarle la cena.

—No tengo hambre —dijo ella. No se molestó en explicar que se había pasado el día dando vueltas por Londres sin carabina. Estaba demasiado cansada para dar explicaciones. Y tampoco le importaba.

En su habitación, abrió las cortinas a la luz de la luna. Del otro lado del estanque, las viejas cocheras destacaban entre los árboles, tan impolutas como marfil tallado. Su mirada se paseó por los cortinajes grises de su lecho y las tapicerías, por las sombras que lo envolvían todo como telarañas.

Hasta ese día no se había dado cuenta de lo sombrío que era su mundo.

6

—Eh, señor Donally. Si quiere le destrozo su cara bonita.

Christopher le dedicó una sonrisa.

—Inténtalo, Finley.

Dando vueltas por el ring, Christopher esquivó un golpe y asestó un gancho en la mandíbula cuadrada de aquel hombretón.

—No está mal para un peso ligero, ¿eh, Finley?

Lo que le había llevado allí esa noche era mucho más que la necesidad de exorcizar sus fantasmas. Quería luchar. Aunque, estrictamente hablando, Gilliard's no era una academia; a diferencia de Merryweathers, allí no enseñaban boxeo para caballeros a una élite de ricos. En Gilliard's los encuentros pugilísticos no tenían nada caballeroso. Ir allí, a Hollywell Street y codearse con las masas era uno de los vicios de Christopher. Para Londres, Hollywell Street era sinónimo de obscenidad, un compendio del viejo Londres en el corazón de la capital.

Su hogar.

Un lugar que juró que Brianna jamás conocería. Hacía muchos años, cuando su padre llevó a la familia a Londres, vivieron un tiempo en aquella calle, no mucho, pero sí lo suficiente para que lo marcara para siempre.

—Ya es la segunda vez que dejas que te golpee, Finley. —Christopher cogió una toalla que había sobre las cuerdas del ring. Hacía demasiado calor en el gimnasio para no sudar. Ni él ni Finley llevaban camisa—. Te has vuelto muy blando desde la última vez que estuve aquí.

—Yo también le he añorado, señor Donally. —Finley aceptó la toalla y se secó la cara—. He peleado a medio gas para dejarle que entrara en calor.

Llevaban media hora entrenando vigorosamente. Aquella noche Christopher había ido allí, con un humor extrañamente alterado, en un intento por socorrer a su conciencia intranquila. Maldita sea, no había tenido ni un pensamiento racional desde que vio marcharse a Alex en el cabriolé.

La visita de Alexandra a su despacho le había afectado. Y el hecho de que hubiera cometido la locura de ir andando hasta allí para verle solo aumentaba su encanto. Le gustaba su forma de ser, y siempre le había atraído su originalidad. Quizá porque él mismo tenía aquellas mismas rarezas.

La verdad era que, a pesar de los años de imposiciones, no había logrado enterrar del todo al verdadero hombre bajo la apariencia respetuosa de su trabajo. Simplemente, hasta ahora no se había dado cuenta. Ni había olvidado lo satisfactorio que podía resultar oponerse a algo que equivalía prácticamente a un sistema feudal.

El deseo que sentía por Alex surgía de aquel olor suyo tan libidinoso que percibió cuando aspiró la fragancia de su pelo, desprovisto de perfumes fuertes, o de la sonrisa que le dedicó cuando le dijo que su trabajo le había impresionado.

Ella era una de las pocas mujeres que realmente entendía su trabajo. O que demostraba interés.

Christopher se frotó la nuca. Las lecciones que había aprendido en su malograda juventud no podían ahuyentar la exaltación que sentía burbujeando por sus venas. Ya estaba pensando una excusa para volver a verla.

Alguien les llevó un cubo de agua y Christopher se echó un cazo por la cabeza. Finley hizo otro tanto.

Christopher volvió su atención al irlandés, que estaba sentado sobre un barril, y apoyó un pie cerca de su pierna.

—Finley —se inclinó, con las muñecas apoyadas en las rodillas—, necesito un delincuente.

El irlandés grandullón enseñó sus dientes blancos.

—¿Me está acusando de llevar una vida de pecado, señor Donally?

—¿Qué es la vida sin pecado? —Bajó la toalla con la que se estaba secando la cara—. Además, cualquiera que saque a los críos de las calles, aunque solo sea unas horas todos los días, tiene mi voto para su canonización —dijo, y su mirada guió a la de Finley por la enorme sala. Había varios grupos de niños harapientos entrenando; el ruido era ensordecedor.

—El programa ha mejorado desde que les trajo los guantes —comentó Finley antes de clavar en él una mirada inquisitiva—. ¿Qué puedo hacer por usted, señor Donally?

Christopher bajó la voz.

—Si te encargo un trabajo, ¿serías discreto?

—Tanto como su sombra.

Christopher observó a Finley con solemnidad. Él y el irlandés grandullón se conocían desde pequeños.

—Imagino que la compra y la venta de gemas robadas está en manos de unos pocos en la ciudad, ¿me equivoco? Necesito saber si recientemente ha habido una entrada masiva de gemas en el mercado y quién se ha encargado de la distribución.

Finley pareció aliviado.

—Por un momento me había asustado, señor Donally. Pensaba que iba a tener que ayudarle a volver al buen camino.

Alguien gritó al otro lado de la sala:

—¿Vendrá al combate la semana que viene, señor Donally? La mayoría de los habituales acudirán. Y Finley podría ganarse cien libras.

Christopher miró a Finley de arriba abajo.

—¿Me ayudarás a recuperar mi dinero esta vez?

Finley se puso en pie. No había muchos hombres que superaran a Christopher en altura, pero Finley era uno de ellos.

—Sí, señor Donally.

—Así que de pronto has pensado que me había metido a ladrón de joyas, ¿eh? —Christopher levantó los guantes—. Me ofendes, Finley.

Finley sonrió.

—Sí, señor. Creo que me gustará volver a trabajar con usted.

Alexandra estaba repasando los estantes donde se guardaban los periódicos, recorría con el dedo las placas con la fecha de aparición. A su espalda, un murmullo apagado llegaba de la sala oval. Hasta donde le alcanzaba la vista, hileras y más hileras de volúmenes con encuadernación de cuero llenaban las otras estanterías. Sus manos buscaron torpemente las lentes de lectura en la bata blanca con la que protegía su vestido del polvo y la tinta y se las colocó sobre la nariz. Se subió a un taburete para examinar los periódicos del estante más alto.

Ese día había llegado al museo temprano y fue a ocupar su sitio en la sala de lectura. Tras enviar una nota a lady Wellsby, no tardó en decidir que, después de todo, quizá el profesor Atler le había hecho un favor al trasladarla a aquella sala. La temporada londinense estaba a punto de empezar oficialmente. Y en su corazón Alexandra sabía que se moriría si Christopher descubría hasta qué punto estaba fuera de su elemento con aquel trato que habían hecho.

Había leído atentamente las columnas de sociedad de todos los periódicos publicados en Londres en el último mes, buscando cotilleos, nombres de personajes importantes y eventos para los que pudiera conseguir una invitación.

Y, cuando estaba hojeando el *Times*, descubrió un artículo donde se hablaba detalladamente del proyecto del Canal. Vio el nombre de Christopher, y todo lo demás pasó automáticamente a la categoría de insignificante.

En el artículo se mencionaba a Christopher como uno de los aspirantes más importantes a dirigir el proyecto. Así que Alexandra buscó diarios sobre geología archivados y no tardó en perderse en la lectura sobre las formaciones rocosas del estrecho de Dover. El proyecto en conjunto le fascinaba, y el hecho de que Christopher pudiera participar en su planificación le impresionaba.

Todo lo relacionado con él era estimulante, y deseó que pudieran hablar sobre su trabajo. También sabía que era una persona reservada y que lo que no había querido contar a la prensa seguramente tampoco querría compartirlo con ella. A pesar de lo cual, leer sobre estratos de pizarra seguía siendo más interesante que desfilar por Hyde Park los domingos.

El eco de unos pasos que se acercaban la distrajo y le hizo levantar la nariz del diario. Ligeramente consciente de la cadencia de los pasos que avanzaban en su dirección, Alexandra se inclinó y miró por entre los estantes.

El corazón se le paró.

¡Christopher!

Vestía un abrigo de lana que le llegaba por debajo de las rodillas, y caminaba con un aire predatorio y seguro. Las cabezas se volvían a su paso. No se podía negar que era peligrosamente atractivo. Aunque era obvio que en aquel tema la actitud de Alexandra era parcial y posesiva, y el hecho de que hiciera más de diez años que lo conocía le daba más derechos sobre él que nadie.

Pestañeó. Cuando se dio cuenta de que Christopher no se desviaba de su camino, devolvió como pudo el diario a su sitio, bajó de un salto del taburete y, dándose unos toquecitos en el pelo, corrió de vuelta a su mesa para fingir que estaba ocupada.

Las columnas de sociedad seguían extendidas sobre la mesa, donde las había dejado. Alexandra colocó bien las páginas.

Para cuando consiguió tener los periódicos ordenados, estaba convencida de que Christopher habría cambiado de opinión sobre el trato que habían hecho. ¿Por qué, si no, había ido hasta allí?

Se arregló la falda, mientras los pasos seguían acercándose a su escondite, y enderezó los hombros. La mirada de Christopher pasó sobre ella desde el fondo de la pasarela. Luego se detuvo bruscamente y volvió al pasillo. El tono sobrio del abrigo hacía que su pelo pareciera casi negro con aquella luz apagada. Era alto, y casi llegaba al techo bajo de la zona donde estaban archivadas las publicaciones periódicas. Cuando sus miradas se encontraron, había fuego en sus ojos.

—Señora. —La voz de Sally la sobresaltó—. He encontrado otros tres manuales técnicos sobre la perforadora de Sommelier… —Pero sus palabras se apagaron cuando vio acercarse a Christopher—. Señor Donally… —Hizo una torpe reverencia. El rubor cubrió sus mofletes.

—Gracias, Sally —consiguió decir Alexandra, molesta por la llegada tan poco oportuna de su secretaria—. Puedes dejarlos sobre mi despacho.

—No tiene despacho.

—Entonces déjalos aquí, en la mesa. —Y, al ver que Sally no se movía, agitó la mano—. Déjalos aquí.

—¿La perforadora de Sommelier? —Christopher arqueó una ceja. No parecía extrañarle especialmente haberla encontrado leyendo una publicación donde se hablaba de su trabajo—. Debes de estar muy aburrida. Estas revistas son prácticamente manuales técnicos.

—¿Qué haces aquí, Christopher? —le preguntó.

Él no trató de hacerse el encantador ni disculparse.

—Aprecio de verdad tu capacidad para caminar casi cinco kilómetros sin desfallecer. Este museo es un ejercicio de resistencia. —Le empujó las lentes para subírselas al puente de la nariz—. Eres una persona muy difícil de encontrar.

Horrorizada al ver que aún llevaba puestas las lentes, Alexandra se las quitó enseguida y las guardó en la bata.

—Así que esta es la infame sala de lectura.

Ella lo cogió del brazo.

—Esto ya no es la sala de lectura. Esta zona está reservada al personal. No tendrías que estar aquí.

Él se quitó los guantes y miró los atestados estantes.

—Recuerdo haber tenido esta misma conversación contigo en mi despacho. —Sus ojos se volvieron hacia ella y, a pesar de su determinación de mostrarse distante, el corazón de Alexandra empezó a latir aceleradamente—. He pensado que debía devolverte el favor.

—¿Hay alguna novedad?

—Paciencia, Alex.

La paciencia no era una de sus virtudes. Se lo habría dicho si no supiera que él ya lo sabía. Y, conociéndolo, sabía también que ya habría analizado todas las posibilidades, había engrasado la maquinaria y la había puesto en marcha. Solo tenía que confiar en él.

La mirada de Christopher bajó a los periódicos que Alexandra tenía en los brazos.

—¿Necesitas que te ayude a guardarlos en los estantes mientras hablamos? No puedo quedarme mucho rato.

—¿Tienes una reunión?

—Entre otras cosas.

Sintiendo una extraña inquietud, Alexandra cuadró los hombros y decidió volver al trabajo y dejarse de tonterías. Christopher solo estaba allí por negocios.

Christopher la siguió entre las estanterías de los periódicos, luego continuaron por una pasarela, y tuvo una bonita panorámica de sus delicados tobillos cuando inconscientemente los dejó a la vista al subir al segundo nivel, donde se guardaban todas las ediciones habidas y por haber del *Times* de Londres. Aquella colección polvorienta despedía el olor acre de la tinta de imprenta.

Christopher sonrió y dejó al descubierto unos dientes excepcionalmente blancos.

—Impresionante. —Miró los diferentes niveles de estantes e hizo la misma valoración que había dado ella sobre su trabajo.

—Sí, supongo. —Sus ojos se encontraron y, por un momento, Alexandra le mantuvo la mirada. La apartó enseguida—.

Solo que este no es mi sitio —añadió al tiempo que guardaba dos periódicos—. Mi sitio está arriba.

—¿Detecto un toque de esnobismo elitista en tus palabras?

—¿Cómo te sentirías tú si relegaran tu talento a construir la perrera de la casa real?

—Si me pagan bien... —Y se encogió de hombros con elocuencia—. Los perros también necesitan un sitio donde vivir.

Alexandra le dedicó una mirada divertida y no hizo caso del comentario.

—Vaya, entonces supongo que te puedo contratar para que construyas la caseta de mi perro.

—No sé por qué, pero no te imagino con un perro. Con una piraña tal vez. Pero solo por la novedad de poseer a un depredador que come carne. —Sonrió—. Así no tendrías que esperar dos mil años para estudiar huesos.

Alexandra no pudo contener la sonrisa. Al pasar junto a él, su falda le rozó las piernas.

—Procuraré recordarlo.

—¿Alguna vez viene alguien aquí atrás? —Los estantes abarrotados amortiguaban el sonido de su voz.

—Rara vez.

—Entonces, ¿estamos solos?

—Mmm. —Leyó la placa que tenía delante y depositó otro periódico—. Mejor aquí que en las cámaras de seguridad. Con la aversión que sientes por las cosas muertas...

Él cruzó los brazos y apoyó uno de sus anchos hombros contra un estante mientras la veía trabajar.

—Algún día tienes que enseñarme lo que haces en el museo.

—Es un trabajo realmente emocionante. —Subió otro escalón y archivó otro periódico—. Creo que algún día escribiré un libro sobre el tema. Me han publicado algunos trabajos en diferentes revistas científicas. —Alexandra se dio la vuelta, esperando oír algún elogio, y vio que él sonreía—. ¿Has... alguna vez has descubierto restos arqueológicos cuando construías una carretera? —preguntó, consciente del nerviosismo de su voz.

—Un equipo de D&B topó con unos restos romanos el año pasado, cuando estaban trabajando en el viaducto de Holborn.

Al igual que los diferentes intentos de mejora en las calles de Londres, el trabajo en el viaducto había sido precedido por demoliciones masivas que dejaron al descubierto todo un mundo de reliquias.

—Sí. —Pensar en un descubrimiento como aquel hizo que la voz de Alexandra se tiñera de entusiasmo—. En otro tiempo los romanos tuvieron una fuerte presencia en las Islas Británicas. Su forma de gobierno. Sus conocimientos de arquitectura. —Colocó otro periódico en su estante—. Incluso ahora seguimos descubriendo viejas monedas en los campos de pastura.

—Siempre te ha apasionado la historia.

Alexandra alzó la mirada, se encontró con los ojos azules de Christopher mirándola, y de pronto el mundo dejó de girar.

—A ti también.

Al menos, en otro tiempo.

Era una de las cosas que más le gustaba de él en aquel entonces. A los dos les interesaba la historia.

—No has vuelto a casarte. —Christopher le sujetó un mechón de pelo detrás de la oreja—. ¿Por qué?

La pregunta la sobresaltó. Su mano se fue a la oreja, donde él la había tocado.

—Tú tampoco.

—He estado ocupado levantando una empresa —dijo él encogiendo los hombros con gesto reservado.

—Eres muy rico, Christopher. Podrías haber conseguido una esposa de alta cuna. ¿Lo habías pensado?

—¿Un lord venido a menos que aceptara mirar a un lacayo irlandés como a su yerno por la billetera que aporta a las arcas de la familia? No, gracias. Mi vida ya está bien como está. Sin complicaciones. No has contestado a mi pregunta.

—Ah. Soy demasiado mayor para preocuparme por esas tonterías —replicó ella con mirada alegre. Sí, tal vez no tuviera ninguna ganas de casarse, pero no le haría ascos a la compañía de Christopher.

—Imagino que, para llegar a ti, cualquier joven pretendiente habría tenido que conseguir primero la aprobación de tu padre.

—Mi padre nunca ha tenido inconveniente en que contrajera matrimonio —dijo ella bruscamente—. Solo tenía inconveniente si el pretendiente eras tú.

—Según creo recordar, yo no te desagradaba.

Aquel comportamiento era totalmente reprobable, y él lo sabía. Y por su mirada Alexandra se daba cuenta de que lo sabía. El corazón le golpeaba con violencia en el pecho. En una ocasión, cuando vivían en Tánger, él la secuestró descaradamente de la casa de su padre. Fueron de excursión a las ruinas que había en las afueras de la ciudad; el soldado y la hija del diplomático. Él se mostró travieso y atrevido, mucho más de lo que permitían las limitaciones del mundo de Alexandra. La hizo reír, consiguió que se desinhibiera y, cuando terminaron de comer, la hizo tenderse sobre la arena caliente y la besó. Nunca se lo había dicho, pero aquel fue su primer beso, aunque él se dio perfecta cuenta. Ahora, mientras la miraba, veía aquella misma mirada en sus ojos.

De ternura.

Y sintió que algo se removía en su interior.

¿Sabía él que no había estado con ningún otro hombre?

Christopher se aclaró la garganta y se puso a observar la puntera negra de su zapato. Y entonces levantó la mirada.

—He venido a decirte que Brianna está en la ciudad. Y te lo aviso: será un incordio. ¿Estás segura de que quieres hacerlo?

Los temores que había sentido al verle llegar pusieron freno a sus pensamientos. ¿Le diría que ya no la quería? Apartó la mirada.

—Solo la voy a introducir en sociedad, no voy a hacerle de madre. Seguramente entenderé a Brianna mejor que tú, porque en otro tiempo yo también fui joven.

—Desde luego. —Sus labios se crisparon un instante. Le pasó la mano por los cabellos—. Lo que me preocupa es la reacción de tu padre, Alex.

—Oh. —Su respuesta quedó apagada bajo el peso de la mirada de Christopher.

Entonces, de pronto, se dio la vuelta y, poniéndose de puntillas, trató de colocar en su sitio el último periódico.

—Mi padre no es mi dueño, Christopher. Haré lo que yo quiera.

Christopher, que estaba detrás, le quitó el periódico de las manos y lo colocó en la ranura que quedaba por encima de la cabeza de Alexandra. Ella se puso tan tiesa como si le acabara de picar una abeja. El calor del cuerpo de Christopher, su olor, la hicieron pegarse a los estantes. Cada milímetro de su ser estaba pendiente del movimiento de las manos de Christopher por los estantes.

—¿Qué estás haciendo? —Trató con todas sus fuerzas de controlar la voz.

—No lo sé. A lo mejor es que no te creo. —Su voz era un susurro ronco contra sus cabellos. No había ninguna parte de su cuerpo en contacto con ella, y sin embargo Alexandra sentía su presencia en cada milímetro de su ser—. O a lo mejor es que me dan ganas de deshacerte ese moño de mojigata que llevas. —Desde detrás, le hizo volver el mentón con los nudillos. Ella lo miró con los ojos muy abiertos—. O de empujarte contra las estanterías y meterte la lengua hasta la garganta.

Alexandra abrió la boca para contestar, asustada por el impulso primitivo que la sacudió. Y, muy lentamente, él bajó la cabeza y le cubrió la boca con la suya.

El contacto con sus labios la sacudió y resquebrajó la frágil barrera de su mente con una llamarada. Su mano se aferró al hombro de él, como si necesitara agarrarse para no caer. El masculino aroma del jabón de afeitar se fundió con algo que guardaba muy adentro y que ansiaba liberarse.

Y entonces la hizo volverse en sus brazos. El abrigo de

Christopher se abrió. Alexandra notó los músculos duros y tensos de su pecho. En lugar de un pañuelo almidonado, llevaba una corbata que desaparecía bajo el chaleco color borgoña. De alguna forma, a pesar de la ropa, las manos de Alexandra encontraron el camino a la calidez que se ocultaba bajo la fina tela de la camisa. Y respondiendo al impulso de la lengua de él, abrió la boca a su boca dulce y mentolada.

Y quiso más.

Haciéndose eco del gemido salvaje y profundo de él, Alexandra lo besó con voracidad. Con ansia. Christopher la aprisionó contra las estanterías, rodeándole el rostro con las manos, y el beso se hizo más profundo. Su boca era implacable, dominante, suave y gloriosa al mismo tiempo. La tierra podía estrellarse contra el sol y fundirse; Alexandra no se habría enterado; no le habría importado. Su falda envolvió las piernas de él. Sus brazos le rodearon el cuello, y se puso de puntillas, con los pechos pegados contra el pecho de él, dando al mismo tiempo que recibía, sintiendo que despertaban partes de su cuerpo que hacía tiempo que dormían.

El pulgar de Christopher rozó su pómulo, como una pluma.

Y, lentamente, apartó la boca.

Lentamente, ella abrió los ojos.

Y sus miradas se encontraron en una comunión agitada forjada con la irracionalidad de sus actos. La conciencia pasaba como electricidad entre los dos. Alexandra percibía el pesado latir del corazón de Christopher, y el suyo, que había enloquecido.

Fuera lo que fuese lo que hubo entre ellos en otro tiempo, si alguna pasión compartieron, ni el orgullo, ni los prejuicios ni los años lo habían hecho desaparecer. La chispa se había encendido y ardía como si el ayer no hubiera pasado. Alexandra sentía que su sangre hervía. Aquel beso le había sabido a atrevimiento, a peligro, y a tantas otras cosas...

Christopher se tocó el labio inferior con el nudillo y Alexandra se dio cuenta de que tenía los labios ligeramente hinchados.

—Te has hecho daño.

—Tendré que aprender a agacharme más deprisa.

Alexandra no entendió si se refería a ella o al puñetazo que el señor Williams le había dado hacía unos días. Él sonrió con gesto torcido.

—No fue Williams.

Entonces había sido ella.

De pronto todo su arrojo se evaporó, y detrás solo quedó pánico y confusión. Él le hizo alzar el mentón.

—Escúchame.

—No te atrevas a disculparte, Christopher Donally.

—Créeme, Alex —la miraba y ella vio que sus ojos sonreían—, lo último que tengo en el pensamiento en estos momentos es disculparme.

—¿Ah, sí?

—Sí.

Tratando de recuperar su maltrecha compostura, Alexandra respiró hondo y apartó la mirada. De pronto sus ojos se abrieron desorbitadamente.

—¡Richard!

Y prácticamente tuvo que empujar a Christopher, porque se había quedado extrañamente quieto y no le dejaba sitio para retirarse. Él se echó hacia atrás, pero sus brazos se resistían a soltarla.

—Richard. —Sus manos alisaron con nerviosismo la tela polvorienta de su bata—. No sabía que hubiera nadie.

—Evidentemente.

Trató de suavizar la repentina frialdad del ambiente.

—Richard, este es…

—Ya nos conocemos —dijo él con voz neutra sin extender la mano.

La sonrisa de Christopher era divertida.

—Atler —replicó a modo de saludo.

—Abajo hay lectores haciendo preguntas que no puedo contestar —dijo Richard—. Creo que tendrías que volver a tu sitio.

Los ojos de Christopher pasaron de Richard a Alexandra, con desapasionamiento. En el tiempo que dura un suspiro, había recobrado la compostura.

—Tengo que asistir a una reunión. —Le ofreció a Alexandra una tarjeta—. La dirección de Belgrave. Le diré a Brianna que tendrá noticias tuyas.

—Gracias.

Y, saludando con un educado gesto de la cabeza a Richard, abandonó la pasarela. Alexandra se apoyó contra la barandilla, mientras oía alejarse sus pasos, hasta que vio su alta figura desaparecer tras las estanterías.

—Estoy perplejo. —La voz divertida de Richard le hizo volverse.

—No hacía falta que fueras tan rudo. ¿Qué problema tienes?

Él avanzó un paso hacia ella.

—Mientras su lengua estaba metida en tu garganta, ¿por casualidad no habrá mencionado que está prometido?

La reserva de Alexandra se resquebrajó bajo una familiar sensación de miedo y sorpresa. Apartó la mirada, furiosa consigo misma por darle a Richard la satisfacción de ver que sus palabras la habían herido. No tenía ni idea.

—Es cierto —dijo Richard—. Es irlandesa, una amiga de hace tiempo de la familia, la hija de la otra mitad de D&B. Aún no lo han anunciado públicamente porque tu caballero negro está ocupado con dos importantes proyectos aquí en Londres.

—¿Cómo sabes todo eso?

—Donally es miembro del consejo de administración del museo. Desde que ha entrado para verte, no he dejado de oír comentarios. A la gente las víctimas de la injusticia social les gustan tanto como un buen escándalo.

—¿Piensas contarles a todos lo que has visto? —Cruzó los brazos—. Porque si lo haces…

—Deja que yo te corteje. —Sonrió, y el Richard arrogante que Alexandra conocía apareció en un estallido blanco de dientes y sol. Iba vestido con una llamativa chaqueta a cuadros azules y chaleco rojo. Los pantalones eran amarillos—. Yo podría ser tu protector y ahuyentar a tus enemigos. Convertirte en una mujer honrada antes de que Donally te eche la zarpa encima.

—Escúchame, Richard —dijo al tiempo que pasaba de lado junto a él—. Hace demasiado tiempo que somos amigos para que ahora arruines todo lo que hay entre nosotros. No necesito otro protector. Y a mi honor no le pasa nada.

Él la detuvo antes de que llegara a las escaleras.

—Por lo que he oído decir, es un hombre frío. Si no me crees, pregúntale qué hizo para recibir las medallas que decoran su uniforme militar.

Alexandra estaba petrificada. Finalmente, alzó el mentón. Richard, que jamás se había comportado de una forma tan agresiva físicamente con ella, esperaba su respuesta. Y de pronto Alexandra se dio cuenta de que aquel hombre, al que se sentía ligeramente superior, se compadecía de ella.

—Tengo trabajo que hacer, Richard.

—Eres muy ingenua —dijo a su espalda— si crees que Donally no está disfrutando de este juego. ¿Qué otro motivo podría tener para volver a aparecer en tu vida?

Cierto, Christopher había propuesto lo del acuerdo. Pero ni una sola vez desde el incidente del carruaje había pensado Alexandra que él pudiera salir más beneficiado que ella. Fuera cual fuese la razón por la que había vuelto a incluirla en su vida, ella le necesitaba más que él a ella.

Con este pensamiento, Alexandra abandonó la sala de lectura. Consiguió acorralar al profesor Atler en el exterior de su despacho y le dijo que le redujera el número de horas de trabajo. Y que si se molestaba en presentarse allí cada mañana era únicamente porque sus dos ayudantes la necesitaban: estaba ayudándoles a completar su tesis universitaria.

Tras despedirse de un perplejo profesor Atler, salió del museo, alquiló un cabriolé e hizo algo que no había hecho desde hacía años. Se fue de compras.

Christopher, con el codo apoyado en la mesa, estaba jugando con un lápiz. Normalmente no era dado a distracciones o ensoñaciones, ni a pensamientos fantasiosos, pero hacía ya rato que había abandonado las columnas de números. Miró por el gran ventanal que daba a la calle bulliciosa donde estaba su casa en la ciudad. Habían abierto los pesados cortinajes de terciopelo, y solo estaba echada la muselina de debajo. Christopher veía el resplandor apagado de las farolas y oía el clop clop de los caballos y el repiqueteo de la lluvia contra los aleros de la casa y el alféizar.

Con un reniego, se apretó con los dedos el puente de la nariz y volvió al trabajo. Tendría que cerrar las malditas cortinas si quería concentrarse. Esa noche tenía un buen montón de papeles que revisar... y todos escritos en francés.

Ryan había enviado el informe financiero sobre el proyecto del túnel de Mont Cenis que estaban construyendo entre las montañas de Italia y Francia. Aquel proyecto era el precursor del proyecto del túnel del canal de la Mancha. Y D&B tenía un interés tanto económico como financiero en él. Se puso a pasar las páginas de columnas. El mundo había avanzado mucho desde los tiempos en que Aníbal cruzó aquel paso con su ejército de cien mil hombres y cincuenta elefantes en 218 a. de C. para atacar Roma. Ahora, la máquina perforadora de Sommelier podía abrirse paso a través de la roca sólida. Y lo que podría hacer bajo el canal de la Mancha...

El sonido de voces en el vestíbulo le hizo levantar la cabeza. Le parecía haber oído el timbre de la calle. Un momento después, llamaron a su puerta.

—Disculpe, señor. —Barnaby entró cuando Christopher le indicó que pasara—. Ha llegado este telegrama de Calais.

Christopher sabía que era de su hermano, así que rompió el sello. Sentía una fuerte opresión en el pecho debida al entusiasmo.

PARECE QUE AQUÍ YA ESTÁ TODO ARREGLADO. STOP. AHORA TODO DEPENDE DE TI, HERMANO. STOP. VOLVERÉ PRONTO. R.

—¿Buenas noticias, señor?

—Muy buenas. —Apartó los papeles para ver el reloj que tenía en el borde de la mesa—. Aún es pronto. —Antes de medianoche podía terminar casi todo el trabajo.

Christopher ya había tenido una primera entrevista con el comité de planificación. La segunda estaba programada para el mes siguiente. Ahora que los franceses habían aprobado el análisis del proyecto, D&B tenía mucho más que un pie dentro.

Levantó la vista y vio que Barnaby continuaba delante de su mesa.

—¿Alguna otra cosa?

Oyó pasos en el pasillo.

—¡Christopher! —Brianna entró como una exhalación agitando una nota. Él ladeó la cabeza con extrañeza, porque le pareció reconocer la letra—. ¡Lady Alexandra me recogerá mañana! Me acaban de invitar a mi primer té.

Christopher fue hasta la ventana y apartó las cortinas. La luz de las farolas bañaba la superficie húmeda de la calle.

—Eso está muy bien, fierecilla. —Un carruaje esperaba junto al bordillo para incorporarse al tráfico. En el interior, veía el perfil claro de una mujer. Llevaba echada la capucha. Y le pareció que se apartaba de la ventanilla—. ¿Quién ha traído el mensaje?

—La esposa del cochero, señor.

—Si no te importa, yo prefiero retirarme. —Brianna se encaminó hacia la puerta envuelta en el susurro de su falda—. Mañana quiero estar descansada.

Christopher alzó la vista y vio la falda color púrpura de su hermana desaparecer por la puerta.

—No quiero que Gracie se separe de tu lado.

—Por supuesto —gritó ella por encima del hombro—. Una dama debe llevar siempre a su carabina.

Christopher sintió que su admiración por Alexandra iba en aumento. Hasta entonces, no había creído que cumpliría su parte del trato. Entrecerrando los ojos, su mirada se fue directa a la chaqueta que tenía detrás de la mesa.

—Señor...

—Espera aquí, Barnaby.

—Señor. —Parecía que su mayordomo intentaba reunir valor. Junto a la mesa había un globo terráqueo montado sobre una ornamentada estructura de madera—. Esta noche tiene mucho trabajo que hacer. Y con la lluvia, seguro que la pierna le molesta. ¿Desea una taza de cacao caliente? Dicen que el chocolate hace maravillas.

Las manos de Christopher se habían detenido sobre la chaqueta; lo que fuera que le había impulsado a salir hacía un instante se había desvanecido. No era un hombre muy espontáneo, y sin embargo había estado a punto de salir corriendo para alcanzar el carruaje.

Y Barnaby se lo había visto reflejado claramente en la cara.

—Gracias, Barnaby. El chocolate es una elección muy... apropiada.

—Le dejo que trabaje, señor. —Salió y cerró la puerta a su espalda.

Christopher seguía de pie, con la chaqueta en la mano.

¡Maldita sea!

Arrojó la chaqueta sobre la silla y se acercó de nuevo a la ventana para ver alejarse el carruaje. No había llevado una vida precisamente monacal para estar a punto de perder el control como un neófito recién salido de las aulas.

Y sin embargo su voluntad le delataba. El recuerdo de los cabellos perfumados de Alexandra, el sabor de sus labios en su boca, las suaves formas de su cuerpo habían avivado sus apetitos en no poca medida. Cerró los ojos.

Y fue así como comprendió, totalmente perplejo, que la década de disensión con lady Alexandra Marshall había acabado en el museo, en aquel momento en que sus labios se encontraron.

7

—Rotten Row. —Brianna rió y giró sobre sí misma—. Camino podrido, qué nombre tan perverso para un lugar tan hermoso.

La gente elegante visitaba Hyde Park entre las once y las dos para tomar el aire. Lady Wellsby se lo había dicho a Alexandra.

Ciertamente, la gente se mezclaba como coloridas mariposas, algunos deambulaban por los senderos floridos, con aire relajado debido en parte al sol y la hora. A pesar de los años que habían pasado desde que fue presentada en sociedad, a Alexandra le sorprendió ver lo poco que había cambiado el protocolo. Con gesto distraído se puso bien las mangas, se dio unos toquecitos en el pelo y miró al horizonte. Christopher había dejado el carruaje a disposición de Brianna y había utilizado otro medio de transporte para moverse por Londres.

Se volvió de nuevo hacia Gracie, que seguía en el carruaje, con los pies en alto y expresión abatida, y le sonrió con gesto comprensivo.

—Haremos nuestras visitas y estaremos de vuelta en unas pocas horas.

—Gracias, señora —dijo la pobre Gracie—. Desde ayer, los pies me están matando. Y el día anterior también. Sí, señor. —Bajó la voz—. No sé cómo puede seguir el ritmo de esta moza, milady.

Brianna ya iba hacia el sendero. El entusiasmo de la traviesa hermana de Christopher empezaba a resultar contagioso, aunque solo fuera por el hecho de que había escapado de la corrosiva mojigatería que envolvía prácticamente todas las facetas de la Inglaterra victoriana. Y, en honor a su familia, había que admitir que conocía notablemente bien las normas de sociedad, tenía cierta idea de la moda parisina y era perfectamente capaz de destacar por méritos propios en medio de cualquier multitud. Aquella misma semana, sin apenas preámbulos, había jugado al *whist* con las campeonas en casa de lady Biddleton, a croquet en la de lady Pomroy y a tiro con arco en el jardín trasero de lady Blasedale, donde derrotó a un montón de perplejas debutantes.

—¿No es correcto que juegue pensando en ganar, milady? —le había preguntado a Alexandra más tarde, visiblemente trastornada por la forma en que algunas de las presentes la trataron.

—Nunca es malo hacerlo lo mejor que puedes —fue la respuesta de ella—. No permitas que las dudas de nadie te hagan descalificar tus victorias en la vida.

Aunque la hermana de Christopher no hubiera obtenido muchos puntos por modestia, desde luego se ganó la atención de lady Wellsby y la invitación a unirse al grupo de lectura de los jueves.

A lo lejos se veía un campanario rodeado de andamiajes. El sonido de los martillos se elevaba por encima del ruido del tráfico, como una nube invisible suspendida sobre el parque. Brianna le había dicho que ese día Christopher tenía algunas reuniones por la zona.

Y de pronto su ánimo cambió y se sintió más alegre. Se arregló la falda. Desde el día del museo, pensar en él le hacía evocar algo ilícito, emocionante y prohibido como un pecado. No estaba preparada para los sentimientos que despertaba en ella. Para aquella ansia incontenible que no reconocía.

Ciertamente, no estaba preparada para Christopher.

Ella y Brianna pasearon por el parque, deteniéndose aquí y allá si se presentaba la ocasión para saludar a personas que habían conocido en el transcurso de aquella semana. Su hermosa presencia despertó el interés de más de un joven, pero Brianna, una coqueta experta, no hizo caso a ninguno. Con una única excepción.

—¡Mire, oh, mire! —Y señaló antes de que Alexandra pudiera cogerla del brazo—. Es el señor Williams. ¿Qué hace él aquí?

El joven se volvió, como hicieron otra docena de jóvenes. Pero fue la alta figura de Stephan Williams la que atrajo la mirada de Brianna. Llevaba un caballo ruano por las riendas y era evidente que se dirigía hacia la salida del parque. Vestía con el atuendo informal de un repartidor y Alexandra vio que las alforjas del caballo estaban cargadas de paquetes.

—Usted es mi carabina —le susurró Brianna, sin poder contener apenas el entusiasmo—. No creo que haya nada malo en que le salude.

Salvo que Christopher la haría subir personalmente al ring si permitía que la reputación de su hermana se viera comprometida. Sin embargo, algo en la mirada encendida de la joven la ablandó.

—Contrólese, señorita Donally —dijo Alexandra—. Puede saludarle de pasada cuando vayamos hacia la salida. Y si nadie la oye, puede decirle que mañana vendremos a pasear a la misma hora. —Y sonrió con dulzura—. Lady Wellsby viene en nuestra dirección.

Christopher rara vez se marchaba de la oficina antes de las siete. Era el primero en llegar y el último en salir, y con frecuencia sus empleados se preguntaban si no dormiría sobre la mesa de palo de rosa de la sala de reuniones. Sin embargo, ese día se fue antes de las cinco. Ya había terminado su trabajo, o buena parte, cuando su asesor legal se presentó en el despacho. Estaba demasiado inquieto para aguantar los atascos del tráfico, así que recorrió a pie las últimas seis manzanas que faltaban para llegar al museo. Nunca había visto a su hermana tan feliz como aquella semana.

No tendría que haber sentido más que calma. Y desde luego no aquella inquietud que se había materializado en la agitación que lo impulsaba en aquellos momentos.

Christopher llegó al museo. Había palomas posadas bajo los aleros de la entrada principal. Evitando el bullicio de la escalinata, sus pasos le llevaron por el camino de guijarros, más allá de las residencias privadas. Habían levantado andamios a todo lo largo del edificio, cuya presencia neotérica constituía un monumento al progreso. Después de todo, aquella era una década de mejoras. Era irónico que, mientras que Alex vivía para conservar lo antiguo, él se ganara la vida destruyéndolo. Y era algo que siempre había hecho con un celo mercenario, como si desgarrando el pasado pudiera mejorar de alguna forma el futuro.

Sin embargo, había aprendido que hay cosas que vale la pena conservar. La propiedad que había adquirido en las afueras de Londres, por ejemplo.

—Lady Alexandra se fue hace una hora, señor —le informó el vigilante uniformado apostado en la entrada posterior cuando Christopher llegó al mostrador tras saltar sobre un montón de cascotes—. El profesor Atler la acompañaba.

—¿Atler? —El tono de Christopher delataba algo más que sorpresa.

—Su hijo. Richard Junior, si lo prefiere. Aunque yo no le llamaría así en su presencia. Detesta ese nombre.

—¿Y cómo es eso? —preguntó, a pesar de que le importaba un comino lo que a Atler le gustara o le dejara de gustar.

El vigilante se inclinó hacia delante apoyándose en un codo.

—No se parece en nada a su padre. Sería capaz de apalizar a un hombre por llamarle profesor Atler.

Aquello era un chisme interesante. La clase de detalle que

hay que recordar. Estaba pensando en eso cuando su mirada reparó en la caja con las llaves maestras que había tras el mostrador. Echó una rápida ojeada a la sala. Se habían tomado ciertas medidas para evitar que nadie pudiera entrar desde fuera. Y la robusta puerta de roble estaba reforzada con una barra de metal. En la pared había una ventana muy alta, demasiado estrecha para que un adulto pudiera colarse por ella.

—¿Quién tiene acceso a esas llaves? —preguntó Christopher.

El vigilante se volvió a mirar la caja con las llaves, protegida por un cristal.

—Solo algunos miembros del personal. —Sacó el registro—. Nadie puede coger una llave sin firmar. Ni siquiera durante una hora.

Christopher extendió el brazo.

—¿Puedo echar un vistazo?

El vigilante le pasó la carpeta.

—Teniendo en cuenta quien es, supongo que sí.

Christopher hojeó las páginas. Los nombres y las horas de la lista se remontaban solo al último mes.

—¿Dónde están el resto de los registros?

—La carpeta anterior se mojó. Como ve, buena parte de esta sala está en obras y formará parte del nuevo museo.

—Qué conveniente perder las cosas. —Christopher se fijó en que el nombre de Richard Atler era el que aparecía más veces en la lista. Al igual que el de Alex y el de otra media docena de personas—. ¿Siempre hay alguien en este mostrador?

—Sí, señor. Y por las noches también hay un vigilante en la verja de entrada y dos dentro del museo.

Christopher le devolvió la carpeta. Quien hubiera robado en el museo, no habría firmado en el registro. ¿No es cierto?

—¿Asistirá al combate de mañana, señor? —inquirió el vigilante, y Christopher de pronto se concentró en la pregunta—. Le he visto en el gimnasio de Holborn —explicó el hombre—. Usted no es como la mayoría de los caballeros finos que pasan por aquí.

Christopher sacó su tarjeta y, tras coger la pluma del tintero del vigilante, garabateó su dirección en el reverso.

—Hágame un favor, señor…

—Potter —dijo el vigilante.

—Quiero saber si en los últimos meses ha pasado algo interesante por aquí. Cotilleos que circulen entre los empleados. Piénselo bien y luego venga a verme.

—Así lo haré, señor Donally. —Y aceptó de buena gana el billete que Christopher le entregó con la tarjeta.

Al salir, Christopher levantó la vista al cielo azul. Tenía tanto derecho a investigar los problemas de seguridad del museo como cualquier otro miembro del consejo de administración. Y, cuanto más indagaba en aquello, más preocupado estaba por Alex. ¿Por qué habían ido por ella? ¿Era su aparente inexperiencia lo que la convertía en un fácil chivo expiatorio? Intelectualmente no había nada que se le pudiera reprochar.

La brisa soplaba por los jardines y hacía que el abrigo aleteara contra sus rodillas. Había niños jugando a su derecha y, al volverse hacia aquel sonido, se paró en seco y sus cavilaciones se desvanecieron tan deprisa como si le acabara de caer un cubo de agua helada sobre la cabeza.

Alex estaba con Richard Atler en el porche de la inmensa residencia que había al otro lado de los jardines. Unas columnas griegas enmarcaban aquel tierno despliegue de afecto. Christopher vio que Alexandra reía mientras Richard le mostraba unos pasos de vals, a la vista de Dios y de todo el mundo. El delicado rostro de Alexandra se veía radiante, la viva imagen de la elegancia y la serenidad que siempre le había atraído. Christopher metió sus manos enguantadas en los bolsillos.

El sentimiento de posesión que experimentó en esos momentos le sorprendió tanto como la aguda conciencia de que la estaba persiguiendo. Y eso era algo difícil de asumir para un hombre que se preciaba de su autocontrol e implacabilidad. Había sobrevivido diez años sin verla, y dos considerando la posibilidad de casarse con otra. Y que ahora Alexandra Marshall volviera a ocupar su mente rayaba mucho más que lo absurdo.

Rayaba la maldita ironía.

Iba a marcharse... pero cambió de opinión cuando Richard Atler levantó un momento la mirada y sus ojos se cruzaron.

Ninguno de los dos se movió. Solo entonces pudo Christopher observar a la pareja con distanciamiento. El hombre acercó el rostro a Alex y le susurró al oído algo que la hizo volverse con expresión expectante.

Una nube tapó el sol en ese momento y las sombras pasaron sobre el jardín, así que no pudo ver bien la cara de Alex. Pero había notado la calidez de su mirada.

Levantándose un poco un lado de la falda, Alexandra bajó corriendo por la escalera para ir a reunirse con él bajo las ramas de un árbol.

—Christopher. —Lo alcanzó, con las mejillas arreboladas—. Tendrías que haberme mandado una nota para avisarme de que venías.

Christopher miró por encima de su cabeza y vio que Atler les observaba.

—Tienes suerte de encontrarme —dijo Alexandra al tiempo que le quitaba un poco de yeso de la manga. Se estaría acordando del beso. O quizá era solo él quien recordaba—. Richard y yo estamos trabajando en un proyecto conjunto. La próxima vez que vengas quizá pueda enseñarte lo que hago.

—No creo que sea buena idea, Alex.

La sonrisa de ella pareció apagarse y Christopher vio con pesar que desaparecía. Pero no podía hacer nada. Sin duda, andar arriba y bajo por el museo con su ex mujer habría sido el peor movimiento. Lamentaba haberlo sugerido.

—Bueno, ¿tienes alguna novedad?

Christopher le hizo un resumen de lo que le había dicho su asesor legal. Solo en Londres había cuatrocientos joyeros y prestamistas a los que entrevistar.

—Yo creo que tu ladrón de joyas está haciendo negocio fuera de la ciudad. Pero, hasta que terminemos con las entrevistas, es posible que tardes en tener noticias. Solo quería avisarte.

De pronto la mirada de Alexandra abrazó la suya.

—Es la primera vez que me dices abiertamente que crees que el ladrón es otra persona.

—¿Crees que habría dejado que te acercaras a mi hermana si creyera que eres culpable? —Le hizo alzar el mentón con su mano enguantada—. No sé qué ha pasado aquí, pero sí sé que no es culpa tuya.

—Gracias. —Alexandra inclinó la cabeza sobre la mano de él—. Debe de sonar muy poco profesional, pero gracias por creer en mí.

Su presencia, su sonrisa, el sol en sus ojos verde hoja de pronto despertaron en él una animosidad que no entendía.

—Ese nunca ha sido el problema entre nosotros. —El tono de su voz hizo que Alexandra alzara la mirada. Y entonces Christopher apartó la mano, consciente de que estaban en medio de un jardín que olía a rosas, arropados por el sonido de los niños que jugaban. Consciente de que Richard Atler los observaba desde el extenso porche.

Ella se apartó, incómoda, y la distancia que los separaba se triplicó.

—No, supongo que no.

Christopher miró hacia la calle. Nunca le había faltado seguridad en sí mismo, pero incluso en aquellos momentos, cuando la vida fluía a su alrededor, una parte de él seguía sumida en la duda. Había desechado y reconstruido tanto de su pasado que fue un shock ver el agujero que de pronto se abría ante sus ojos.

—Tengo que irme —dijo.

—¿No te interesan los progresos que hace tu hermana?

Aquellas palabras le hicieron detenerse. Había olvidado que en parte esa era la razón por la que estaba allí.

—Quizá si de vez en cuando pasaras por tu casa podrías compartir con ella sus triunfos —añadió; de pronto su voz tenía un ligero tono de reproche—. Aunque de momento son bien modestos.

El comentario le hizo reír.

—¿Me estás regañando?

—Pues en realidad sí. Me contrataste para hacer un trabajo...

Mientras ella hablaba, Christopher rozó con la mirada el pulso que latía en la base de su cuello de porcelana, y luego se demoró sobre la curva perfecta de sus pechos. Perfectamente moldeados para sus manos.

—¡Christopher! —Alexandra reclamaba su atención—. ¿Me estás escuchando?

Los ojos de Christopher se posaron en los suyos con una precisión mercenaria. Le habían pillado con las manos en la masa, por así decirlo, así que se limitó a arquear las cejas.

—No —dijo sin más—. ¿Qué decías?

—El lunes tendrás mi informe —dijo ella en tono profesional, deseando cumplir con su parte del trato de la forma más correcta posible pero, como solía pasar, interpretándolo todo al revés.

—¿Que qué?

—Imagino que deseas una evaluación de sus progresos, ¿no es cierto? He anotado todos los detalles importantes para que puedas revisarlos.

Él contuvo el impulso de levantar los ojos con exasperación.

—¿Cómo es que no me sorprende que quieras escribir un informe sobre mi hermana? ¿No basta con un resumen?

—Un informe es más concienzudo.

Ella había cruzado los brazos y, aunque sabía que se estaba comportando de forma abominable, Christopher no pudo contenerse.

—Imagino que, junto con tu análisis de viabilidad, adjuntarás tus conclusiones y recomendaciones, ¿me equivoco? —Agitó la mano en el aire—. «Las peripecias de Brianna Donally en sociedad.»

—Por supuesto que no. —Alexandra se había recuperado lo suficiente y lo miró entrecerrando los ojos—. Lo titularía: «Las pifias sociales de Christopher Donally». Capítulo 1: «No beses a la madrina y luego la dejes olvidada». No sé qué quieres de mí, Christopher.

Christopher sabía exactamente lo que quería de ella en esos momentos. Un rincón tranquilo habría sido perfecto. La miró a la cara y arqueó una ceja.

—Vaya, entonces, ¿me has añorado?

Alexandra se puso tensa.

—Tienes que andar muy sobrado de autoestima para creer que me he pasado toda la semana pensando en ti, Christopher Donally.

—¿Ah, sí? —Sonrió con descaro a pesar del insulto—. Conque sobrado de autoestima, ¿eh?

—Pomposo, arrogante… presuntuoso.

—¿Richard Atler es tu amante?

Alexandra alzó el mentón.

—¿Rachel Bailey es la tuya?

Él siguió mirándola con aquellos implacables ojos azules. Pero Alexandra había visto que vacilaban.

—Es la otra mitad de Donally y Bailey, ¿no?

—La última vez que la vi lo era.

—Supongo que los hombres no ponéis peros a la hora de tener amantes —dijo Alexandra.

—Si lo que me preguntas es si he sido célibe estos diez años, la respuesta es no. Si me preguntas si me he acostado con Rachel Bailey la respuesta es rotundamente no. Si apenas es mayor que mi hermana…

—Yo tenía la edad de tu hermana cuando te conocí.

Él se acercó con mirada llameante.

—Tú nunca has tenido la edad de Brianna.

Y, tras girar sobre sus talones, se alejó.

Alexandra se quedó mirando su espalda, profundamente alarmada por el magnetismo de aquellas palabras y la forma en que la había despachado, con un aliento ronco y caliente. No sabía qué había hecho para enfurecerlo. Sobre todo porque era él quien había ido en su busca.

Richard se acercó enseguida. Christopher cruzó las verjas de hierro que separaban la calle bulliciosa de los terrenos con las residencias privadas, y sus hombros anchos se movieron bajo el abrigo cuando levantó un brazo para parar un coche. Era unos centímetros más alto que la mayoría de los que le rodeaban, y Alexandra pudo seguirlo sin dificultad con la mirada.

Richard le hizo alzar el mentón, frunciendo los labios. Pero, cuando finalmente habló, en sus ojos solo había compasión.

—Dudo que haya en el mundo dos personas que se complementen peor que vosotros.

—¿Y crees que no lo sé? —espetó ella, furiosa consigo misma por perder el control—. ¡Había olvidado el carácter tan imposible que puede llegar a tener!

Estar cerca de Christopher era como hallarse en lo alto de un puente durante una tormenta eléctrica. Ya no podía pensar en él sin sentir una sacudida. Respiró hondo y agradeció poder volver a su rutina aunque solo fuera unas horas a la semana. Richard le había pedido que lo ayudara a preparar la exposición de El Cairo. Brianna le había suplicado que la dejara ir al museo para ver lo que hacía allí y, por un instante, Alexandra sintió la necesidad de presumir ante la impresionable hermana de Christopher.

Por otro lado, en aquellos momentos había cuatro hombres haciendo inventario en *su* departamento, juzgando su trabajo, y era evidente que Christopher se negaba a admitir la atracción que había entre los dos. ¿Cómo era posible que un solo beso apasionado la hubiera convertido en una romanticona?

Christopher nunca estaba en casa cuando Alexandra iba a recoger a Brianna cada mañana. Hacía días que no le veía. Quizá los hombres eran más propensos a la castración emocional, o tal vez es que su habilidad para agacharse y evitar los golpes estaba más afinada que la de ella. Por el momento, deseaba con todas sus fuerzas salir del embrollo en que se había metido.

—Debe de haber estudiado años y años solo para saber qué es cada cosa aquí. —Brianna hablaba con voz asombrada mientras recorrían los laberínticos pasillos que componían los niveles superior e inferior de las cámaras de almacenaje. A pesar del tamaño del museo, allí cada centímetro cuadrado parecía ocupado por algún objeto.

Muy pocos eran conscientes del escaso material que el museo exponía en comparación con lo que estaba guardado.

—Todo el mundo tiene su especialidad. —Alexandra encendió las lámparas de aquella sala y las sombras desaparecieron. Pasó los dedos por una hilera de contenedores con diferentes muestras en los estantes—. En mi caso, también ayudó el hecho de que mi padre fuera miembro del consejo de administración de dos universidades.

—Christopher no pudo entrar ni en Oxford ni en Cambridge. —Brianna cogió un escoplo de la mesa de trabajo—. Pero no deja que nada le detenga. En mi familia todos somos muy testarudos.

Christopher era católico. Y era bien sabido que para un hombre que no perteneciera a la Iglesia de Inglaterra ciertas puertas siempre estarían cerradas. Christopher se había graduado en la Royal Military Academy de Woolwich por méritos propios, no por dinero.

Alexandra sacó una caja de latón que contenía muestras que ella había catalogado. Las colocó sobre la mesa de trabajo y, tras apoyarse contra el borde, miró a Brianna.

—Últimamente, ¿ves alguna vez a tu hermano?

—Lo menos posible. —Brianna arrugó la nariz—. Estos días está que muerde. —Como si acabara de comprender su error, la joven levantó su mirada inocente—. Debo de parecer una ingrata.

Al contrario. Alexandra la comprendía muy bien.

—Me temo que mi presencia es una carga excesiva para él.

Alexandra cogió la pluma y el tintero del estante que había bajo la mesa.

—Sé que tu felicidad le importa lo bastante para querer que tengas tu presentación en sociedad. Lo que estamos haciendo ahora no es más que el preludio. —Trató de que sonara emocionante—. Pronto asistiremos a veladas en las que podrás conocer a caballeros.

Brianna se dejó caer sobre un taburete y su ridículo giró en su muñeca.

—No sé por qué estaba tan obsesionada con mi debut. Quizá sentía que esta sería mi última oportunidad.

—Por el amor de Dios, solo tienes diecisiete años.

—No es eso. O no del todo —rectificó frunciendo ligeramente el ceño—. Christopher ha estado tratando de lograr que la empresa sea un éxito. Dividido entre las dos ramas, la de Londres y la de Carlisle. Y quiero que sea feliz.

Alexandra observó el rostro de su joven pupila.

—Le quieres mucho.

La expresión de Brianna se apagó.

—Puede que a Christopher no le apasione la vida social, es cierto, pero trabaja en lugares donde nadie quiere trabajar y enseña a niños a los que nadie quiere. Y me conseguirá mi debut. Para él es una cuestión de orgullo. No se imagina usted hasta qué punto influye el nombre en la vida de una persona. Para él el camino ha sido siempre cuesta arriba. Y ahora la familia quiere que se case. Es el único de mis hermanos que no está colocado. Incluso Ryan estará casado al final del verano. Si Christopher se casa, ¿quién se ocupará de mí? Seré un estorbo.

Alexandra volvió su atención a las estanterías y cerró los ojos.

—¿Y qué piensa tu hermano… sobre lo de casarse?

—Casarse con Rachel Bailey sería como cerrar un trato entre nuestras familias. Es lo que querían mi padre y el de ella. Pero no creo que sea lo que él quiere.

Alexandra se dio la vuelta.

—¿Cómo lo sabes?

—Si fuera así ya se habrían casado —dijo, y miró a Alexandra con abierto interés—. Usted y Christopher son viejos conocidos, ¿verdad?

Brianna ya la había tanteado en relación con aquello en tres ocasiones, pero esta vez la pregunta la cogió por sorpresa y la joven leyó en su rostro más de lo que Alexandra habría querido.

—¿Eran muy amigos? De otro modo, ¿por qué iba a aceptar ayudarme?

—Nos conocimos hace mucho tiempo —dijo Alexandra, aliviada al ver que Christopher no le había hablado de su acuerdo. A Brianna le habría dolido saber que le estaba echando una mano a cambio de la ayuda de su hermano.

Aunque lo cierto era que, en aquellas semanas, las cosas habían cambiado y, al ir conociendo a la joven, había empezado a sentir cierta afinidad con ella. Si la vida hubiera sido distinta, Brianna habría sido su cuñada y habría tenido que desempeñar aquel mismo papel.

Y desde luego no habría estado muriéndose solo de pensar que Christopher podía casarse con otra.

—Lady Alexandra conoció a su hermano cuando vivía en Tánger —dijo Richard desde la puerta. Les habían presentado hacía unos días.

Los ojos azules de Brianna miraron a Alexandra con verdadero asombro.

—¿Conoció a mi hermano cuando servía en el ejército?

—Sí —dijo ella, distraída, y dedicó a Richard una mirada furiosa—. Él era agregado militar y durante un tiempo trabajó a las órdenes de mi padre.

—¿En serio? —Se volvió hacia Richard—. ¿Usted también le conocía?

—Yo aún estaba en el internado. —Entró en la sala y apoyó una cadera en la mesa—. Su hermano era un destacado criptólogo del gobierno.

—¿Un espía?

—Significa que su trabajo era descifrar códigos —le explicó Alexandra.

—Y habla más idiomas que la dama aquí presente.

—¿Christopher? ¿Mi hermano Christopher? —Brianna estaba impresionada—. Y yo que pensaba que solo había construido carreteras por selvas y desiertos. Debió de tener una vida emocionante en un lugar así. Ojalá pudiera ir a los sitios donde usted ha estado. Sería tan excitante…

Alexandra se volvió para acomodar la última placa, tratando de comprender el tumulto de su corazón.

No se lamentaba de nada. Desde que era un bebé, su mundo había estado lleno de viajes exóticos, libros de historia, tutores y asuntos diplomáticos. Había conocido a príncipes, sultanes, reyes.

Y, sin embargo, nunca le habían permitido reunirse con los niños que reían en los patios de las residencias donde había vivido. Eran los hijos de los criados. Con frecuencia, los observaba desde detrás de las cortinas de su habitación, mientras la curiosidad por ellos se combinaba agriamente con su soledad. Cuando se hizo mayor, la apodaron «princesa de hielo», y ella solo pudo fingir indiferencia ante aquel tributo tan poco halagüeño a su carácter.

De hecho, al apartarla de los demás, su padre había contribuido a convertirla en una desclasada que no encajaba en ningún sitio.

Richard se hizo su amigo, y Christopher tuvo la osadía de tratarla como si no fuera de la realeza. Christopher, con su familia insular y su afición por desafiar las normas, fue la única persona que trabajó para su padre y no mantuvo las distancias con ella; había arrojado su guante una y otra vez contra la cara de la autoridad.

Alexandra sintió algo parecido a la animosidad.

Ciertamente, la insufrible opinión que tenía de sí mismo no había cambiado si se consideraba con derecho a empujarla contra las estanterías de la sala de lectura, besarla con violencia y marcharse sin pedirle siquiera permiso. La última vez que le hizo algo así, ella lo había encontrado en los establos y le faltó poco para atravesarlo con un bieldo.

Dejando a un lado sus meditaciones, Alexandra se concentró en la mesa de trabajo y se dio cuenta de que ya había terminado de colocar las cajas.

—He estado ocupado desde la última vez que te vi —dijo Richard mientras abría el primer libro para que Alexandra lo revisara—. Estarás orgullosa: no he pasado por un club en toda la semana.

—¿En qué están trabajando? —preguntó Brianna.

—Estamos catalogando muestras que llegaron en un cargamento recientemente. Esto son las de polen y hojas —dijo Richard dando unos golpecitos en la mesa—. Todo lo que hay aquí se encontró en una excavación cerca de El Cairo.

—¿Quién hizo los dibujos? Son muy buenos.

Alexandra señaló a Richard con el gesto.

—Él los hizo. —Levantó el libro hacia la luz para observar los detalles de cada dibujo—. Creo que tendría que haber elegido otra profesión, señor Atler.

Él dio un bufido.

—¿Y avergonzar a mi padre más de lo que ya le avergüenzo?

Se hizo un silencio incómodo, y Alexandra intuyó que aquel comentario le había salido del alma.

Entonces, de pronto, Richard dijo:

—¿Os gusta el corte de mi nueva chaqueta?

Aquella pieza abominable de rayas de colores era tan llamativa que habría atraído a toda suerte de roedores. Pero prefirió no decirlo. ¿Quién era ella para criticarlo, cuando también se había rebelado contra su padre? Menudo par, ella y Richard.

—Esta mañana mi padre no está en el museo. Ha salido en una de sus excursiones. —Y sonrió con aire conspirador—. Así que no nos molestarán.

Durante la siguiente hora, mientras Alexandra trabajaba diligentemente, Richard enseñó a Brianna la sala de almacenaje y le explicó lo que había en cada una de las estanterías. Y más tarde, mientras Brianna permanecía elegantemente sentada en un taburete, dispersó la penumbra de aquel sótano recitando los acontecimientos más recientes de la ciudad.

—Disfruté mucho en la ópera —dijo Brianna cuando él comentó el evento—. LaBella Scilloni estuvo divina, ¿no es cierto?

—Eso siempre. —Richard apoyó la cadera contra la mesa de trabajo—. La semana pasada, en París, en la escena de la muerte del *Anillo de los nibelungos*, se cayó en el escenario con los pies hacia el público…

—¿Qué pasó?

—El miriñaque se levantó y dejó al público una bonita panorámica de sus enaguas. Rojas, nada menos. Y ahora en París todo el mundo va de rojo.

Brianna bajó la cabeza para disimular la risa. Alexandra miró a Richard con gesto de desaprobación.

—Este tipo de defectos les hacen parecer más humanos, ¿no os parece? —dijo Richard con una sonrisa.

Alexandra se lavó las manos en una jarra de agua y se quitó la bata.

—Creo que ya nos ha entretenido bastante esta mañana, señor Atler —dijo.

—Ah. —Él se irguió e hizo una reverencia cortés con el brazo—. Eso significa que debo marcharme, señorita Donally. —Y, dirigiéndose a Alexandra, añadió—: Te pediría un beso, pero no estamos solos.

—Que tengas un buen día, Richard. —Si se hubiera quedado un segundo más, le habría tirado la bata.

Cuando salieron del museo, Alexandra notó el aroma a jacinto en la brisa. Los senderos estaban a rebosar de gente. Los carruajes pasaban traqueteando.

—¡El sol! —Brianna levantó los brazos al cielo—. Y aire fresco.

Alexandra se puso los guantes y alisó la piel suave.

—Tendríamos que ir a la imprenta a ver si ya están listas tus tarjetas de visita. —Al mirar la hilera de carruajes, vio a Gracie hablando con su cochero—. Lady Wellsby dijo que solo tardarían unos días.

Brianna bajó por la escalinata apresuradamente y dispersó a un grupo de palomas que estaban picoteando por el suelo.

—¿Es necesario? —Se ató el lazo rojo amapola de su sombrero de paja y se dirigió a toda prisa al carruaje—. Desearía que fuéramos al parque. Si le parece bien. Llegamos tarde.

Sorprendida al ver el poco entusiasmo que demostraba su pupila por las tarjetas, Alexandra decidió que las recogería ella. Ese día el Parlamento tenía sesión a última hora. Y después los clubes se llenarían. Su padre no la echaría de menos.

No llevaban puestas las capas. Cuando llegaron al parque y se apearon del carruaje, hacía algo de calor. De pronto el rostro de Brianna se iluminó. Un faetón tirado por un caballo blanco pasó traqueteando, pero Brianna solamente tenía ojos para la persona que había aparecido allá delante, en el sendero.

Con un aspecto algo ridículo, vestido con un traje negro excesivamente grande, Stephen Williams trató de mostrarse espontáneo.

—Buenos días, milady. —Hizo una reverencia ante Alex, pero sus ojos buscaron a Brianna—. Señorita Donally. —Y en esa única mirada furtiva quedó de manifiesto la adoración apenas contenida que sentía por la joven.

Alexandra apartó la mirada. Sin duda Christopher no se había fijado en la expresión de su hermana cuando aquel joven estaba cerca.

Tendría que haber estado más preocupada por la posibilidad de que los cuidadosos planes de Christopher para su hermana quedaran en nada. Pero ¿acaso no tuvo ella también diecisiete años? ¿No había estado tan profundamente enamorada que sentía que el sol y la luna se ponían y salían en su corazón?

Presa de una agitación que no acababa de definir, Alexandra esperó a que su corazón se aplacara, a que sus emociones volvieran a retirarse a su bonito y recatado rincón para poder apartarlas. Pero no pudo.

Ya no podía reprimirlas por más tiempo.

8

—Llegas pronto, Christopher. —Brianna se asomó a la puerta de la habitación y miró cómo se afeitaba en el vestidor—. Y más teniendo en cuenta que hace días que no te veo.

Christopher pasó la navaja por la tira de cuero y sus ojos se encontraron con los de su hermana en el espejo. Llevaba el cuello de la camisa abierto.

—En esta época del año es cuando más trabajo tenemos en la empresa, fierecilla.

Brianna se atusó su bata rosa. Al verla, Christopher se sintió culpable por no demostrar más interés por sus actividades.

—Cuéntame —dijo, y volvió a inclinarse con la navaja en la mano—. Esta noche no tengo una prisa especial.

Era cierto. Había pasado el día de reunión en reunión.

—No me habías dicho que durante la guerra hiciste de espía. ¡Qué romántico! ¿Esa es la razón por la que la reina te nombró caballero?

Christopher se volvió.

—¿Quién te ha contado eso?

—Lady Alex dijo que trabajaste como criptólogo a las órdenes de su padre. Es como juntar *Las mil y una noches* con Emily Brontë.

Christopher siguió afeitándose. Era evidente que había dejado que su hermana leyera demasiadas novelas. Extendió el brazo y encendió la lámpara. Desde el día que había visto a Alex en los jardines del museo, había dejado deliberadamente que fueran Barnaby y la doncella de Brianna, Gracie, quienes la recibieran por la mañana y por la tarde. No esperaba que ella y su hermana hablaran de sus cosas.

La navaja se detuvo a medio camino de su cara.

—Criptología no significa espiar. —Le mantuvo la mirada en el espejo—. Y lo que hice o dejé de hacer en el ejército no es algo que desee airear por ahí. ¿Lo entiendes?

—¿Es un secreto?

Solo lo era el hecho de que estuvieron a punto de someterle a un consejo de guerra y que deshonró a sus padres.

—Hay cosas de las que no estoy precisamente orgulloso.

—¿Incluyes ahí tu relación pasada con lady Alex?

Estuvo en un tris de cortarse en la garganta. Apoyó una mano en la cómoda y sacudió la navaja en el cuenco de agua que tenía al lado.

—No —dijo.

—Lady Wellsby se alegró mucho al saber que lady Alex asistiría a la gala de la Academia de las Artes a final de mes. Dijo que ya era hora de que su majestad se uniera al mundo de los vivos. ¿No estás de acuerdo?

Él aclaró la espuma de la cuchilla.

—¿Has hablado con lady Wellsby?

—Largo y tendido. La semana pasada fuimos a la imprenta y encargamos las tarjetas de visita. Pero debo decir que al principio no pareció gustarle que lady Alex me llevara con ella a tomar el té a su casa. Lady Alex me presentó con el propósito expreso de conseguir acceso a la sastrería de Protchard, en Regent Street. Como ya sabes, la gente importante siempre va allí, y es la modista de lady Wellsby. De todos modos... —Brianna agitó una mano y Christopher tuvo que concentrarse para seguir los diferentes hilos del diálogo. Se pasó la navaja por la mejilla y en algún momento decidió que su hermana estaba hablando de dos acontecimientos importantes a la vez, pasado y presente—. Al principio fue de lo más desconcertante que me miraran de arriba abajo como si no fuera más que una ristra de salchichas en la carnicería, hasta que lady Wellsby descubrió quién soy. Pareció muy complacida cuando supo que era tu hermana, y no dejó de hablar de cuando te conoció el año pasado en Edimburgo. Sinceramente, creo que a lady Wellsby le gustas.

A Christopher eso le agradó. Había conocido a lord y lady Wellsby cuando dio una conferencia en la universidad de Edimburgo. Los Wellsby eran orgullosos benefactores de la educación, y seguramente fue la razón por la que permitió que monopolizaran todo su tiempo en aquella ocasión. Y gracias a ellos conoció al médico que diagnóstico su problema en la pierna.

—Me habló del nuevo museo y se alegró al saber que hay más personas dispuestas a colaborar. Incluso hablamos extensamente del reciente hallazgo en El Cairo. Es posible que lady Alex no sepa nada de moda, pero no es ninguna tonta. Su vocabulario de palabras que ninguna de las demás entendíamos seguramente te avergonzaría incluso a ti. He decidido que milady es demasiado interesante para estar sola.

El animado discurso de su hermana le tenía anonadado.

—Y todo esto lo has decidido en… ¿cuántas semanas?

—Lady Alex es agradable, Christopher. Y tampoco es que yo topara por casualidad con lady Wellsby y haya ideado un plan. Solo ha sido un pensamiento pasajero. Además, tiene un pretendiente. Conocí al señor Atler cuando Alexandra me llevó con ella al museo.

Christopher terminó de aclararse la cara con agua. Luego dejó la toalla y se volvió.

—¿Has ido al museo? ¿Cuándo?

—Esta mañana.

Antes de que pudiera decir nada, Brianna ya estaba hablando de otra cosa.

—Te estás acicalando mucho esta noche. Si no fuera tu hermana, pensaría que estás muy atractivo.

Christopher apoyó una mano en el marco de la puerta y arqueó una ceja. La ventana de su dormitorio estaba abierta al sonido bullicioso de la calle.

—¿Y no será que me cuentas todo esto como preámbulo para pedirme algo?

La zapatilla de Brianna trazó unos círculos en el suelo.

—Quiero un nuevo sombrero.

—Tienes más sombreros que la mayoría de las jovencitas de Londres. Ya te dije anoche que no necesitas que te dé más dinero para ropa.

—Otras jovencitas tienen su propio dinero.

Él la miró con severidad.

—¿Con qué propósito? Tenemos cuenta abierta en la mitad de las tiendas de Londres. ¿Qué hay que no puedas comprar?

Ella cruzó los brazos.

—Espero que no seas de esos que se arreglan solo para gastar su tiempo y su dinero con una... una meretriz. Yo ni siquiera tengo un cuarto de penique a mi nombre.

Las cejas de Christopher se alzaron con incredulidad.

—¿Meretriz?

—No seas tan puritano. Tengo diecisiete años y soy una mujer moderna. No nos andamos con pelos en la lengua los viernes cuando estamos en casa de la señora jugando al *whist*.

—¿Lady Alexandra te permite hablar tan abiertamente de prostitutas mientras jugáis al *whist*?

—Por supuesto que no. Estuve con la pupila de lady Wellsby. Tiene veinte años y fuma.

Christopher le dedicó una mirada crítica a su hermana.

—¿Y eso es un ejemplo de la alta sociedad, fierecilla? ¿Fumar y hablar de meretrices?

—Nooo. —La joven bajó la cabeza—. Pero me tratas como a una niña.

—Tienes diecisiete años, Brianna. *Eres* una niña.

—Soy una mujer adulta. ¿Por qué siempre tienes que ser tan protector?

—Puedes ahorrarte las lágrimas. —Se volvió de nuevo hacia el vestidor y se cambió de camisa—. No te voy a lavar la boca con jabón.

—¿Estás enfadado?

—De momento mantente lejos del museo.

Un profundo silencio siguió al comentario.

—Pero ¿por qué? —dijo Brianna por fin

—Porque yo te lo pido.

Porque no le gustaba Richard Atler y no confiaba en él. De hecho, se fiaba tan poco que había contratado a alguien para que lo investigara. Y porque a Alex parecía gustarle. Alex, que no habría sabido diferenciar una cucaracha de un jerbo a menos que estuvieran fermentando en una bandeja de laboratorio.

Christopher se abotonó la camisa limpia. Tenía que evitar a Alexandra a toda costa. A partir de ahora, cuando tuviera algo que comunicarle en relación con la parte de la investigación que le tocaba, le enviaría una nota. Aquella mujer era una amenaza para su determinación, su carácter y su tranquilidad mental. Y él era una amenaza para la reputación de Alexandra, tanto si ella lo quería como si no.

Se acercó de nuevo a la puerta haciéndose el nudo de la corbata. Brianna seguía apoyada contra el marco de la otra puerta, mirándose el encaje de las mangas.

—Tengo demasiadas cosas en la cabeza, fierecilla. No pretendía ser tan brusco.

—¿Volverás tarde esta noche?

—Sí. —Se puso el chaleco.

—Entonces, buenas noches.

Mientras se ponía los gemelos en los puños, Christopher cruzó la estancia y se asomó al pasillo. Gracie salió de la habitación de Brianna. Christopher se tiró del puño de la camisa.

—¿Está bien?

—Sí, señor —dijo Gracie para tranquilizarle—. Está con un libro en la cama. Seguramente se dormirá enseguida.

Él volvió la cabeza hacia la ventana. El sol apenas acababa de ponerse.

—¿A las ocho?

—Siempre se retira a su habitación a esta hora, señor.

La mirada de Christopher se clavó en la puerta de la habitación de su hermana.

—¿Comprueba alguien más tarde que sigue todavía en la cama?

—Sí, señor. Yo siempre miro un momento antes de acostarme.

—Eso espero. —Volvió a entrar en su habitación para coger la chaqueta y se la puso—. Volveré tarde.

—Tiene una cita importante, ¿verdad, señor? —Gracie sonrió.

—Señor. —Barnaby le estaba esperando en lo alto de la escalera con el abrigo—. Lady Alexandra está aquí, señor.

—¿Aquí? ¿Ahora?

—Le he dicho que la señorita ya se había costado, así que ha preguntado si podía verle a usted. La he hecho pasar a la biblioteca, señor.

Debería haberle dicho a Barnaby que la despachara. Poca idea tenía Alexandra de la etiqueta si se presentaba en casa de la gente a esas horas. Incluso él sabía que las visitas de sociedad se terminaban a las seis.

—Disculpe, señor —inquirió Barnaby al ver que Christopher no se movía—, ¿desea que la despida?

—Yo me encargo. —Christopher bajó por la escalera. Una alfombra amortiguaba el sonido de sus pasos. Se detuvo a la entrada de la biblioteca.

Y no fue más allá.

Alexandra estaba inclinada sobre el globo terráqueo, haciéndolo girar lentamente. Detrás, enmarcado por la ventana, el cielo despejado tenía el radiante índigo del crepúsculo de un día de primavera. Alexandra llevaba un vestido de seda gris, tan poco a la moda como el miriñaque, y de pronto Christopher sintió el impulso de protegerla. Cruzó los brazos y apoyó un hombro contra la puerta.

A pesar de su desenvoltura en el plano intelectual, Alexandra tenía un aire de inocencia que siempre le había atraído. Por más que no se vistiera ni de lejos con los magenta y los fucsia de las mujeres ricas de provincias, Alexandra era capaz de entrar en una sala llena de cisnes con aspecto de oca y no darse cuenta de lo diferente que se la veía.

Y Christopher no quería que fuera vulnerable al ridículo.

O a él.

Debió de hacer algún ruido, porque Alexandra levantó la vista y el tiempo en toda su elocuencia se detuvo.

Christopher había tardado años en llevar su vida por el camino que quería. Ella era una amenaza. Y aun así no pudo apartarse.

¿Era su lucha por conseguir lo uno tan importante como para arriesgarse a perder lo otro?

Christopher entró y cerró la puerta, y comprendió que estaba a punto de cometer el segundo error más grave de su vida.

—Señor Donally.

Vaya, así que volvía a llamarlo por su apellido.

—Señorita Marshall. —Cruzó los brazos y recostó la espalda contra la puerta.

Ella apoyó las manos en el globo terráqueo.

—Le interrumpo. —Sus ojos lo examinaron. Salvo por la camisa blanca y el chaleco de cachemira plateado, vestía de un impecable negro.

—Sin duda sabía que al venir a esta hora me iba a interrumpir.

A Alexandra las mejillas le ardían.

—Ha sido un comentario poco agradable.

Él seguía mirándola con sus ojos del color del crepúsculo.

—Mis más sinceras disculpas, señorita. Entonces, deja que abrevie. ¿Qué haces aquí?

—No estabas en tu despacho. —Alexandra tuvo que reprimir el impulso de darse la vuelta, dolorosamente consciente de su proximidad. Sus dedos se deslizaron sobre el globo terráqueo y lo hicieron girar—. He traído las tarjetas de visita de Brianna —dijo, como si Christopher fuera a creer ni por un momento que ese era el motivo de su visita—. Las he dejado en la mesa, junto con mi informe... Un programa con los eventos a los que podrá asistir próximamente. A los cuales sería bueno que tú también hicieras acto de presencia.

Christopher se apartó de la puerta.

—Todo lo cual se lo podías haber dado a Brianna. —Se acercó a la ventana, que estaba detrás de Alexandra, y cerró las cortinas con firmeza. Luego se dio la vuelta. Estiró un brazo y, rodeándola, apoyó la mano en el globo terráqueo y lo detuvo.

La intensidad de sus ojos azules la envolvió, la conmovió de una forma muy íntima. A pesar de la sensación de peligro que transmitía, se sentía atraída hacia él.

Su sombra la cubría, y bajó la cabeza. Él le hizo alzar el mentón.

—¿Acaso me persigues, Alex? —En sus palabras había humor y mucho más; sus ojos llameantes se clavaron en los de ella. La palma de su mano era curtida y cálida contra la suave piel de su mejilla.

—Quizá sea la presión por la investigación... y mi impaciencia —confesó, reconociendo en parte la verdad.

—Y el hecho de que estás con la horca al cuello —dijo él con un sarcasmo apenas disimulado y tan típico de su carácter—. ¿He de sentirme honrado o divertido? —Su mano se deslizó por sus cabellos, obligándola a echar la cabeza hacia atrás—. Piensas en joyas robadas y eso te lleva hasta mí. Si es así, me complace saber que me tienes en el pensamiento.

Alexandra se obligó a aferrarse la falda para no tocarle.

—Te burlas de mí, Christopher.

Y, de pronto, notó que algo cambiaba en él.

—No es mi intención burlarme. —Sus ojos descendieron

hasta sus labios, luego subieron lentamente a los ojos—. Comprenderte, tal vez. Pero burlarme nunca.

Durante un largo momento, mientras miraba aquellos ojos penetrantes, una suerte de desánimo se adueñó de ella.

—Estás muy equivocado si crees que he venido hasta aquí por otro motivo que no sea para verte. Me... se me ha hecho muy difícil no pensar en ti —susurró vacilante.

Él profirió un sonido y apartó la mirada, pero sus ojos volvieron a ella enseguida. Y esta vez lo hicieron con solemnidad.

—¿Atler es tu amante?

Alexandra se lo quedó mirando y se dio cuenta de que lo preguntaba en serio. Por los motivos que fueran, Christopher había llevado de nuevo la conversación a lo que habían hablado en el carruaje, cuando ella le dijo que Atler era su pretendiente. Pero algo en su mirada le hizo contener el impulso de echarle en cara su falta de fidelidad. Había algo en él que le decía que preguntaba por motivos mucho más profundos.

Alexandra sintió que las lágrimas le escocían en los ojos.

—No tengo ningún pretendiente. Te mentí sobre Richard porque no quería que pensaras que nadie quiere estar conmigo.

Y se adentró un poco más en el círculo de su fuerza. Atrás había quedado la barrera que tan cuidadosamente había levantado para protegerse de él. Atrás quedaban todos los años durante los que tanto le había despreciado por marcharse. Atrás quedaba su deseo de alejarse, porque lo único que quería era estar con él otra vez.

—Aparte de ti, nunca he tenido ningún amante. —Su voz sonaba ronca—. Pienso en ti y en todas las cosas maravillosas que has hecho en tu vida. Pienso en cómo habría sido poder seguir siendo tu esposa y haber compartido tus sueños contigo. Me gustaría no haberte visto aquella noche en el museo, pero te vi, y aquí me tienes, preguntándome si me has añorado tanto como yo te he añorado a ti.

Durante mucho rato, Christopher no dijo nada. El corazón

de Alexandra latía con violencia mientras un silencio abismal crecía entre ellos. Él la miraba. Sus dedos ya no se deslizaban entre los espesos rizos de su pelo, sino que le rodeaban el rostro. El corazón de Alexandra palpitaba.

—¿Cómo has llegado hasta aquí? —preguntó él con voz suave.

Sorprendida ante la repentina ternura de su voz, Alexandra buscó su mirada.

—He venido en una calesa. Mi carruaje me espera en el museo. —Alzó el mentón—. Ya no me importa que papá sepa a dónde voy...

Él le pasó el pulgar sobre los labios.

—Tal vez, pero hay ciertas complicaciones que por el momento preferiría evitar. —Rió levemente, con un sonido que le salió del fondo de la garganta—. Esto es una locura.

Pero la deseaba.

Alexandra veía el deseo en sus ojos, en la forma en que la miraba. Notó una sensación de calor en el abdomen, entre las piernas. Se sentía mareada, como si después de un largo y frío sueño por fin hubiera vuelto a la vida.

Él le deslizó los dedos entre los cabellos en un acto de posesión tan encendido que Alexandra pudo ver la llamarada de sus ojos un instante antes de que sus labios entreabiertos cubrieran los de ella. En un beso que saturó sus sentidos hambrientos, la dejó sin aliento, y ahuyentó cualquier posible duda sobre sus intenciones.

O las de ella.

Se agarró con fuerza a su cuello. Él le puso la otra mano en el pecho y Alexandra, con una certeza brutal, se apretó más a él, abriendo la boca con ansia, sin pensar en la escasa dignidad de aquellas pasiones instintivas. La necesidad que sentía era demasiado poderosa.

Sus cabellos se soltaron y le cayeron sobre los hombros. Christopher se apartó y paseó la mirada lentamente sobre su rostro.

—Te has cortado el pelo. —Su aliento acarició su frente—. Me gusta.

El olor de él impregnaba sus sentidos. Con un deseo irreflenable de tocarlo, jadeó con voz ronca contra su boca:

—Sigues besando como un rayo de sol.

Su calor la envolvía. Miró con intensidad sus ojos, con expresión perpleja.

—No sé lo que siento en estos momentos. Pero si el hecho de que te desee significa algo... Dios, Alex, mi instinto me dice que no debemos hacer lo que los dos estamos pensando.

Un suspiro acarició sus labios.

—¿Y cuándo te ha detenido algo así, Christopher Donally?

Christopher hundió sus dedos en la maraña de sus cabellos y hundió el rostro en ellos.

—Necesitamos un lugar... un lugar más íntimo que esta casa.

—Sí. —Alexandra se sentía llena de deseo, traviesa. Estaban planeando una cita, y casi no podía respirar de la impaciencia. El hecho de que Christopher pareciera estar tan afectado como ella le daba cierta tranquilidad.

Oyeron que llamaban a la puerta y un instante después Barnaby entró. Christopher y Alex estaban de pie, separados por el globo terráqueo. Una ironía, pensó Alexandra bajando la mirada, mientras escuchaba cómo Barnaby le anunciaba a Christopher que su carruaje estaba listo. Porque, ciertamente, era como si el mundo entero se interpusiera entre ellos.

Podía llevarlo a su santuario privado. Nadie iba nunca a las viejas cocheras cuando ella se quedaba a trabajar allí hasta tarde. Las noches eran demasiado frías para que su padre saliera. Con el corazón acelerado, Alexandra levantó los ojos y miró a Christopher a través del velo de sus pestañas. El sirviente de pelo canoso se había ido.

—Esta noche tengo un compromiso —dijo él—. Negocios. —Se metió las manos en los bolsillos del pantalón—. No puedo faltar.

Christopher se estaba echando atrás.

—Entiendo. —No pensaba llorar. La sola idea resultaba ridícula.

—No, no lo entiendes. —La cogió en sus brazos y apoyó el mentón en sus cabellos.

Alexandra cerró los ojos con fuerza para contenerse y no aferrarse a su camisa. Si lo hacía se vendría abajo.

—Dios, Alex. Tienes que pensar en esto —dijo él finalmente—. Piénsalo bien. Demonios, yo también necesito pensar.

Alexandra no necesitaba que le previniera sobre las consecuencias. Aunque en realidad no había necesidad de preocuparse por si quedaba embarazada. Los médicos le habían dicho que seguramente no podría volver a tener hijos. Sintió un nudo en la garganta. No, no quería pensar en aquello.

—Hay un sitio donde voy. Un sitio apartado que es mío —dijo ella, y le habló de las cocheras, donde tanto tiempo pasaba, para que se reuniera allí con ella por la noche.

La fuerza de aquel hombre, palpable bajo su mejilla, la envolvía.

Ya había ido a ella en una ocasión. Pero ¿volvería a hacerlo?

Ya en su carruaje, Alexandra apagó la luz del interior, miró al rostro arrugado del cielo del anochecer y se entregó a sus ensoñaciones. Christopher había pagado al cochero para que la llevara al museo y, a juzgar por la propina, también para que guardara silencio.

Una vez en el museo, subió a su carruaje y este se incorporó al tráfico para llevarla a casa. El perfil aserrado de Londres destacaba con intensidad contra la etérea capa de nubes que abrazaba el horizonte. La brisa del sur agitaba sus cabellos a través de la ventanilla del techo. Se había dejado el pelo suelto sobre los hombros. Y entonces, sin querer, sin saber muy bien por qué, ordenó al cochero que la llevara a Pritchard's, en Regent Street.

Después de que la condujeran a una trastienda, se miró en el largo espejo con aquel corpiño rojo vino. Diminutas perlas festoneaban la tela tejiendo una sofisticada imagen de refinamiento y elegancia. Alexandra miraba maravillada.

Nunca había estado en un lugar como aquel. Su modista iba a su casa una vez al mes con diseños sosos, telas apagadas. Pero Alexandra quería algo distinto. Algo lleno de vida.

—No tiene que ocultar sus pechos, mademoiselle. —La modista le ajustó el corpiño algo más abajo—. Tiene una figura adorable, *oui?*

Alexandra vio el gesto de ánimo de la mujer en el espejo.

—Está de moda realzar el pecho —confirmó.

Alexandra siempre se había enorgullecido de su pragmatismo, y no acababa de entender aquel repentino deseo de tener nuevos trajes de noche, de paseo, ropa de montar... de poco le iban a servir en el museo. Aun así, no podía ocultar aquel espontáneo impulso de bailar en el lado más salvaje de la vida. Hacía mucho tiempo que no se preocupaba por su aspecto o se deleitaba envolviéndose de sedas, satén o muselina, tan suaves al tacto que eran como gasa. Esa noche se iba a comprar mucho más que un sombrero.

—Quiero que mi guardarropa tenga algo más de color —dijo—. Pero tampoco quiero destacar en exceso.

—Por supuesto. —La modista la miró educadamente—. ¿Para cuándo quiere sus vestidos, milady?

Cuando Alexandra le dijo lo que quería, la modista se ruborizó de contento.

—Pagaré la compra con mi propio dinero —dijo Alexandra, pues deseaba que su padre quedara al margen de aquello. Lo cierto es que nunca había hecho nada parecido por propia iniciativa—. Y le compensaré si me tiene el encargo listo en una semana.

La mirada de la modista se cruzó con la de la costurera. Dio una palmada.

—Ya la has oído. *Pronto*, a trabajar. —Se volvió hacia Alexandra—. Creo que podremos arreglarlo.

Esa noche, Alexandra cenó en un restaurante mientras veía cómo las gaviotas planeaban y se dejaban caer por encima de los mástiles de los barcos anclados en el río. Y vio apagarse las luces del edificio donde Christopher tenía su oficina, al otro lado del río. ¿Estaría pensando en ella?

Salió del restaurante y paseó cerca del río. Oyó que el Big Ben tocaba débilmente las once. Los sonidos y los intensos olores de la noche se encaramaban a tejados y puentes. El día se había acabado, pero Londres parecía haber cobrado vida.

Y ella había despertado con la ciudad.

Cuando llegó a casa, pasó a toda prisa ante el mayordomo y subió corriendo a su habitación. No sabía cuánto duraban las recepciones. Aunque, a juzgar por lo que veía con su padre, la mayoría acababan casi al amanecer. No creía que Christopher se quedara tanto.

Dejando a un lado las ganas de bailar y cantar, reunió unos libros y unos papeles en los que poder concentrarse aquella noche. Tras decir a Mary que estaría trabajando en las cocheras, se alejó por el sendero, entre los árboles.

Alimentados por el estanque, justo antes del muro cubierto de hiedra, los alisos y los sauces habían desbordado la orilla y ocultaban las cocheras ligeramente a la vista de la casa principal. Entró en la casita y cerró con llave.

A su espalda, una ráfaga de viento húmedo agitó las cortinas de muselina. La luz de la luna penetraba por la ventana y arrancaba destellos fantasmales al mobiliario. Sobre la repisa de la chimenea, cerca del reloj, había una Atenea griega de mármol. Richard había diseñado el reloj y se lo había regalado el año antes. Desde las atestadas estanterías de roble y la mesa, hasta los premios y los numerosos artículos de periódico enmarcados en las paredes revestidas de madera de cedro, en aquella habitación estaban todas las piezas que formaban su vida.

Tras arrodillarse ante la chimenea, Alexandra trató de avivar las brasas. Cerró las cortinas. En el dormitorio contiguo, en la pared del fondo, había otra chimenea. Entre las sombras, se veían el sofá con tapicería de zaraza, la cama y un armario de palo de rosa. Pero antes de que pudiera encender la luz de la pequeña habitación, un carruaje se detuvo ante la casita. Alexandra fue hasta la puerta, frotándose las manos con nerviosismo contra la falda.

Cuando abrió, se encontró a su padre en la puerta, a punto de coger el picaporte. Alexandra miró hacia el carruaje, al lacayo que esperaba.

—¿Qué haces aquí, papá?

El hombre la miró por encima de sus lentes, y pareció que estudiaba sus cabellos sueltos. Ella alzó el mentón levemente. Y reprimió la necesidad de disculparse por su aspecto. No estaba dispuesta a sucumbir al sentimiento de culpa. Años atrás, cuando Alexandra volvió con él después de lo de Tánger, habían acordado que él no se inmiscuiría en ciertos aspectos de su vida. No podía cuestionar su aspecto, o su manera de vestirse, no podía decirle cómo tenía que hacer su trabajo en el museo. Ni prohibirle que trabajara en las cocheras por la noche si así lo deseaba, o que se quedara a dormir allí. Y sin embargo, en las pasadas semanas, su padre había violado prácticamente todos los acuerdos de paz que había entre ellos. Quizá no de palabra, pero sí con su actitud. Y hasta ese momento Alexandra no había sido realmente consciente de aquella brecha.

—¿Puedo pasar? —inquirió el padre.

Ella se apartó a un lado para dejarle entrar.

—He visto que había luz. —Miró el reloj que había en la repisa de la chimenea. Luego la mesa de trabajo, atestada de libros y otras cosas. Y entonces se volvió de nuevo hacia ella—. Últimamente llego muy tarde a casa.

Alexandra encendió la segunda lámpara de su mesa.

—Hay sesión en el Parlamento. No espero que estés en casa para la cena todas las noches. —Y, sin dar ningún tipo de explicación sobre lo que había hecho ese día o sus motivos para ponerse a trabajar allí a esas horas, se limitó a preguntar—: ¿De qué querías hablarme, papá?

El hombre se fijó en la chimenea y vio que había estado tratando de encender el fuego.

—No me habías dicho que quisieras incorporarte a la escena social este año.

—Tengo veintiocho años, papá. Y no me he incorporado a nada. Simplemente se me ocurrió asistir al salón de lady Wellsby de los jueves. Y jugar al *whist* los viernes...

—Nunca has tenido interés ni ánimo para ese tipo de frivolidades. Por Dios, si te dan palpitaciones cuando estás rodeada de gente.

—Mi corazón funciona estupendamente.

—Alexandra. —Se volvió hacia ella—. Nunca te he obligado a participar en la temporada londinense. Ni me ha importado que prefirieras no perder tu tiempo con un montón de cotillas.

—Lady Wellsby no es una cotilla. Y, papá... —Vaciló—. Es mi decisión. Así que, por favor, no te inmiscuyas.

—Esta noche el profesor Atler ha pasado por mi despacho de Londres.

Alexandra trató de no parecer sorprendida.

—¿Para qué?

—Está preocupado porque tu evaluación será de aquí a tres meses y teme que no estés preparada.

—Qué considerado.

—Si tienes problemas para hacer frente a tanta responsabilidad...

—Papá...

—Si te he puesto una carga demasiado pesada sobre los hombros con mis expectativas...

—No fallaré en la evaluación.

Lo último que quería era que su padre tratara de arreglarle la vida. En aquel momento se reafirmó en su decisión de no mezclarlo en sus problemas. Se puso de puntillas y besó su mejilla ajada.

—Estoy bien.

El hombre se metió una mano en el bolsillo.

—Todo lo que he hecho… siempre he tratado de velar por tus intereses, Lexie.

Le sorprendió que su padre utilizara aquel apelativo cariñoso. No la llamaba así desde que era pequeña.

—Lo sé, papá.

Él se aclaró la garganta.

—Ya que veo que has decidido salir, quizá podrías acompañar a este anciano a la gala de la Academia de las Artes. Hace mucho que no asistimos juntos al evento.

Alexandra sintió que sus mejillas se encendían.

—Es cierto, papá. Pero iba a ir con Richard.

—¿Atler? —Frunció el ceño.

Alexandra se volvió, temiendo de pronto que sus ojos la traicionaran. Que de alguna manera delataran a Christopher. Se puso de rodillas y trató de encender el fuego, consciente de que las manos le temblaban.

—Siempre he apreciado mucho a Richard —dijo.

Pero no de la forma en que estaba insinuando. Jamás se había odiado tanto a sí misma por una mentira.

Su padre se acercó a la puerta de la habitación. Sus pasos sonaban huecos sobre el suelo de madera. Alexandra no había tenido tiempo de encender la lamparita de la mesilla de noche, así que estaba a oscuras.

—¿Hay algo más, papá? —Venteó las llamas y vio cómo prendía la turba.

—¿Has cenado?

—He cenado.

El hombre estudió la habitación.

—Bueno.

Alexandra quería que se fuera, y no levantó la vista cuando la puerta se cerró. Cuando por fin se fue, sintió como si le hubieran quitado un enorme peso de encima. Golpeó la turba con el atizador, haciendo saltar chispas. Finalmente, se quedó mirando las llamas. Unos instantes después, oyó los cascos de los caballos alejarse en dirección a la casa principal.

¿Qué le estaba pasando?

Una ojeada al reloj ahuyentó el sentimiento de expectación de su corazón. Mientras esperaba la medianoche, con el corazón desbocado, no se había permitido pensar que Christopher podía no presentarse.

Se puso en pie, fue hasta la puerta de la calle y cerró con llave. Luego fue a la habitación y, tras tumbarse en la cama, encendió la lámpara y volvió a colocar el globo de cristal en su sitio. Una polilla revoloteó en torno a la luz. Entonces, levantó la cabeza y se volvió. Christopher estaba apoyado contra la pared.

Con el rostro en sombras, inmóvil, atrapándola con el solo roce de su mirada. El cuello blanco almidonado de su camisa estaba suelto. Llevaba el abrigo abierto.

Susurrando su nombre, Alexandra se puso en pie.

—¿Aún soy bienvenido en esta casa?

Su actitud impenetrable y reservada no la frenó e, incapaz de controlar ni un segundo más su respiración, Alexandra corrió a sus brazos.

9

Christopher la abrazó. Y sin embargo, a pesar de su voluntad de contenerse, hundió sus dedos entre su pelo y su boca se deslizó por el cuello de Alexandra.

Los labios de ella le rozaron el oído.

—Has venido… —susurró con voz ronca.

—Sí. —Sus labios se curvaron levemente—. Y es mi aspiración más sincera que antes de que la noche acabe —sus fuertes manos descendieron a la curva de sus caderas— te corras de felicidad.

Y entonces la besó con frenesí, bebiendo de sus jadeos. Ella lo empujaba contra los paneles de madera de la pared; sus dedos buscaban los botones del chaleco. Y él la besaba con idéntica furia, idéntica ansia. Alexandra arrojó a un lado el chaleco, liberándolo de aquella prenda que se interponía entre los dos. Y, mientras exploraba la curva de su pecho bajo el delicado lino de su camisa, trató de mantener la dignidad con el mismo empeño con que trató de evitar que sus manos le desgarraran la ropa.

Pero fracasó en ambas cosas.

—¿Tienes idea de lo alta que es la valla que rodea la finca? —susurró él contra su pelo.

Christopher olía a tabaco y a esencia de mirto.

—Tendría que haber sido más concreta en mis indicaciones

—dijo, y le sonrió. Aquel hombre se había colado en la finca por ella—. Hay una pequeña verja al pie de la colina, por la parte de atrás.

—Mi carruaje volverá a las dos.

—Eso son solo dos horas. —Se puso de puntillas y le besó el mentón, mientras sus manos se deslizaban por sus brazos. Bajo las mangas de la camisa, sus músculos se flexionaron. Notaba su piel tibia contra las manos—. Con dos horas no tendremos suficiente.

El aliento caliente y jadeante de sus bocas se mezclaba. Medio desnudo, Christopher la miró con los párpados entornados. Su pelo oscuro y rizado se enroscaba sobre la abertura de su camisa. Riendo levemente, se inclinó y la besó en la boca y luego sus labios se deslizaron mordisqueando hasta su oreja.

—Creo que en ese tiempo podríamos hacer muchas cosas para arruinarnos —dijo con una voz ronca y oscura que delataba su deseo—. Creo que tendríamos que tomarnos esto… con más calma. Corro el grave peligro de ponerme en evidencia.

Ella se levantó la falda, se desató el miriñaque y dejó que cayera al suelo.

—No pienso hacer tal cosa, señor Donally. —E inclinó la cabeza para poder ver los corchetes del corpiño—. No debemos perder ni un momento.

El olor de Christopher impregnaba sus sentidos. La falda cayó al suelo, seguida por el corpiño. Aún quedaban el corsé y la ropa interior, las medias y las zapatillas, de las que se despojó rápidamente sacudiendo los pies. Levantó la mirada con expectación.

Él la miraba con las cejas arqueadas. Se quitó la corbata de un tirón y empezó a desabrocharse la camisa. No se peleó con su ropa como había hecho ella.

—Me pones a cien, Alex.

Christopher tenía un aspecto increíble.

—¿En serio? —Le cogió la mano y se la puso sobre el corazón—. Mi corazón late muy deprisa, Christopher.

Mientras su mano calibraba el pecho de Alexandra, su mirada encendida se demoró en sus ojos con gesto ocioso.

—¿Quieres que comprobemos quién está más excitado? —Tras cogerle la otra mano, la oprimió contra sus pantalones para que sintiera su evidente erección.

Aquella osadía la encendió.

—¿Y qué se lleva el ganador, señor Donally?

Empujándola con suavidad hacia el lecho, Christopher acercó su boca. Alexandra topó contra el colchón y se tendió sobre la colcha, seguida por él. Christopher se detuvo justo encima, sin apenas rozarla, con sus alientos confundidos, la mirada en la del otro. Sus ojos descendieron a sus labios como muescas de calor azul.

—Yo me llevo esto. —Bajó su boca a los labios de ella, en un gesto de invitación tan abiertamente sexual que la hizo gemir—. Tú eres mi premio, Alex.

Murmurando su nombre, la oprimió contra los confines del colchón. Las manos de ella se aferraron a sus brazos fuertes y flexionados. Cerró los ojos y sus labios se abrieron en respuesta a la insistencia de los de él, y de su lengua. Si en algún momento Alexandra se había imaginado que tenía el control, lo había perdido. Bastante trabajo le costaba respirar. Él seguía con los pantalones puestos, pero bajo estos, su miembro erecto empujaba con fuerza, y ella respondió. Christopher metió la mano bajo las enaguas. Sintiendo que se deshacía, Alexandra le echó los brazos al cuello, y sus rodillas se separaron dando la bienvenida a aquella ofensiva. Notaba una vaga sensación de vértigo en el vientre, contra su pelvis.

—Christopher…

Un gemido brotó de su garganta.

—Dios santo, Alex…

La cama crujía. Las manos de Alexandra se aferraron a sus hombros. Él bajó besándola por el cuello, la clavícula. Alexandra se moría. Su cuerpo se arqueaba, quería aquellos dedos más adentro, más adentro. Christopher se apartó para mirarla.

Todas sus terminaciones nerviosas chisporroteaban por la expectación.

—¿Te había dicho alguna vez lo bonita que eres? Toda tú.

Ella abrió los ojos. Tendría que haberla incomodado estar tan expuesta. Pero allí donde Christopher posaba su mirada ella sentía que ardía. Porque después de la mirada seguía la boca.

—Espera —dijo ella con un jadeo.

Él seguía bajando sobre su cuerpo.

—No. —Su mirada oscura la traspasaba, su voz era irreconocible.

Alexandra tuvo que hacer un esfuerzo para incorporarse, y se colocó en el borde de la cama. El pelo le caía sobre los hombros.

No podía respirar.

—Quiero verte —dijo con voz ronca, empujándolo a un lado al tiempo que ella se ponía de pie. Él retrocedió y topó contra el sofá de zaraza. La camisa le colgaba abierta como si hubiera participado en una refriega—. Y necesito quitarme la ropa.

Él arqueó las cejas con sorpresa. Sus dedos ásperos y cálidos apartaron las manos de Alexandra y le soltaron los corchetes del corsé. Alexandra se inclinó sobre él, notando el contacto nervudo de sus brazos bajo las yemas de sus dedos.

—¿Por qué no prescindes de este trasto? —le preguntó él con voz ronca.

—Porque no me cabría ninguno de mis vestidos —respondió, y apoyándose contra él, se quitó las enaguas.

—Compra vestidos más grandes.

—¡Christopher! —Lo empujó hacia atrás y Christopher cayó sentado sobre el sofá.

Sus pechos liberados ocuparon sin trabas las manos de él. Echó la cabeza hacia atrás mientras la boca de él buscaba sus pezones y se sentó a horcajadas sobre Christopher. La gargantilla de Alexandra se había torcido y se le había enganchado en el pelo. La mano de él se enredó con la cadena y Alexandra tardó un encendido minuto en darse cuenta de que ya no la estaba besando. Se echó hacia atrás, consciente de que Christopher tenía el guardapelo en su mano. Sus ojos se levantaron lentamente hacia ella con expresión desconcertada y, en un gesto defensivo, Alexandra le arrebató el guardapelo. Pero no se movió de donde estaba.

—¿Cuánto hace que llevas esto? —preguntó con voz suave.

—Desde que me lo diste.

Era como si la pasión de momentos antes no hubiera existido. Una vida entera los separaba. Una vida de interrogantes y de ira, de acusaciones no resueltas que de pronto salían de nuevo a la superficie.

—¿Por qué? —preguntó él.

La respiración de Alexandra aún no se había apaciguado, tampoco la de él. Aún lo deseaba, deseaba tocarle, pero no se atrevía a apartar sus manos del guardapelo. Era como si, al hacerlo, su corazón pudiera quedar al descubierto y revelar todos los preciosos secretos que tan celosamente había guardado. Y no estaba preparada para mostrarle lo que había conservado en su corazón ni en el guardapelo.

—Ni tú ni yo somos las mismas personas, Christopher —susurró—. No me importa lo que sucedió en el pasado.

Christopher apartó la mirada. Cuando sus ojos la buscaron de nuevo, en ellos no había ni ira ni frialdad.

—Pero a lo mejor a mí sí. —Le apartó el pelo de la cara—. A lo mejor hay muchas cosas que no entiendo en estos momentos.

—El hecho de que los dos estemos aquí ya tendría que decirte algo.

—¿El qué? —Sus ojos escrutaron su rostro—. ¿Que te encuentro increíblemente atractiva? ¿Que no consigo pensar racionalmente desde que has vuelto a entrar en mi vida? ¿Que tengo ganas de empujarte contra una pared y foll…?

—¡No te atrevas a utilizar esa palabra tan soez conmigo,

Christopher Donally! —dijo clavándole el índice con indignación en el pecho—. ¿No se te ha ocurrido pensar que lo que sea que teníamos aún está aquí?

—¿Y qué teníamos exactamente que no se pueda arrojar en el cubo de los errores?

Quizá no lo dijo con intención de herirla, pero la hirió.

—No me importa si hace años te fuiste. —Sus dedos se deslizaron por la maraña oscura de su pelo—. Sé que hiciste lo que consideraste...

Christopher la levantó como si fuera una pluma y la bajó de su regazo. Y entonces se puso de pie, mirándola como si fuera una hidra, y la siguió hasta el armario, de donde Alexandra sacó con brusquedad una bata.

—Tu padre me amenazó con un consejo de guerra. Por Dios, Alex, no me fui. Me obligaron a marcharme. ¡Y tú lo sabes!

—No me escribiste. —Se anudó el cinturón—. Nunca intentaste saber de tu hijo. ¡Me dejaste!

—¿Que nunca escribí? —Parecía incrédulo—. Pensé que sabías que volvería por ti. No podían retenerme para siempre en la India. Y entonces recibí la noticia sobre nuestro hijo, en el mismo paquete postal donde se me informaba de que no habías recusado la anulación. Para entonces hacía casi un año que el matrimonio había sido anulado.

—Acababa de cumplir los dieciocho años, Christopher. Nos habíamos casado al margen de la Iglesia de Inglaterra sin la autorización de mi padre. No habría podido oponerme a la anulación ni aun queriendo.

—Ni siquiera lo intentaste. —La voz se le quebró.

Alexandra acercó el guardapelo a su pecho con gesto protector.

—No te atrevas a decirme lo que hice o dejé de hacer. No tienes ningún derecho a juzgarme. —Le daban ganas de gritarle, pero controló el tono de voz, temiendo que alguien pudiera oírlos desde la casa principal—. Cuando nuestro hijo nació, estuve enferma. Pero durante ocho meses continué esperando con las maletas preparadas a que volvieras a buscarme. Me habría escapado contigo.

—¿Y adónde habríamos ido, Alex? —De pronto su voz sonaba triste—. No eras la hija de algún vicario o terrateniente de poca monta. Eras la hija y heredera de lord Ware. Y eso lo pensé la primera vez que te besé. Incluso entonces, ya ponías a prueba mi sentido común.

A Alexandra los ojos se le llenaron de lágrimas. Lo que hacía diez minutos era pasión, se había helado en su pecho.

—Cuando me recuperé lo bastante para viajar, dejé a mi padre y volví a Ware. En la India hubo un levantamiento. Una guerra. No podía llegar a ti. Más adelante fui a Carlisle porque oí que te habían herido y te habían dispensado del servicio. Pero tu familia me consideraba demasiado mala y no me permitió verte. Después de eso, pasé un año en Ware. En ningún momento trataste de ponerte en contacto conmigo. Y entonces mi padre volvió a Inglaterra. Y, por así decirlo, hicimos las paces y accedí a regresar a Londres.

—¿Qué te ofreció?

Ella se abrazó a sí misma.

—Una educación.

—Ah. —Christopher miró al techo sin esbozar el más mínimo gesto—. Te ofrecieron unos privilegios con los que la mayoría de la gente ni sueña.

—Si algún elogio he recibido, me lo he ganado a pulso.

Sus ojos buscaron los de ella, imparciales, con gentileza.

—No lo dudo.

—¿Y tan malo es?

—Sinceramente, no lo sé —dijo él, rascándose la cabeza—. No sé qué está bien y qué está mal en todo esto.

—Juntos estamos muy bien. Nunca he conocido a nadie como tú.

Él le acarició la mandíbula.

—Tú conoces a muy poca gente, Alex.

Ella se volvió y, tras agacharse, sacó una caja polvorienta de debajo de la cama. Quitó la tapa y echó el contenido sobre la cama. Artículos y fotografías que había recortado, viejas cartas, su contrato matrimonial, todo estaba allí, en un montón, como si los años pasados acabaran de caer sobre ellos. Levantó la vista y escrutó el rostro de Christopher mientras él contemplaba aquellos exponentes de un afecto inmerecido, fruto de todos los años durante los que ella había seguido su vida.

—Dime que no has pensado nunca en mí —le desafió Alexandra.

Durante un rato, Christopher no dijo nada. Sentía dolor en lugares que había clausurado hacía tiempo. No quería pensar que Alexandra había vivido consumiéndose por él, mientras que él la había arrancado por completo de su mente. No quería ver la esperanza en aquella mirada encendida, cuando él lo único que sentía era que debía aplastarla. No quería sentir lo que sentía por ella en aquellos momentos, como si los años no le hubieran enseñado que debía ser ecuánime y fuerte.

Christopher alzó los ojos y vio que ella lo miraba. Y en ese instante supo que había visto la triste realidad.

—Nunca pensaste en mí, ¿verdad? Ni siquiera una vez.

—¿Importa eso? ¿Importa que no me pasara hasta el último instante de mi vida pensando en el pasado? Mentiría si te dijera que alguna vez pensé en ti con afecto.

Sin contestar, Alexandra miró el suelo como si de pronto se sintiera perdida.

—¿Tendría que haber muerto más de una vez, Alex?

Ella lo miró con los ojos bañados en lágrimas. Luego fue hasta él y lo rodeó con sus brazos.

—Pero lo cierto es que has venido esta noche —susurró contra su pecho—. ¿Verdad?

Solo que Christopher no sabía si podía pasar por todo aquello otra vez. Sí, no tenía ningún problema en revivir la parte más carnal de su relación. Pero lo que ella trataba de despertar en él con sus palabras y su corazón, no. Y aun así, la rodeó con sus brazos y permanecieron abrazados.

—Temes por tu reputación y la de tu familia si alguien se entera, ¿verdad? —preguntó Alexandra.

—No me has traído hasta aquí a la fuerza, Alex.

Ella se apartó, tenía los ojos brillantes.

—No, no lo he hecho. Has venido por voluntad propia.

De pronto Christopher rió.

—¿Eso crees? —Le apartó los cabellos del rostro. Siempre había tenido ese efecto en él. Hacerle reír cuando más necesitaba estar centrado—. Me parece que ya hemos discutido este punto.

—Hemos discutido muchos puntos, Christopher. —Restregó la mejilla contra el pecho de él—. Aún nos queda una hora.

Christopher levantó los ojos al techo con desaliento. El anhelo que sentía por ella no había menguado. Le habría gustado despojarla de aquella bata y sumergirse en su interior. Pero donde minutos antes su mente había estado poseída, no; encadenado a sus muslos, la realidad había hecho aparición.

—Podrías volver a quedarte embarazada —dijo finalmente. Alexandra olía a flores, a brisa estival, y hundió la nariz entre su pelo—. ¿No se te había ocurrido? —La llevó hasta el sofá y la hizo sentarse en su regazo.

Su camisa se abrió y Alexandra apoyó la cabeza en su pecho.

—Yo solo sé que me dijeron que no podría volver a tener hijos.

Aquellas palabras lo sobresaltaron. Le hizo ladear el mentón y la obligó a mirarle.

—Es algo que acepté hace mucho tiempo —susurró ella—. Hubo... algo se rompió por dentro.

Y le dijo lo que el médico le había explicado cuando tuvo a su hijo... el hijo de él. Luego se recostó en su hombro.

—¿Y cómo puede saber nadie si una mujer puede concebir o no? —preguntó él, sintiendo una inexplicable ira en nombre de Alexandra.

—No sé. Tengo poca experiencia en partos. Pero mi padre mandó llamar al mejor médico.

—Lo siento…

—¿Que sientes el qué? —Sus ojos se encontraron con los de él en las sombras—. No habrías podido hacer nada. —Hubo una pausa breve y tensa—. Lo enterré en la pequeña iglesia donde nos casamos. —Su voz parecía distante—. Traté de hacer que lo trasladaran a Ware. Quería llevarlo allí. Pero…

—Chis. —Sus dedos acallaron sus labios—. Ya está.

Christopher no sabía qué decir. No soportaba aquella sensación de impotencia. No soportaba saber que otro hombre lo había apartado de su papel como padre. Durante muchos años no se había permitido pensar en su hijo. Siempre había pensado que algún día tendría más hijos y que el dolor que sentía al pensar en aquel primer vástago desaparecería para siempre. Y fue una sorpresa ver que seguía ahí, intacto. Que en su interior había sentimientos tan celosamente guardados que prefería que no salieran.

—Christopher… —La mano fría de Alexandra rozó su mejilla y le hizo volverse. Él miró aquellos vacilantes ojos verdes—. ¿Siempre eres tan frío y razonable con todo? Tú estás aquí, yo estoy aquí. No quiero hablar más.

Lo besó y con su sensualidad derribó fácilmente sus defensas. Christopher trató de no responder. Había algo inherentemente malo en el hecho de estar allí con ella.

Y, sin embargo, había algo tan inherentemente bueno…

Sus brazos la rodearon y la acercaron más a su cuerpo. La besó con mayor intensidad, abriéndole la boca, acariciando sus labios. Sus dedos se enredaron en su pelo y le hizo echar la cabeza hacia atrás, sentía que sus labios se derretían cada vez que rozaban los de ella. Le quitó la bata y el camisón y, tras girar con ella en el regazo, la hizo tenderse sobre el sofá. Su mano buscó la suave elevación de sus pechos. Su boca aspiraba los pequeños gemidos que brotaban de su boca. Y todo pensamiento racional desapareció. Toda la suavidad y las palabras tiernas se evaporaron.

La hizo ponerse en pie.

—Mírame —le susurró.

Con la mirada vidriosa por el deseo, sus ojos enfocaron lentamente su rostro. Christopher la deseaba. Deseaba que lo envolviera con su cuerpo.

Se quitó la camisa y los pantalones. Ella lo miró de arriba abajo con los ojos muy abiertos, y en ellos Christopher vio placer. Se humedeció los labios con la lengua y aquel gesto lo sacudió como una descarga eléctrica. Vio que sus ojos vacilaban cuando vieron la cicatriz que tenía en el muslo. Sus ojos volvieron de golpe a su rostro.

—Christopher…

Él le llevó un dedo a los labios.

—Se acabaron las palabras.

—Pero… la herida debió de ser terrible.

—No fue agradable. —La hizo retroceder—. Desde luego, no es un tema que me apetezca comentar ahora, cuando estoy a punto de hacer el amor contigo.

Christopher no se molestó en quitarle las medias. La luz ambarina caía sobre los suaves contornos de su cuerpo. Vívidas imágenes de la luna sobre la arena, el aroma de las gardenias, las tórridas corrientes del desierto, saturaban sus sentidos. Alex no había cambiado, solo había ganado más curvas en los lugares adecuados.

Ya no era solo su pasado.

Manteniéndole la mirada, se echó sobre ella en el colchón. La mano de Alexandra cayó sobre el montón de recortes y los dispersó como si una ráfaga de viento hubiera pasado por la habitación. Él entró con fuerza en su interior, sin apartar los ojos de los de ella en ningún momento. Y, por un instante, dejó de controlar la situación. Entró en ella sin el freno de aquellas rígidas fronteras que lo limitaban. Las fronteras que había levantado para poder sobrevivir. Que evitaban que jamás necesitara a nadie.

Ella echó la cabeza hacia atrás.

—No —dijo él con voz ronca—. Quiero verte.

No dejaría que apartara la mirada. Estaba mojada, tan caliente que Christopher apretó los dientes hasta que se sintió totalmente dentro de su cuerpo.

—Christopher...

Alexandra le rodeó las caderas con las piernas. Sujetándola con una mano por las nalgas y apoyando la otra contra la cama, la levantó contra él, moviendo su cuerpo al compás del suyo. Y un sonido ronco brotó de su garganta, un gemido tal vez, una rendición. Dios, si se hubiera muerto en ese instante habría sido feliz.

Pero todo aquello dejó de importar cuando los suaves gemidos de Alexandra llenaron la habitación. Su propia necesidad le quemaba en las venas. La besó con apasionamiento.

Con ansia.

La cama chirriaba. Christopher apoyó las manos en el colchón para no aplastarla. Y la vio correrse debajo de él, con los ojos entreabiertos y vidriosos, sintiendo que las sacudidas de su cuerpo lo envolvían. Y entonces se corrió también él, notando que los músculos de su cuello se tensaban. Finalmente, despojado de la capacidad de moverse por voluntad propia, se dejó caer sobre los codos.

Se quedaron así, mirándose el uno al otro. Indefensos, sin entender muy bien aquella emoción descarnada que los había consumido. Y en ese momento Christopher supo que era suyo.

Alexandra pestañeó, y su voz llegó a él en una bocanada amortiguada.

—Si estoy soñando, por favor, Dios, detén tu mano y deja que siga durmiendo.

Aquellas palabras eran tan impropias de Alexandra que Christopher sintió que sus labios se curvaban levemente. Solo que una parte de él habría deseado que realmente todo hubiera sido un sueño y por la mañana pudiera despertar y descubrir que los últimos diez años no habían tenido lugar.

Alexandra se despertó al oír que llamaban a la puerta. Se movió y gimió al tiempo que levantaba la cabeza de la almohada. Sus ojos pestañearon. Subiéndose la sábana hasta el cuello, se incorporó y miró a su alrededor, desorientada.

Christopher se había ido hacía horas. Alexandra se dio cuenta de que era muy tarde y paseó la mirada por la habitación bañada de luz.

¡No se atrevía a dejar que nadie entrara!

Las llamas de la chimenea se habían apagado. Había ropa y sábanas por todas partes, como los vestigios de una orgía romana. Y olía a orgía. A lujuria pura y dura. Ella y Christopher no habían tenido muchos miramientos ni entre ellos ni con el mobiliario.

Llamaron más fuerte.

Alexandra cogió su bata del suelo. Abrió apresuradamente las ventanas. La luz del sol fue como un golpe contra su cabeza. Tenía resaca de sexo. Y sentía hasta el último músculo de su cuerpo dolorido.

—Señorita. —La voz de Mary le llegó desde el otro lado de la puerta.

Alexandra se dio cuenta de que la llave aún estaba en la cerradura. Christopher debía de haber salido por la ventana. Recordaba que cuando ella llegó estaba abierta.

—Milady...

Tras pasarse los dedos por el pelo, abrió la puerta.

—Oh, madam, estaba empezando a preocuparme.

La luz del sol le iluminó el rostro.

—¿Qué pasa? ¿Ha sucedido algo?

—El señor me envía a buscarla. La espera para el desayuno.

De pronto sintió un profundo rencor ante las exigencias de su padre. Pero sabía por experiencia que era lo bastante obstinado para esperar con el desayuno en la mesa hasta mediodía si hacía falta.

—Dile que me reuniré con él después de mi baño.

—Pero... milady.

La brisa cálida y el olor a hierba la envolvió y le agitó los cabellos.

—Tú díselo, Mary. Eres mi doncella. No se atreverá a despedirte por descaro. Además, tú solo eres el mensajero.

—El trabajo del mensajero no es muy seguro. Y menos en esta casa. —Mary miró el rostro arrebolado de Alexandra entrecerrando los ojos. Y luego echó un vistazo al interior. Alexandra trató de taparle la vista—. Muy bien, madam. Pero será mejor que el señor no sepa que ha tenido compañía esta noche. Y no lo niegue, milady. —Mary agitó un largo dedo ante sus narices—. Si he de hacer caso a los rumores, diría que ha sido el señor Donally.

Alexandra palideció.

—¿Rumores?

—Le han visto con él en público en dos ocasiones, milady. Y no piense que el señor no tiene sus sospechas. Corre mala sangre entre esos dos, señora. Yo estaba delante el día que casi llegan a las manos por usted y cogieron al teniente Donally y lo embarcaron para la India. Era eso o un consejo de guerra, milady. Y un hombre no olvida.

—No le estoy pidiendo que sea mi esposo, Mary.

—Vaya... Entonces, ¿se contentará con ser su querida mientras ve cómo se casa con otra? —Mary tomó las frías manos de Alexandra en las suyas—. Madam, sabe usted tanto como un erudito cuando de libros se trata, pero con la gente tiene menos sentido común que un ganso.

Y era cierto. Alexandra había fracasado miserablemente en su relación con los demás toda su vida. Salvo con Richard, que demostraba más paciencia con ella que la mayoría. No entendía a la gente, y con frecuencia se tomaba lo que decían al pie de la letra. Además del importantísimo detalle de que en aquellos momentos no pensaba ni por asomo en casarse con Christopher por la Iglesia de Inglaterra, lo cual planteaba sus propios problemas, también había que ver si él quería casarse con ella.

Alexandra se abrazó a sí misma mientras el resplandor de la noche pasada se apagaba al contacto con la realidad. No habría sido propio de ella mostrarse brusca con Mary por sus propios problemas, así que no dijo nada.

Mary le sonrió, haciendo un generoso esfuerzo por ser positiva.

—La espero en el invernadero con una toalla. Luego vendré y recogeré un poco aquí. Habrá que lavar y planchar las sábanas, milady. No cierre con llave.

Alexandra volvió a entrar en la casita sin poder disimular el sofoco. Su mirada se fue hacia las ventanas.

—Espera —dijo llamando a Mary—. ¿No tenías tú la otra llave de la cochera? Ayer estuviste aquí en algún momento. Las ventanas estaban abiertas cuando llegué por la noche; alguien tuvo que dejarlas abiertas.

—No, madam. Quizá las abrió el viento.

Alexandra paseó la vista por la habitación.

—Sí, supongo que tienes razón.

Quizá no había cerrado bien las ventanas. En todo caso, se alegraba de que Christopher hubiera encontrado una forma de entrar.

Aun así, cuando Mary se fue, Alexandra fue hasta su escritorio y se arrodilló. Abrió el último cajón y, tras quitar el falso fondo, abrió un libro que tenía escondido allí. Las hojas del inventario estaban metidas entre sus páginas, a buen recaudo. Cogió la lámpara de la mesa y subió al desván. Sujetando la lámpara en alto, echó un vistazo a los cajones y las cajas. La brisa jugueteaba con los dedos de sus pies. Las cortinas aleteaban al viento.

Fue hasta la ventana. El pestillo estaba roto. Fuera, la pesada rama de un árbol quedaba pegada contra el lado de la casa. Y se balanceaba suavemente con la brisa. Aquella noche había habido tormenta.

Estaba a punto de darse la vuelta cuando una hoja llamó su atención en medio de la habitación. Se arrodilló y la acercó a la luz. No había razón para que sintiera aquella inquietud. Era del árbol que había fuera. Seguramente había entrado con el viento.

Y, aun así, la conservó.

Finalmente, Alexandra dejó la lámpara sobre su escritorio y se cambió el camisón por el traje de baño.

Alexandra entró en el comedor y se sentó a la derecha de su padre, como había hecho desde que era pequeña en todas las casas donde habían vivido.

Se había recogido el pelo a toda prisa, cuando aún estaba mojado. En ese momento se llevó las manos a la cabeza para comprobar las horquillas. Al instante, un plato con huevos apareció ante ella. Alfred le llenó la taza de café humeante. De pronto Alexandra sintió la necesidad de pedir té o limonada, algo que rompiera la monotonía. Nada había cambiado en la rutina del desayuno desde hacía años.

—¿Te encuentras bien? —inquirió su padre antes de dejar finalmente el periódico en la mesa y aceptar su plato—. Nunca te duermes por la mañana, a menos que estés enferma.

Ella levantó la mirada para ver qué cara ponía. Sus ojos grises no parecían recelosos.

—Mi salud está bien, papá.

—Me alegro, Lexie. —Empujó un montón de invitaciones hacia ella—. Una docena de invitaciones para ti. Han llegado con el correo de la mañana.

—¿De verdad? —A pesar de su renuencia a mostrar entusiasmo por algo tan banal como unas invitaciones, Alexandra pasó el dedo por el borde de un sobre, deseando abrirlo con toda su alma.

La expresión estoica de su padre de pronto pareció perpleja.

—Esto es algo que habría esperado cuando tenías veinte años. No ahora… —agitó una mano— cuando casi tienes treinta. ¿Te has parado a pensar que para ellas solo eres una novedad? ¿Un tema de conversación para mujeres ociosas que se aburren?

—A la mayoría de las mujeres les parece muy interesante lo que hago. Y, en cuanto a las otras, no me importa lo que piensen de mí. —Levantó el tenedor; sentía un nudo en el estómago—. Además, la edad no importa, papá. No estoy buscando marido.

—Eres una heredera, Alexandra. Todos los desgraciados de este país estarán llamando a tu puerta cuando el legado de tu madre pase públicamente a tu poder dentro de un año. No les importas tú. Ni tus intereses.

Sintiendo todo el peso de las palabras de su padre, Alexandra vio que cogía de nuevo el periódico para acabar de leer las noticias del mercado.

—¿Por qué me dices esas cosas, papá?

Él la miró por encima de sus lentes y dio un sorbo a su café.

—¿Qué cosas?

—¿Tan fea soy que crees que he de pagar para conseguir la presencia de un hombre en mi lecho?

El hombre se atragantó con el café y a punto estuvo de escupirlo sobre sus pantalones perfectamente planchados.

—Dios todopoderoso, Alexandra. Estamos desayunando.

—Lo piensas, ¿verdad?

—¿Si pienso el qué? —Dejó la taza con un clinc.

—Que soy fea. La pobre y senil Alexandra. Pero resulta que me gusta lo que hago, y que todavía no soy tan vieja como para no poder disfrutar de la vida.

—Si te has sentido ofendida por algo que crees que he insinuado, es tu problema. —Se dio unos toquecitos con la servilleta sobre el bigote y la miró con gesto cauto—. Los hombres solo se casan por un motivo. Herederas legítimas… —Su rostro rubicundo se ruborizó y Alexandra supuso que estaba intentando explicarle las realidades de la vida. Ella no podría dar un heredero a ningún hombre, lo que dejaba solo a la élite más decrépita e insolvente como potenciales maridos. O los sinvergüenzas.

No era de extrañar que su padre le hubiera permitido tener una educación.

—¿Por eso te casaste con mamá? —preguntó sin dejar de mirarlo encima de su taza—. ¿Para que pudiera ser la yegua de lord Ware?

Alexandra sabía perfectamente que su padre siempre quiso a su madre.

—¡Maldita sea! —El hombre arrojó la servilleta. Pero ella ni siquiera pestañeó. Por fin recibía una respuesta digna de su hostilidad—. Sé muy bien lo que está pasando. Donally entra en escena y remueve tus antiguos sentimientos por él. Te está manipulando.

La mano de Alexandra oprimió la taza con fuerza.

—Eso no es verdad.

—Es un malnacido aficionado al opio. Todos están esperando a ver cuándo mete la pata.

—Ya ha pasado mucho tiempo desde que volvió de la guerra. Es un buen hombre, papá —dijo ella con obstinación, consciente de que pisaba terreno desconocido—. Siempre fue un buen hombre.

—Tú no eras más que una jovencita con una curiosidad inusitada. Y se aprovechó de ti de la peor forma posible.

—No más de lo que yo le permití. Le acusas por unos pecados que en realidad fueron culpa mía.

—¿Tuya? —bufó su padre. Y aquel hombre que nunca cruzaba con ella más de diez frases en el desayuno, de pronto se alzó sobre ella enfurecido—. ¿Qué sabías tú de los hombres? ¡Si apenas acababas de salir de la escuela!

Alexandra tuvo que tragarse su orgullo para no apartar la mirada. Su padre estaba en pleno discurso.

—Tu héroe ya era un borracho obstinado cuando entró en tu vida. Había escapado a la acusación de homicidio involuntario por matar a un hombre con sus manos en un combate en la academia de Woolwich. ¿Lo sabías? Lord Pierpont lo mandó a Crimea, donde solo tardó cuatro meses en ir a parar al calabozo por desobedecer la orden directa de un superior. Pero a algunos de los altos mandos les gustaba, y esa es la única razón por la que no lo enviaron al fin del mundo. Era brillante con los idiomas, y un estratega prometedor, y me lo mandaron para que trabajara a mis órdenes en inteligencia. De haber querido, podría haber sido el mejor.

—No pudo elegir. Tú lo expulsaste. Y lo hiciste por mí.

—Pues sí, maldita sea. —La silla crujió bajo el peso de su padre cuando se inclinó hacia delante—. Donally hizo lo que tenía que hacer para sobrevivir al levantamiento en la India. No lo juzgo por eso. Pero, por muy bonita que sea la fachada que ha creado, un hombre no puede huir de su pasado, Lexie. Es lo que es.

Alexandra no estaba dispuesta a escuchar.

Cierto, ella misma había atisbado la dureza con que Christopher llevaba todos sus asuntos, sus negocios, a su hermana, a ella. Sin esa fuerza, jamás habría logrado superar el infierno de la India, o su herida; no habría podido convertir D&B en una empresa del tamaño y la importancia que tenía.

Su padre la miró por encima de su taza de café.

—He procurado en la medida de mis fuerzas alimentar tu intelecto y tu instinto, y hasta la fecha has superado sobradamente mis expectativas. Quizá me equivoqué al darte tanta libertad. O al no exponerte antes mis sentimientos. Eres mi única hija, y me preocupa lo que te pase.

¿Porque la quería o porque creía que nadie más podría quererla? Ni ella misma era capaz de ver ya la diferencia.

Ni siquiera se conocía a sí misma.

Su padre la protegía desde hacía tanto tiempo, que Alexandra le había dejado controlar hasta el último milímetro de su vida. Sin embargo, una parte de su ser le susurraba que le había permitido comprarla. Porque, si bien se sentía totalmente capacitada para ocupar el puesto que tenía en el museo, siempre había sabido que su padre tenía una gran influencia sobre los demás. Alexandra no soportaba aquella falta de control sobre su propia vida, y siempre había hecho lo posible por castigar a su padre.

¿Fue su relación pasada con Christopher un acto de rebelión? ¿Lo era ahora? Ella nunca había estado ciega como su padre pensaba al carácter de Christopher. Ni entonces ni ahora. Y de pronto sintió unas ganas terribles de echarle su aventura a la cara. Aquel deseo tan descarnado de venganza la sorprendió.

Clavó el tenedor en los huevos. ¿En qué clase de criatura se había convertido para pensar siquiera en alardear de Christopher ante su padre?

Su padre se sacó el reloj del bolsillo del chaleco y lo abrió.

—Me llevaré el carruaje. —Tras mirar con brusquedad la hora, cerró el reloj de golpe—. Llego tarde.

Y ella sabía cuánto detestaba su padre la falta de puntualidad.

Aunque automáticamente le vino una disculpa a los labios, Alexandra se negó a pronunciarla. Cuando su padre se fue, respiró hondo y se terminó apresuradamente el cuenco de melocotón y crema que tenía a su derecha.

La habitación se había quedado en silencio. Finalmente, con un suspiro resignado, envolvió el pan en una servilleta. Hacía mucho tiempo que no veía al mozo que encendía las farolas al oscurecer. Y esa noche se quedaría hasta tarde en el museo. Quizá lo vería.

De pronto sintió la necesidad de recuperar cierta normalidad en su vida.

Pero no era tan fuerte como la necesidad de correr descalza sobre la hierba o sentir el olor del sol en su pelo y en su ropa…

—Por cierto… —Su padre apareció de nuevo en el umbral, poniéndose el abrigo. Se arregló las solapas y luego cogió el sombrero y el bastón de manos de Alfred—. Están reparando el coche descubierto. Y, lamentablemente, no tengo tiempo de llevarte al museo.

Ella trató de ponerse en pie.

—Papá, tengo trabajo que hacer.

—Evidentemente, la responsabilidad que se te ha concedido

no te preocupa lo suficiente, de lo contrario no te habrías presentado tan tarde al desayuno. —La miró con suficiencia mientras se ponía los guantes—. Parece que hoy vas a tener que quedarte en casa.

10

Un golpe en la puerta de la casa le hizo levantar la cabeza. Alexandra llevaba las lentes puestas y estaba observando con una lupa la hoja que había encontrado en el desván.

—¿Milady? —Mary asomó la cabeza.

Un rato antes, Alexandra había descubierto un viejo tarro lleno de fruslerías que había ido reuniendo cuando era pequeña. Vació el contenido sobre la mesa y metió la hoja con cuidado. Luego se volvió en la silla.

Dado que aquella mañana estaba cautiva y había escapado a la repentina popularidad de tantas invitaciones, optó por ser práctica y fue a las cocheras. Se obligó a sacar los diarios de ciencias que no había leído y, tras pasar la mañana leyendo, se dispuso a trabajar en un artículo que debía escribir para un número próximo de una publicación periódica. Por casualidad, su mirada topó con la hoja que había encontrado en el desván y que había dejado sobre su escritorio. Lo que le llamaba la atención es que estaba manchada de barro, porque eso significaba que no había entrado en la casa por el viento.

—¿Milady? —Mary entró—. Tiene otra visita.

Alexandra cerró el tarro.

—Te he dicho que no...

—La señorita dice que ha faltado usted a su cita y que no se irá hasta saber que está bien. Ha insistido mucho, milady.

—¿Brianna Donally? ¿Dónde está?

—Aquí, madam. —Mary se apartó a un lado y dejó que Brianna entrara.

—Milady. —La joven hizo una reverencia—. Siento molestarla. Sé que ha sido una impertinencia insistir en verla.

Alexandra se puso en pie enseguida.

—No pasa nada, te lo aseguro.

—¿Desea que prepare un té en la casa, madam? —preguntó Mary.

Alexandra miró a Brianna. La joven agachó la cabeza.

—Si no le importa, preferiría que nos quedáramos aquí.

—Gracias, Mary. Pero no será necesario.

—Muy bien. Pondré el agua a calentar por si acaso.

Cuando Mary se fue, Brianna miró los dibujos y los artículos enmarcados de la pared.

—Mire todo esto, milady. —Su voz sonaba reverente—. Es usted realmente una inspiración.

Alexandra siguió la mirada de la joven.

—Para la mayoría solo soy un escándalo.

Brianna apartó la vista de la pared.

—¿Está bien, milady? Esta mañana, cuando el carruaje volvió del museo sin usted, me sentí muy preocupada.

—Mis disculpas por no haber enviado un aviso. Pero hoy me he quedado sin medio de transporte y he tenido que permanecer en casa.

Aparte de que su padre le había ordenado tácitamente que no saliera. Nunca en su vida había deseado tanto golpear a alguien como cuando dejó a su padre y subió a su habitación. Sus emociones eran tan intensas que hasta tembló.

Pero lo cierto era que quería estar sola para reponerse. Su padre le mostraba su afecto cual una zanahoria y, cuando la tenía lo bastante cerca para que mordiera, corría a apartarla, como si le asustara la intimidad emocional. Alexandra no estaba acostumbrada al abanico de emociones que estaba experimentando en aquellos días. Ni a la realidad de estar demasiado enamorada de Christopher y no saber qué hacer. ¿Sería capaz de aprender a controlar su vida privada con la eficacia y la concentración con que atacaba su vida profesional?

Sin embargo, ahora que Brianna estaba allí, se daba cuenta de lo mucho que anhelaba tener compañía y lo insatisfecha que se había sentido estando sola.

—Me temo que te he preocupado innecesariamente —dijo.

—Me alegro de haber venido. Quería ver dónde vive, sobre todo porque su casa está muy lejos del West End.

—Hemos preferido quedarnos cerca de la universidad. Cuando no acude al Parlamento, mi padre siempre está allí.

—Su casa es mayor que la finca que Christopher posee en el campo. Es extraordinario.

Alexandra se sintió algo violenta ante el elogio.

—Pero aquí no tengo una sala donde atenderte adecuadamente.

Brianna dio una vuelta sobre sí misma.

—¿Es aquí donde trabaja?

Alexandra le enseñó la cochera, donde tan solo doce horas antes había yacido llena de dicha en brazos de Christopher. Subió por la escalera que llevaba al desván. Brianna miró los libros viejos y los objetos personales que había allí guardados. Y luego Alexandra la llevó fuera y contemplaron la estatua griega de Afrodita en medio de la hiedra y el clavero, contra el muro de ladrillo medio derrumbado.

—Christopher colecciona estatuas —dijo Brianna con displicencia, aunque Alexandra intuía en ella un gran interés—. Tendría que ver las cuatro que se trajo de la India. —Bajó la voz—. Están enzarzadas en una actividad muy explícita. Es casi imposible que una mente racional no se ruborice.

—*Kama Sutra* —consiguió decir Alexandra con cara seria, recordando la primera vez que había visto estatuas semejantes en una sala llena de profesores perplejos—. En la subcultura histórica de la India se pueden encontrar muchas esculturas de piedra similares.

—Christopher ni siquiera sabe que sé dónde están. La próxima vez que venga a casa se las enseñaré.

De pronto Alexandra no supo si reír o llorar. Hizo ambas cosas. El entusiasmo de Brianna, su alegría, su deseo de que volviera a visitar la finca que Christopher poseía en el campo... todo junto acabó por llegarle al corazón. Se dio la vuelta y se dejó caer en el banco de piedra que miraba hacia Afrodita y el hermoso estanque.

Brianna se sentó junto a ella, envuelta en el susurro de sus ropas.

—¡Milady!

—Lo siento. —Agitó una mano para quitarle importancia—. Soy indebidamente emotiva. —Era indudable que se estaba poniendo en evidencia. Así que suspiró, enderezó los hombros y recuperó el control—. Tengo tantas cosas en la cabeza... —Miró a Brianna enjugándose una lágrima de la comisura del ojo—. ¿Has visto a tu hermano esta mañana?

—De hecho hemos desayunado juntos. Ha bajado más tarde de lo habitual. Pero ¿sabe qué otra cosa ha sucedido desde la última vez que la vi? He recibido nueve invitaciones para asistir a diferentes bailes la semana que viene. —Brianna dijo uno a uno los nombres de los remitentes—. De todas las damas que asisten a nuestro salón de lectura. Esta mañana he recibido tres visitas. Y Barnaby ha recibido un telegrama de Ryan. Dice que volverá un día de estos. Quiere que la familia se reúna. Tengo seis sobrinos. ¿Se lo había dicho?

Alexandra cruzó las manos sobre el regazo.

—No. —Seguramente Rachel Bayley estaría invitada.

El ritmo de la conversación decreció.

—Necesita que la animen, milady —dijo de pronto Brianna—. ¿Ha estado alguna vez en la feria?

Alexandra echó una ojeada a la joven y vio que iba ataviada con una vestimenta encantadora e informal de muselina azul. Y llevaba un pequeño sombrero en su cabeza llena de rizos.

—¿Tú sí?

—Oh, sí. —Brianna sonrió—. En el lugar de donde vengo lo hacemos cada año. Hay una feria cerca de Londres. La semana pasada oí que lo mencionaban cuando estábamos en la mesa de *whist* —susurró como si el sauce pudiera oírlas—. Muchas damas la visitan. Es muy divertido.

—¿De verdad? —Alexandra rió.

—Por supuesto, sus esposos y sus hijos se escandalizarían si lo supieran. Después de todo, una verdadera dama no debe ir a lugares semejantes, donde solo el vulgo se divierte. Hay peleas de gallos y combates de boxeo. Permítame que la lleve hoy conmigo.

La niña bien educada que Alex llevaba dentro retrocedió asustada. Y, recordando que no había dado precisamente un buen ejemplo a su joven protegida, pensó que lo mejor era declinar la invitación. A Christopher le daría un ataque si se enteraba de que su hermana la había llevado a un lugar tan escandaloso como una feria.

Pero, de nuevo, allí estaba la idea de plantarle cara a la autoridad y mandar al mundo a tomar viento.

Cuadró los hombros.

—Bueno, ¿y cómo hay que ir vestida a una feria de campo?

—No es como una velada. Es una aventura, milady. Póngase algo práctico y cómodo.

Si Brianna tenía alguna duda sobre lo apropiado de llevar a la hija de lord Ware a la feria, se disipó en el instante en que Alexandra bajó del carruaje. Fue como si el pájaro hubiera salido de su jaula dorada y hubiera visto el sol.

Era media tarde, y la multitud estaba formada por unos pocos miembros osados de la alta sociedad, gente de clase baja y carteristas, a los que Brianna parecía tener la habilidad de detectar entre cualquiera que se acercara a más de cinco metros. Con su paraguas dio buena cuenta de tres.

Equilibristas y titiriteros pasaban arriba y abajo. Diferentes puestos estaban ocupados por gigantes y enanos que animaban a los clientes a pasar para presenciar mágicos espectáculos en los que los hombres tragaban espadas y fuego. Alexandra lo miraba todo boquiabierta.

Cuando empezó a caer la tarde y las velas de junco empezaron a puntear los campos como luciérnagas, Alexandra había visitado prácticamente todos los puestos. Ni siquiera el alboroto de las voces y la amenaza de una tormenta inminente mermó su entusiasmo cuando encontró un buda de piedra desportillado y un tenedor de plata que databan de la época de la ocupación romana de las islas.

—Solo usted podría ver como un tesoro un tenedor doblado y con tres púas, milady —dijo Brianna con una risa.

Muy cerca, una multitud estalló en bulliciosos vítores.

—Un combate pugilístico —dijo Brianna por encima del griterío—. ¿Desea presenciar una pelea? —Y arrastró a Alexandra hacia el grupo.

—Espera. —Levantó las manos y se sacudió los restos de la comida—. Tengo los dedos pegajosos.

La hermana de Christopher la había introducido en el mundo del helado de limón y la melcocha, las tartaletas de natillas y las galletitas de jengibre. Acababa de comer pollo a la brasa con las manos y, riendo con horror por los deliciosos chorreones de grasa que le caían por los dedos, procedió a bajarlo todo con cerveza. Ríos de cerveza.

—Se me ha manchado el vestido.

Miró a su alrededor, tratando de encontrar un lugar donde lavarse las manos, pero finalmente se dio por vencida y se las aclaró en un abrevadero para el ganado.

—¿Alguna vez hace algo que no sea práctico, milady? —dijo Brianna a su lado.

—Hace cuatro horas, no habría podido ni soñar en realizar una ablución tan privada en un lugar público donde abreva el ganado. —Se sacudió el agua de las manos—. Mírame. —Extendió los brazos.

Al ver que el vestido de Brianna se había conservado impoluto durante toda la aventura, frunció el ceño.

—Le diré mi secreto, milady. —Los ojos de Brianna destellaron con picardía—. Los Donally comemos con los dedos. Sí, chocante pero cierto. Es algo que hay que aprender desde niño. A veces, cuando nos reunimos y somos muchos, no nos apetece seguir las normas del refinamiento.

—¿Y no tenéis a nadie que os vigile?

—Al contrario. Todos vigilamos lo que hace el otro. No encontrará familia más obstinada, entrometida y combativa. El año pasado uno de mis sobrinos tiró a su primo por la ventana del primer piso. Menos mal que existen los setos. Ninguno de los dos se pudo sentar durante días después de que mi hermano Johnny les diera un escarmiento.

Alexandra se preguntó algo indecisa si eso era lo que significaba tener una familia.

—Yo siempre he tenido criados. —Le dio un hipo y se cubrió la boca—. Incluso una vez que acompañé a mi familia a una excavación en Argelia, los criados nos servían té y bollitos.

De pronto su vida le pareció terriblemente aburrida.

—¿Lord Ware es arqueólogo? —preguntó Brianna.

—Es su hobby. Prefiere mil veces participar en una excavación que estar en Inglaterra. No es muy amante de alternar en sociedad, y siempre ha llevado la aventura en la sangre. —Alexandra se inclinó y se sacudió las manos sobre la hierba—. Él y el profesor Atler siempre han compartido esa afición. Trabajaban juntos en El Cairo antes de que yo naciera. Aunque nunca he entendido su amistad —musitó, casi para sí misma, mientras trataba de limpiarse el vestido.

—¿Por qué?

—No tienen nada en común.

Como no logró limpiarse la grasa de la falda y el corpiño, se compró un pintoresco delantal en uno de los puestos y dio el asunto por zanjado. Comprobó su aspecto, volviéndose a un lado y a otro.

—Señorita Donally, podría ser su doncella.

—Ni poniéndose una cofia en la cabeza pasaría por mi doncella. —Brianna la cogió del brazo y echaron a andar—. Milady, incluso con manchas, tiene cierto aire de nobleza.

—No estoy ebria, y no estoy... —Trató de encontrar la palabra. De pronto, sus ojos se abrieron desmesuradamente. Se habían detenido ante un puesto lleno de hermosos abanicos. Estaban abiertos como las coloridas colas de los pavos reales sobre los paneles de madera y formaban un tapiz elegante y sutil de artesanía—. Oh, mira. —Alexandra arrastró a Brianna hasta allí.

Riendo como colegialas, agitaron y abrieron docenas de abanicos; Alexandra los compró todos y mandó que los llevaran al carruaje. Moviendo descaradamente un abanico amarillo limón ante su nariz, agitó las pestañas. Todos sus sentidos estaban a flor de piel y se sentía inusualmente atolondrada.

—Señorita Donally, tendrá que enseñarme el lenguaje de los abanicos.

Y siguieron paseando de un puesto a otro, cogidas del brazo.

—Eso significa que desea bailar conmigo, milady.

Fue en ese instante cuando Alexandra comprendió que estar con Brianna era un poco como pertenecer a la familia bulliciosa e impredecible de Christopher. Nadie sabía que no eran parientes, o que ella no era una sirvienta o un ama de llaves. Con aquel delantal que cubría su vestido manchado de grasa, Alexandra estaba en el más completo anonimato, y sus deberes para con su padre y consigo misma se fueron con el olor a tierra y con el viento de la tormenta que se acercaba.

—Ciertamente. —Rió de buena gana, hizo una reverencia y cayó sentada sobre la hierba—. Me encanta bailar.

Brianna lanzó una exclamación.

—¡Milady!

—Oh, vaya.

Brianna se arrodilló enseguida, alarmada y algo asustada por haber permitido que aquello sucediera.

—¿Está bien?

Un grupo de hombres no precisamente elegantes que había por allí estaban ayudando a lady Alex.

—Salvo por cierto malestar en el estómago, nunca me había sentido tan… interesante, señorita Donally.

El combate pugilístico había quedado olvidado, y Brianna deseó que no se hubieran quedado hasta tan tarde. No importaba cuáles fueran los motivos que la habían llevado a acudir allí ese día. Al menos el cochero y el lacayo de Christopher seguían en el carruaje, y podía verlos desde donde estaba. Eso le daba cierta tranquilidad

—Volvamos a casa, milady. Creo que es hora de que se acueste.

Brianna se sentía terriblemente culpable por no haber cuidado mejor de ella. Lady Alex estaba en un estado bastante lamentable. Era como una de aquellas exóticas estatuas que Christopher tenía en su casa, de una belleza fascinante y misteriosa, pero muy frágiles. A pesar de todos sus logros y de ser un ejemplo para las otras mujeres, y por mucho que quisiera ser como ella, Alexandra no era una mujer de mundo. Más allá de los estrechos confines de su sociedad o su brillante carrera académica, en el mundo real era una criatura bastante torpe.

Los Donally aguantarían las tribulaciones y se enfrentarían a sus enemigos mucho mejor de lo que lo haría jamás una Alexandra Marshall.

Pero aquella tarde, cuando la había ido a ver a su casa, la vulnerabilidad que lady Alexandra ocultaba bajo la fachada se había convertido en algo más. Algo que Brianna había visto antes, hacía muchos años, cuando la vio sollozando en el exterior de la propiedad de Carlisle.

Aquello había sido hacía tanto tiempo que a Brianna le sorprendió la vividez de su recuerdo, no haber olvidado la imagen de la mujer detrás del velo negro.

O que Alexandra y Christopher no pudieran estar en el mismo sitio sin que el aire chisporroteara a su alrededor. Había algo entre ellos que se remontaba muy atrás en el tiempo, mucho más incluso que aquella ocasión.

Después de quitarse los zapatos, lady Alex agitó los dedos de los pies entre la hierba áspera. Aún llevaba puestas las medias, y se las arregló para mojárselos entre la maleza húmeda.

Cuando Brianna le estaba haciendo señas a su lacayo para que las ayudara, Stephan Williams apareció de pronto a lomos de su caballo. El corazón de la joven se aceleró.

—Stephan —susurró mientras lo veía desmontar junto al carruaje. Su mata de pelo rubio y su altura lo hacían inconfundibles, y vestía una capa de montar que le ondeaba alrededor de las botas.

Después de todo, lo había logrado.

La mirada de Brianna volvió a lady Alex, y el sentimiento de culpa la asaltó con mayor fuerza.

La imagen romántica que se había hecho de un posible encuentro accidental con el señor Williams de pronto se tambaleó, porque lady Alex era una mujer limpia y no se había mostrado en absoluto pretenciosa durante la aventura. Sin duda, había sido una buena compañía.

—Vamos, milady. —Ayudó a lady Alex a ponerse en pie. Detrás de ella, una vela de junco parpadeaba con la brisa, proyectando sombras sobre el suelo—. Me temo que le he dejado beber demasiado. Voy a recibir una severa reprimenda a causa de esto.

—No me ha dejado nada, señorita Donally. Soy perfectamente capaz de asumir la culpa por haber bebido demasiada cerveza. —Dio un ligero traspié—. No permitiré que Christopher te castigue por algo que es culpa mía.

—Sí, milady. —Brianna la ayudó a ponerse derecha—. Pero yo sé cómo van estas cosas. Y me temo que mi hermano nos conoce a las dos lo bastante para saber qué ha pasado.

Con el rabillo del ojo, Brianna vio que dos hombres se separaban del grupo y avanzaban hacia ellas. Su corazón se aceleró; reconocía a un ladrón en cuanto lo veía.

—Vamos, milady. Debemos apresurarnos.

Y entonces, mientras caminaba junto a lady Alex por aquel terreno irregular, pasaron dos cosas. De pronto se oyó el estallido de un trueno seguido por un relámpago que no era un relámpago. Brianna se dio cuenta enseguida. La detonación venía del puesto de los fuegos artificiales. Los caballos se encabritaron. La gente empezó a gritar. Se oían silbidos por todas partes.

A su alrededor la multitud cobró vida. Alguien la empujó con fuerza y la hizo caer de rodillas. Y el golpe le hizo soltar a lady Alex. Todos los infiernos se desataron y la multitud se convirtió en una turba llevada por el pánico.

Christopher subió por la escalinata de mármol que llevaba a la puerta maciza de la entrada como una exhalación, movido por una férrea determinación. Ya había estado en las cocheras de Alexandra. Ligeramente consciente del nudo que atenazaba su pecho, había entregado las riendas de César a un par de lacayos de Ware que en aquellos momentos trataban de aplacar al fogoso purasangre. No dejaba de golpearse con la fusta sus botas altas manchadas de barro. La tormenta no había empezado a amainar hasta una media hora antes. De pronto, consciente de su apariencia, Christopher miró por encima del hombro la hilera de caros carruajes negros de dos caballos que había delante de la casa. Aparte de los pantalones de montar y la camisa, no llevaba abrigo.

Nadie esperaba su visita. Ciertamente, él era el último hombre en la tierra que Ware esperaría encontrar a su puerta.

Dentro, el reloj dio la medianoche.

La puerta se abrió. En el interior, unas voces masculinas rompieron en risas. Los vasos chocaron.

—Señor... —El mayordomo alto y delgado lo miró con la cabeza erguida y un destello de alarma apareció en sus ojos marrones—. ¡Sir Donally! No tendría que estar aquí.

—Veo que conoces mi nombre. ¿Por qué?

—No es buen momento, señor.

Christopher puso el pie para evitar que la puerta se cerrara en sus narices. Las imágenes que se le pasaron por la cabeza no hicieron más que avivar la idea de que, de alguna forma, lord Ware había hecho daño a Brianna.

—Te aseguro que no es una visita de cortesía.

El anciano lanzó una exclamación cuando Christopher pasó al vestíbulo y por un instante se detuvo a estudiar el reloj de pie y la escalera elegante e imponente. Detestaba sentirse como un intruso. No tenía ningún deseo de colarse en el santuario de lord Ware, y menos en mitad de una reunión privada. El humo de los cigarros flotaba desde la puerta abierta del salón.

—Me han dicho que mi hermana ha venido hoy aquí. Y que lady Alexandra no ha cumplido con sus compromisos.

Las voces del salón llegaban al pasillo.

—Alfred, amigo —llamó una voz desde el salón—. Si es Owensby, hazle pasar. —Con una bebida en la mano, lord Somerset apareció por la esquina—. ¡Donally!

—Lord Somerset. —Christopher lo saludó con un gesto de la cabeza.

Somerset era un hombre bajo que se distinguía por su voluminosa nariz.

—¿Qué hace ahí de pie, hijo?

El puño de Christopher se cerró con fuerza en torno a la fusta. La última vez que había visto a aquel hombre estaban en una reunión en el despacho. Una reunión condenadamente importante. Le miraba de una forma extraña. Quizá se había fijado en su atuendo y supo que no estaba allí porque le hubieran invitado.

—Que Owensby pase —dijo alguien desde detrás de Somerset—. Así le podremos regañar por llegar tarde.

—Lo siento, amigo —contestó Somerset con voz tranquila—. Esto es un poco incómodo. No sé qué puede haber retenido a Owensby.

Con los músculos tensos, Christopher siguió a Somerset a la puerta del salón.

—Creo que ya conoce a todos los presentes.

Christopher permaneció en el arco de la entrada. El profesor Atler, que tenía el codo apoyado contra la repisa de mármol blanco de la chimenea, se irguió. La mano de lord Ware se quedó suspendida en el aire, con una copa. Las solapas de satén de su esmoquin negro brillaban por efecto de las llamas. La expresión de su rostro rayaba el horror; a Christopher le habría parecido cómica de haber ido mejor vestido... o de haber estado invitado.

Todos los que estaban presentes en el salón formaban parte del consejo de administración del museo. Eran filántropos, eruditos, políticos. Christopher los conocía a todos personal o profesionalmente.

—Sir Donally. —Lord Wellsby se puso en pie y le ofreció la mano—. Siéntese y beba algo. Owensby aún no ha llegado. Estábamos hablando del encuentro de boxeo de la semana pasada. Todo un acontecimiento.

Hubo una ronda de conjeturas y comentarios mientras cada uno de los presentes volvía ruidosamente al debate que Christopher había interrumpido con su llegada. Por un momento, su mirada permaneció clavada en Ware.

—Tenemos diversidad de opiniones respecto al final que el árbitro dictaminó en el combate —dijo lord Somerset mientras un criado le llenaba el vaso con whisky escocés.

—El final que me permitió ganarle su dinero —dijo Wellsby con una risa antes de volverse hacia Christopher—. Conocí a su hermana la semana pasada en el salón de mi esposa. Y también hizo sus apuestas sobre el encuentro. Esa joven sabe más que diez hombres juntos sobre los favoritos. Debe de haberlo aprendido de usted, amigo.

Christopher desvió su atención hacia Wellsby y trató de digerir lo que acababa de oír.

—Ciertamente.

—He oído decir que en sus tiempos fue usted el mejor púgil de Woolwich. —Somerset observó a Christopher por encima del borde de su vaso.

—¿Vio usted el encuentro, Donally? —inquirió otro.

Christopher evaluó a cada hombre con la mirada.

—No —dijo con voz neutra, consciente de que una extraña corriente subterránea había empezado a circular por la habitación.

Lord Ware se puso en pie; tenía sus ojos grises clavados en él. Christopher sintió el impulso de ponerse en posición de firme, y de pronto fue como si retrocediera diez años en el tiempo. Solo que ya no era el joven teniente al que llevaron ante Ware como un criminal.

El mayordomo volvió a aparecer en el pasillo; había una mujer detrás de él.

Inclinándose ligeramente por la cintura, Christopher dirigió sus palabras a Ware.

—Señor, disculpe mi interrupción.

La araña de cristal tintineó suavemente. La luz revoloteó por las paredes pintadas de azul. Alguien acababa de abrir la puerta de la calle y la volvió a cerrar, y cuando Christopher salió al pasillo, había desaparecido.

—Mi hija duerme, Donally. —Ware le siguió—. Y la insulta usted al presentarse aquí a esta hora.

Haciendo un esfuerzo sobrehumano para contenerse, finalmente Christopher se volvió y la indiferencia con que trataba de envolver sus gestos se hizo pedazos. Por el tono de Ware sabía que lo veía como una especie de arribista social que desconocía lo que era el sentido de la propiedad.

El hecho de que los hombres que había en el salón fueran compañeros del consejo de administración impulsó a Christopher a comedirse. Eso y que Somerset formaba parte de la Comisión Real para Obras Públicas de Gran Bretaña.

En ese instante surgió en él una inquietud insidiosa que nada tenía que ver con su preocupación por la desaparición de

Brianna. Era más de medianoche. De pronto no quería que ni aquel hombre ni los que estaban en el salón supieran que su hermana había desaparecido.

Si hacía falta, se colaría por la ventana de la habitación de Alexandra, pero hablaría con ella.

—Buenas noches, milord.

—No permitiré que influya en ella. —Ware había bajado la voz. Aquello solo les concernía a ellos dos. Se apoyó sobre su pesado bastón—. Juro que no lo permitiré.

Ware tenía miedo.

De él.

—Perdone que disienta, milord —dijo Christopher con deferencia, clavando sus ojos en él—. Pero ya no es quien para decidir lo que debo hacer o dejar de hacer.

—Manténgase alejado de mi hija, Donally.

Sin hacerle caso, Christopher fue hacia la puerta y no aminoró el paso cuando Alfred le abrió. Sus botas claqueteaban sobre el pulido mármol.

Bajó los escalones a toda prisa. Le dolía la pierna y sentía el estómago tan tenso como el puño con que sujetaba la fusta. Prefirió no pensar más y se concentró en la tarea que le había llevado allí. Seguramente la habitación de Alexandra estaba en el ala izquierda de la mansión, de cara al estanque. Para ella la naturaleza era una obra de arte, y querría la mejor vista de la casa. Avanzó por el camino de grava y tomó las riendas de su caballo de manos de los mozos, pero la voz de una mujer le hizo detenerse cuando estaba a punto de montar.

—Sir Donally.

Christopher bajó la pierna del estribo alto y el peso del cuerpo quedó sobre la pierna herida. El olor a madreselva impregnaba el aire húmedo de la noche. Tardó unos instantes en localizar la sombra en medio de la oscuridad.

—Soy Mary, señor. —La mujer estaba entre los setos, donde no podían verla desde la puerta de la casa—. Alfred me dijo que había venido. Milady no está en casa, señor. No podía permitir que lord Ware se enterara. Seguramente me despedirá sin referencias por todas las mentiras que he dicho hoy. —Se retorció las manos y a través de los árboles echó un vistazo a la imponente casa de piedra—. Verá usted, lord Ware y lady Alexandra han tenido una discusión terrible, y la señorita Donally vino esta tarde…

Las botas de Christopher hicieron crujir la gravilla del suelo. En algún lugar oyó que una puerta se cerraba.

—¿Dónde están, Mary?

—Hubo una especie de fuego, señor, y disturbios y, estando como estamos en Londres, era de esperar. Stephan Williams llevó a la hermana de usted a su casa enseguida. Pero…

—¿Willie? —Christopher aferró a la mujer por los hombros—. Lo que dices no tiene ni pies ni cabeza, mujer.

—La señorita Donally llevó a milady a la feria. —Mary levantó en alto una nota—. Alfred la interceptó. Debía recibirla usted en caso de que viniera aquí esta noche. Hubo una especie de refriega. Y han arrestado a milady, señor.

Christopher volvió a doblar la nota y se dio la vuelta. La ira marcaba cada uno de sus pasos. Aunque no era una ira que brotara de la rabia.

—Milady nunca había estado en una feria —consiguió decir Mary.

Alex tenía que haber sido lo bastante adulta para no dejarse llevar por una jovencita de diecisiete años autoemancipada y que hasta hacía nada aún iba con pololos.

Con el suficiente saber callejero para apostar en un encuentro de boxeo, que jugaba al *whist* con mujeres que fumaban cigarrillos y que hablaba abiertamente de meretrices.

Christopher puso el pie en el estribo e hizo girar al caballo mientras montaba.

—Gracias, Mary.

Mary permaneció a un lado del camino; su cofia blanca relucía bajo la luz de la luna.

—¿Qué vamos a hacer, señor?

—¿Te refieres a después de darle a mi hermana una azotaina?

Y de hacer picadillo a Stephan Williams.

Sujetando las riendas, Christopher clavó los talones en los flancos del caballo y partió.

De alguna forma, había perdido el control de algo que era de vital importancia.

Como toda su maldita vida.

11

Alexandra levantó la cabeza y miró con los ojos nebulosos aquella celda espantosa. El colchón de paja estaba destrozado en un rincón oscuro, y se había sentado sobre su miriñaque. Tenía la mejilla apoyada en las rodillas. Oyó unos pasos pesados que se acercaban.

Sus guardias no llevaban botas de montar de suela dura.

—La moza tiene suerte de que no la pillaran cuando estaba intentando robarle a ese hombre —dijo una voz ronca desde el otro lado de la puerta de la celda.

Las llaves giraron en la cerradura.

—Nos amenazó con un jodido tenedor. —El guarda resopló—. Menudos aires tiene la furcia. —Y rió.

—Abre la maldita puerta.

Alexandra se levantó del catre y trastabilló al tratar de mantenerse en pie. No sabía si alegrarse o sentirse alarmada ante la perspectiva de plantarle cara al dueño de la voz oscura y autoritaria. Aunque, básicamente, se alegró de que alguien hubiera ido a sacarla de aquel antro para criminales. Comprobó su aspecto horrorizada. Aquella apariencia tan lamentable sin duda era un reflejo de su estado general. En aquellos momentos no le habría ido mal un buen trago de brandy.

La puerta se abrió con un chirrido. Y su corazón dio un vuelco. Con su abrigo puesto y los cabellos desordenados como si el viento los hubiera agitado, Christopher pasó y quedó bajo la pálida luz de la celda. Una sombra oscura le marcaba la mandíbula.

Nunca le había amado más que en aquellos momentos. Quizá fuera por el modo en que la miraba. O por la poderosa química que había entre ellos, incluso en aquellos instantes, cuando estaban frente a frente a la luz de la linterna.

¡Y entonces tuvo que estropearlo todo con su estúpida arrogancia!

Arrugando la nariz por el olor reinante, escudriñó su atuendo con lo que a duras penas podría considerarse asombro.

—¿Has disfrutado de tu salida?

—¿Por qué no te limitas a reírte y terminas con esto?

La comisura de su boca se curvó en una mueca divertida.

—Jamás golpearía a un perro caído, y mucho menos a una dama de alta cuna. —Avanzó hacia ella. Sus dedos cogieron un mechón de sus cabellos y se lo sujetaron detrás de la oreja—. ¿Estás bien?

Ella consiguió dominarse. Lo que su hermana había hecho esa noche se interponía entre ambos como un muro. Alexandra se volvió, miró su miriñaque, que estaba estirado sobre el catre, y decidió dejarlo allí.

—¿Has pasado por tu casa?

—Brianna aduce que te ha llevado a la feria con falsas excusas. Y ha reconocido entre lágrimas que tú no tuviste nada que ver con la presencia de Williams. —Su voz la tocaba con tanta intensidad como sus ojos—. Cuando vuelva voy a tener una larga charla con ella.

—Por favor, no te preocupes por mí. —Se pasó el dorso de la mano por la mejilla y, si alguna debilidad le había permitido atisbar a Christopher, desapareció por la firmeza de sus hombros—. Estoy bien.

Pasó ante él y salió al pasillo de piedra; se tropezaba con la falda al caminar.

—Aunque no es gracias a este mozo balbuceante. Tú...

—Y golpeó con el dedo el pecho huesudo de su captor—. Me aseguraré de que te recluten y te manden bien lejos, escarabajo irrespetuoso.

—Alex, por Dios. Él no es el hombre que te arrestó.

—Maldita sea, Donally. —Le clavó el dedo en el pecho a él también—. Estoy harta de que me den órdenes. Acabo de pasar la noche más humillante de mi vida ¿y me vienes con formalismos?

Christopher la obligó a caminar por aquel apestoso antro lleno malhechores que roncaban contra la pared.

—Da gracias por haber tenido una celda para ti sola.

Alexandra volvió a tropezar. Él la cogió del brazo, pero su pierna no pudo aguantar el peso de los dos. Así que cayeron contra la pared. La cabalgata hasta allí le estaba pasando factura.

Volviéndose hacia el hombre que avanzaba a la retaguardia de la pequeña columna, Christopher tendió hacia él su mano enguantada.

—Dame tu maldito cuchillo.

—Puñetas, señor. —Sus ojos legañosos se abrieron horrorizados—. ¿Le piensa cortar el pescuezo?

Christopher empujó a Alex contra la pared, cuchillo en mano.

—¿Cuánto has bebido?

Ella le dedicó una mirada de reprobación.

—¿No me irás a matar porque me he emborrachado con la cerveza que destilan localmente?

La paciencia desapareció de sus ojos.

—Yo no puedo cargar contigo, Alex. Y dudo que quieras que ningún otro se te eche al hombro y te saque de aquí en un carro como un saco de grano. —Se arrodilló y su abrigo cayó sobre sus pies mientras se inclinaba y rasgaba la falda de Alexandra.

Ella golpeó los puños a los lados. Y mientras miraba su cabeza de cabellos oscuros se obligó a recordar que era un Donally. O sea, el hermano de su hermana. Y la fuerza opositora que había en aquellos momentos en su vida.

—Soy culpable de haber empinado el codo —confesó Alexandra con voz de arrepentimiento—. Pero soy inocente de los crímenes de los que se me acusa. Ese de ahí —y miró con resentimiento al guarda con cara de mono que había tenido la osadía de cachearla— puede dar fe de que no llevaba ningún objeto robado.

El sonido de tela rasgada llenó el húmedo corredor.

—¿Atacaste al dueño de un puesto de la feria? —Había librado a Alex de casi un palmo de tela sucia. Se puso de pie.

—Llamar a esa bestia despreciable «dueño de un puesto» es demasiado amable. Además, difícilmente podía atacarle. Me empujaron. —Christopher estaba tan cerca que tuvo que alzar ligeramente el mentón para mirarle. Un toque de esencia de mirto inundó sus sentidos—. Tenía el Cisne Blanco, Christopher. O una imitación. Su puesto estaba cerca del final de la feria. Y estaba tratando de recoger antes de que la chusma arrasara con todo. Mi respuesta fue perfectamente razonable en el calor del momento; si no hubiera llevado el buda conmigo, seguramente no le habría dejado inconsciente.

Christopher le hizo alzar el mentón. Ella lo miró con incredulidad y, por un momento, pensó que se iba a echar a reír.

—Alex —susurró—. ¿Por qué no te limitaste a mirar el nombre del negocio?

—Porque... —Sentía las lágrimas escociéndole en los ojos—. Eso habría sido demasiado simple.

De pronto fue plenamente consciente del esfuerzo que Christopher hacía por contenerse.

—Entonces, a menos que quieras que mañana te acusen de agresión, será mejor que nos movamos.

Alexandra levantó la vista para mirarle y tuvo el buen juicio de comprender lo apurado de la situación. Ya sin la traba de la falda, caminó ante él con determinación, con tanta dignidad como le permitía su paso torpe. Sentía los ojos de Christopher en su espalda, su presencia cerniéndose sobre ella como un murciélago por la estrecha escalera de piedra. Esperaba no volver a ponerse en evidencia tropezando.

En la sala principal, el vigilante de noche hizo un gesto con la cabeza a Donelly. Sin mirar a su alrededor ni esperar a Christopher, que se detuvo ante la mesa del guarda, Alexandra salió al frío aire de la noche, consciente de que el alba apuntaba ya en el horizonte. Notaba una fuerte opresión en el pecho.

El lacayo estaba junto al carruaje de Christopher, y se irguió de golpe cuando la vio acercarse.

Sin hacerle caso, Alexandra subió el escalón que había sacado y se volvió a mirar a Christopher, que ya iba hacia allí.

—Quiero irme a casa. Ahora —dijo. Y, con una agilidad que la impresionó incluso a ella, le cerró la puerta en las narices.

Él abrió bruscamente y subió. Entonces la sujetó por el mentón y Alexandra se encontró mirando a unos ojos furiosos. El carruaje echó a andar e, instintivamente, para no perder el equilibrio, su mano se apoyó en la pierna fuerte y prieta de Christopher.

—No pienses ni por un momento que voy a disculpar a mi hermana por su responsabilidad en todo esto, Alex. Podían haberte pasado cosas mucho peores. Y si dejaras de hacerte la ofendida un momento, tal vez verías que debes mostrarte agradecida porque has podido salir y tienes una cama limpia esperándote.

A Alexandra le temblaban las manos.

—No se te ocurra convertir esto en una lección de adoctrinamiento sobre la élite versus el populacho. —Le dio la espalda mientras trataba de despojarse del vestido sucio—. Da la casualidad de que me gusta tener sábanas limpias en mi cama. Quiero un baño. Y si eso es pecado, pues que así sea. Iré de cabeza al infierno.

En una noche llena de emociones, su maravillosa aventura había acabado convirtiéndola en una tonta llorona y egoísta. No pudo evitarlo, fue incapaz de controlar sus emociones.

Tenía que haber sabido que salir de su estrecho mundo solo podía acarrearle una desgracia a alguien tan inepto para el trato social como ella. Esa noche había estado fuera de su elemento, sin una pizca de intuición callejera que la guiara.

Un escalofrío le recorrió el cuerpo. Aquella noche, hubo un momento en que había sentido miedo.

—No hace falta que me hagas sentir como una idiota, Christopher. Bastante mal me siento ya sin tu ayuda. —Abrió la puerta del carruaje, tiró su vestido y vio cómo caía en un montón en medio de la calle—. Deja que me avergüence yo solita por haber hecho algo tan simple como ir a una feria.

Volvió el rostro hacia Christopher, desafiándole a que la insultara.

Él bajó la mirada por su cuerpo y volvió a subirla a su rostro. Arqueó una ceja.

—No seré yo quien se queje por tener a una mujer medio desnuda en mi carruaje, pero no sé si sabrás que no tengo ninguna muda de ropa para ti.

Ella alzó el mentón.

—Te compro tu abrigo.

—¿Y con qué, si se me permite preguntarlo?

Ella se lo quedó mirando sin decir palabra. Se sentía exhausta, demente; si Christopher seguía riéndose a sus expensas, seguramente le golpearía. Nunca en toda su vida se había sentido más… vulgar.

—Ven aquí.

—No. —Alexandra se sentó en el asiento opuesto—. Te mancharé y te pegaré este olor.

—Desde luego. —Estiró el brazo sobre ella para apagar la luz. Su abrigo la envolvió y de pronto quedó inmersa en su olor—. Yo no siento la misma aversión que tú por la suciedad —le dijo, sentándola con obstinación en su regazo.

—Suéltame. —Sus brazos eran como cables de acero—. Seguramente hasta tengo pulgas.

Él le deslizó la mano por el muslo.

—Nadie que no haya trabajado en el nivel inferior de los diques del alcantarillado del Támesis sabe lo que es realmente la mugre. Nada se puede comparar a eso.

—Qué horror. ¿De verdad has estado en un sitio así?

—Créeme.

Bajando finalmente sus defensas, Alexandra apoyó la mejilla en el cálido hombro de Christopher. La luz de las farolas parpadeaba sobre los asientos de cuero mientras el carruaje avanzaba por la calle vacía. Christopher la observaba.

—Debo de parecerte una esnob —dijo con voz pausada.

—Eres una esnob. —Su voz era suave contra su pelo—. No creo que hayas visto nunca una pulga a no ser que estuviera en un portaobjetos.

—Todo esto te divierte, ¿verdad? Que tenga aspecto de acabar de salir de las profundidades de alguno de tus proyectos.

—No. —Extendió la mano sobre su mejilla y acercó sus labios a los de él. Un impulso carnal sacudió el cuerpo de Alexandra. Christopher se había quitado los guantes—. En todos los años que hace que te conozco, no te he visto nunca con un pelo fuera de sitio. A menos que te hubieras dado un revolcón conmigo en la cama, o entre la paja, o en la arena. O donde sea que conseguíamos estar juntos. —Bajó la boca—. Creo que eres condenadamente sexy, incluso si hueles como si te acabaran de sacar del Támesis. Y si dejaras de hablar un momento, te besaría.

Alexandra hundió el rostro entre sus manos. Sus hombros se sacudían. Reía, porque no sabía muy bien si debía sentirse insultada o aliviada. Se decidió por lo último.

Finalmente, miró de soslayo a Christopher.

—Siento mucho haberte preocupado. —Deslizó la mano bajo el abrigo de Christopher, siguiendo la impecable línea de su hombro musculoso y sus bíceps—. Todo habría ido bien si no hubiera estallado la caseta de los fuegos artificiales. Lo que pasó anoche no fue culpa de Brianna.

—Tú y mi hermana me habéis asustado de verdad, Alex.

—Lo siento. —Sus emociones le permitieron atisbar una desesperación mucho más inmediata desde que habían hecho el amor en las cocheras.

—Brianna está preocupada, y con razón —dijo él volviendo a dejarla sobre el asiento. Bajó los labios por su cuello. Su abrigo caía hasta el suelo del carruaje—. No pasa todos los días que extravía a la futura condesa de Ware y descubre que su ídolo se ha metido en una pelea. —Su mirada abrazó la de ella—. He conseguido el nombre del individuo que presentó la denuncia —dijo en medio del silencio—. Mañana indagaré.

Alexandra lo miró esperanzada, con los ojos muy abiertos.

—Entonces, ¿conoces el nombre del negocio?

—No exactamente. Alex —le sujetó el rostro entre las manos—, el Cisne Blanco no es la primera reproducción de una pieza de museo que el público ha visto. —Su mano se enredó entre sus cabellos—. Seguramente el hombre lo diseñó después de ver la pieza auténtica expuesta. —La besó—. Pero es la primera pista real que tenemos. —Sus labios bajaron a los de ella y la besó de nuevo, en un beso más largo que el anterior—. No ha habido ninguna afluencia de joyas robadas al mercado.

—¿Eso qué significa?

—Que seguramente se han deshecho del material en el continente.

—Christopher. —Alexandra abrió los ojos y arqueó el cuello para mirar fuera, al cielo que clareaba—. ¿Adónde vamos?

La boca de él se ladeó formando una sonrisa traviesa.

—A mi casa.

—¿De verdad?

Como amantes.

Y se preguntó si alguna vez había llevado allí a otras mujeres.

La idea se le hizo insoportable.

—He mandado a Barnaby por delante. Encontraremos un baño esperándonos. —Le besó el cuello, y volvió luego a los labios—. No puedo impedir que amanezca, pero me aseguraré de que estés de vuelta en el museo antes de la hora de comer.

A menos que esté demasiado ocupado para mirar el reloj —la saboreó a conciencia— de vez en cuando.

Sus labios cubrieron los de ella en un largo festín para sus sentidos. Lento y profundo. Profundo y lento. Una y otra vez su boca volvía a la de ella, y su pecho poderoso la empujaba contra el suave asiento de su cuerpo. El frenesí de una noche larga y temeraria que derivaba en el calor encendido de un alba imprudente. Los dedos de ella se hundían en su pelo. Alexandra devolvía el beso con toda la urgencia de sus emociones contenidas, y se sintió embriagada por aquel sabor, por todas aquellas maravillosas sensaciones que Christopher despertaba en ella cuando la tocaba. La mano de él bajó a sus caderas. Deslizando los dedos por su pelo, Alexandra gimió en su boca, sintió su nombre susurrado en los labios de él y se entregó a aquel fuego abrasador.

Estiró las piernas para dejarle sitio y respiró hondo cuando él se apartó para soltarse los pantalones. La ropa interior de Alexandra no era obstáculo, y la mano de Christopher entró sin dificultad por sus enaguas para darle el placer más íntimo. Su dedo penetró en su interior y la obligó a abrirse.

El vello de su pecho le rozaba los pezones. Christopher se golpeó la cabeza contra la puerta.

—Mierda…

Hubo un ligero forcejeo mientras trataba de acomodar la rodilla entre los muslos de Alexandra. Volvió a golpearse la cabeza.

Ella abrió los ojos lentamente, hechizada.

—¿Habías hecho esto alguna vez en un carruaje?

—No. —Christopher bajó la vista a su rostro con expresión divertida—. ¿Y tú?

Sabía perfectamente que no.

—No. —Alexandra rió; no podía resistir la atracción que sentía por aquel cuerpo; quería más y más—. Date prisa.

Alexandra se escurrió más abajo en el asiento y apoyó los pies en el lado opuesto del carruaje. Christopher se deslizó en su interior. Y empujó imposiblemente adentro.

—No tan fuerte... espera, Christopher.

Había atrapado su cuerpo bajo el suyo y ahora lo envolvía.

—Tienes toda la razón, Alex. Estás... tan caliente.

Fuera, el alba empezaba a despuntar sobre los árboles. La camisa de él estaba desabrochada y le colgaba fuera de los pantalones. Se incorporó para bajar las cortinillas, vacilando. Ella lo acompañó con su cuerpo, haciéndole bajar de nuevo la boca a la suya.

—No te vayas —susurró.

La respuesta de él fue un reniego ronco. Cediendo un instante a la boca de ella, a sus movimientos, la subió con una fuerza inesperada sobre su regazo y luego se inclinó para mirar fuera.

—Maldita sea.

Una sacudida del carruaje hizo que Alexandra se sobresaltara. Sus ojos siguieron la mirada de Christopher y entre los árboles pudo distinguir la casa, con su tejado alto a dos aguas.

—Maldita sea doblemente —susurró ella, y bajó las cortinillas.

—Ya hemos llegado —dijo él con un gruñido.

Sentada todavía en su regazo, Alexandra le sujetó el rostro entre sus frías manos.

—Es una casa bonita. —Lo empujó contra el respaldo y siguió besándole, explorando con sus manos aquel cuerpo prieto. Esta vez ella estaba encima, y sus largas piernas se perdían sobre el asiento—. Pero quiero hacerlo aquí.

Alexandra quería consumirlo. Las manos de él buscaron sus pechos y bajaron a su cintura. El coche se detuvo ante la casa con una sacudida.

—Joder... —dijo Christopher con un gemido salvaje y bajo—. En cualquier momento... esa jodida puerta se abrirá.

Ella le dio un chupetón; tenía las rodillas pegadas contra sus caderas.

—Christopher... —sentía como si se estuviera deshaciendo—, ¿los buenos chicos católicos utilizan esa clase de lenguaje?

Él le enredó la mano en el pelo a la altura de la nuca y la hizo bajar hasta su boca.

—Todo el jodido tiempo.

Su lengua se adentró en su boca. Sin dejar que parara para respirar, con su otra mano la sujetó por las nalgas, moviéndola con una intensidad rítmica. En un nivel elemental, Alexandra era consciente de aquel acto primario de posesión. La respuesta de él era tan poderosa como la necesidad de ella. Sentía un hormigueo en la sangre. Un aire caliente y húmedo le llenaba los pulmones. Sus labios lo buscaban con ansia, lo deseaban más que nunca. Por muy adentro que estuviera, por muy fuerte que empujara, ella quería más. Lo quería todo.

Y entonces, con un gruñido bajo, él tomó la iniciativa y la levantó. La sujetó con fuerza por las nalgas y la apretó contra su cuerpo. Cayeron contra el otro asiento, y el abrigo quedó cogido bajo el cuerpo de ella. Los cabellos de Alexandra se desplegaron sobre el asiento. Por un momento, sus miradas se encontraron y, antes de que sus labios la poseyeran, vio sus ojos oscuros y abrasadores. Golpeó la puerta con los pies, luego con una rodilla, y lanzó un juramento. El corazón de Alexandra latía con violencia. Era vagamente consciente de que se estaba aferrando a sus hombros poderosos, que se movía con él, con abandono. Todo pensamiento había quedado reducido a la sensación de tenerlo dentro de ella. Él empujaba con fuerza, y el impulso la empujaba contra la portezuela del coche. Entonces Alexandra llegó al clímax. Christopher la miraba con los párpados entornados, contempló cómo su cuerpo se sacudía hasta que, perdiendo todo contacto con la realidad, él también se corrió con un fuerte estremecimiento.

—¿Crees que han adivinado lo que estábamos haciendo? —preguntó Alexandra cuando consiguieron arreglar su atuendo de una forma medianamente decente. Christopher se había quitado su abrigo y se lo había echado a ella por encima.

El carruaje seguía donde se había detenido, ante la casa. En pie el uno junto al otro, los dos miraron a su alrededor buscando alguna señal de la presencia del cochero y los lacayos. Alexandra se volvió a mirarle. Y, por primera vez desde que Christopher podía recordar, supo que al llevarla allí había antepuesto su vida personal a los negocios. Quizá había perdido temporalmente el juicio.

O simplemente estaba cansado.

La apretó contra su cuerpo.

—¿No se te ha ocurrido pensar que a lo mejor no tengo ropa para dejarte?

—Me siento atrevida.

Christopher la miró. Con el sol en el rostro y su abrigo envolviéndola posesivamente, sintió un renovado interés por su estado de desnudez.

Ella dio un chillido y echó a correr por el jardín. Él la vio huir rodeando la casa y acto seguido salió corriendo tras ella. La alcanzó en medio del amplio patio.

—¿Por qué no te desnudas y te bañas conmigo? —Ella sonrió mientras Christopher la llevaba lentamente hacia la terraza; sus intenciones se reflejaban claramente en su mirada.

Tenía la sensación de que sus actos eran cada vez más depravados.

—Estamos condenadamente locos, Alex.

Cubrió su boca con sus labios y se demoró en aquella dicha mutua. Ella se aupó y le rodeó las caderas con las piernas. Él giró con ella en brazos. Los árboles susurraban por encima de sus cabezas. Reajustó su peso y sus brazos la sujetaron con fuerza. Bajo el abrigo que llevaba por encima, Christopher le aferró las nalgas y se sintió perplejo ante aquella sensación primaria y masculina de posesión, ante la satisfacción de poder arrebatarle a su encumbrado enemigo su posesión más preciada. Que Alex podría ser suya si él quería que así fuera.

Ella se apartó un poco y sus miradas se encontraron. Sus emociones le asustaban. Alex era sensual y hermosa, y por un momento se sintió atrapado por la inexplicable necesidad de retenerla a su lado.

Aquel pensamiento fue como un jarro de agua fría.

Ella le rodeó el rostro con las manos.

—¿Te das cuenta de que los verdaderos caballeros ociosos son... bueno, ociosos? No se les puede pagar por sus servicios. Tendrás que retirarte a esta casa para que pueda quedarme contigo... alguna vez, claro. No quisiera que te cansaras de mí.

—Por desgracia, algunos no podemos vivir de la forma como nos hemos acostumbrado a vivir si no nos pagan por nuestros servicios.

—Le pagaría por sus servicios, señor.

Él contempló la sonrisa traviesa de Alexandra con una sonrisa igualmente pícara en el rostro.

—Fingiré no haber oído que te ofrecías a mantenerme.

Ella abrió los ojos desmesuradamente con fingida inocencia.

—Los hombres lo hacen continuamente, y soy una mujer muy rica, caballero. —Rió de una forma tonta y seductora—. O lo seré.

—Ciertamente.

—Así no tendrías que trabajar. —Sus manos lo acariciaron—. Excepto en la cama, claro.

—Eso no es un trabajo, Alex. —Con un gruñido bajo, se inclinó para besarla. Pero el ruido de movimiento en la terraza le detuvo.

La brisa cálida y perfumada llevó hasta ellos el olor a bollitos y jamón. Se dio cuenta de que las puertas de cristal de la parte posterior de la casa estaban abiertas. Y también las ventanas.

De pronto todos sus sentidos se pusieron alerta. Dejó a Alex en el suelo y desplazó su mirada a lo largo de la terraza, hasta el belvedere.

—¡Tío Fer! —exclamó una vocecita infantil con entusiasmo.

Su sobrina de cuatro años.

Había más de una docena de personas sentadas con cara de

palo alrededor de una mesa. La cubertería relucía, desde los calientaplatos hasta los vasos de cristal. Mientras contemplaba con algo muy parecido al terror las caras pálidas de sus hermanos, sus esposas y sus muchos, muchos hijos, fue incapaz de reaccionar.

—¿Tu familia? —dijo Alexandra con voz entrecortada.

El brazo de Christopher se había levantado para saludar antes de que el cerebro pudiera detenerlo.

—Maldita sea.

A Alexandra le temblaban las manos.

—¿Crees que nos han visto besarnos?

Christopher le había echado el abrigo sobre los hombros y se lo abotonó.

—¿Es una pregunta retórica o tengo que contestar?

Alexandra tuvo que levantar los pesados faldones del abrigo mientras él la arrastraba de vuelta a la parte delantera de la casa, donde el carruaje les había dejado.

Entraron en la casa y él cerró de un portazo, respiró hondo y luego se volvió hacia ella. La cogió en sus brazos.

—Ten paciencia conmigo. Me siento perdido con todo esto.

Ella solo consiguió hacer un gesto de asentimiento

—¿Qué vas a hacer?

—De momento te voy a llevar a mi habitación. El baño ya debe de estar listo.

Cuando estaban a mitad de la amplia escalinata, una voz masculina hizo que Christopher se volviera.

—¿Crees que es prudente?

Un hombre que calzaba botas de montar estaba al pie de la escalera. A diferencia de Christopher o de Brianna, que tenían los mismos ojos azules, los de aquel individuo eran casi negros. Si bien era ligeramente más bajo que Christopher, tenía los hombros igual de anchos.

—Rachel está aquí. —Su mirada pasó sobre Alex—. Y mi prometida. Sus cosas están en tu habitación. ¿Qué estás haciendo, Christopher?

Christopher empujó a Alex detrás de él, y ella se dejó caer sobre el último escalón.

—Me alegro de verte, Ryan. ¿No crees que podías haberme avisado?

—¿Cuántos telegramas tengo que mandarte?

Christopher bajó un escalón.

—¿Y qué tal si me hubieras mandado solo uno para avisar de que planeabas una maldita reunión familiar aquí y no en Carlisle?

—Había pensado que, con las negociaciones sobre el proyecto del túnel y considerando que esta es la época de más trabajo del año para nosotros, lo mejor era que todos viniéramos a Londres. Un error, obviamente. De haber sabido que planeabas un...

—Dilo, Ryan, dilo y te garantizo que no te dejaré ni un diente en la boca.

Alexandra seguía en el escalón, con la frente apoyada en la mano y el codo en la rodilla; se sentía mareada. Al oír que había movimiento abajo, en el vestíbulo, levantó su mirada nebulosa y atisbó entre los barrotes de la balaustrada. Dos de los hermanos de Christopher habían entrado.

Ryan agitó la mano con gesto negligente en dirección a Alexandra.

—El padre de la dama está en la condenada Cámara de los Lores, por el amor de Dios —susurró—. Lo que menos falta te hace es provocar a ese cabrón para que te busque problemas. *Nos* busque problemas. ¿Dónde está Brianna?

—En la casa de la ciudad. —Christopher hizo ademán de seguir subiendo, pero se detuvo y volvió atrás—. A pan y agua, encerrada en su habitación hasta mi regreso.

Ryan lo miró como si de pronto le hubieran salido tres cabezas y una cola.

—¿Has perdido el juicio?

—¿En estos momentos? Perder el juicio es poco. No tienes ni idea de lo que es vivir con una jovencita de diecisiete años liberada y moderna y que, por cierto, cree que la trato como a una esclava romana porque espero que se comporte como una dama.

Ryan subió un escalón.

—Oh, eso está muy bien, viniendo de alguien que no ha demostrado precisamente las cualidades de un caballero.

Mientras Alexandra veía cómo el vestíbulo se iba llenando de gente, una mujer de cabello castaño se acercó discretamente. Alexandra la observó con curiosidad. No era hermosa en el sentido tradicional. Desde luego, era mucho más interesante que eso. Vestía un traje amarillo con ribete de encaje blanco. Y, en medio de los altos y charlatanes Donally, irradiaba seguridad. Instintivamente Alexandra supo que se trataba de Rachel Bailey. La muchacha, como si intuyera que la estaba mirando, levantó la vista.

Sus miradas se encontraron. Sin decir una palabra, Rachel se abrió paso por el corredor atestado de hombres. Al verla, Ryan calló. Ella pasó de largo y empezó a subir por la escalera.

—Ryan. —Lo saludó con frialdad y siguió subiendo. Al llegar a la altura de Christopher, entrecerró los ojos—. ¿Dónde están tus modales, Christopher Bryant Donally? Tendría que darte vergüenza. —Su mirada furiosa se dirigió también a Ryan—. ¿No se te ocurrió pensar que tal vez hubiera sido prudente avisar a tu hermano de nuestra llegada?

Alexandra vio que el arrogante Ryan Donally se convertía en un dócil corderito. Christopher, cuyas bellas facciones habían parecido tan peligrosas y amenazadoras unos instantes antes, bajó la mirada a Alexandra.

Cuando hizo ademán de seguir subiendo, Rachel le detuvo.

—Oh, no, ni hablar, señor. Yo la llevaré a darse un baño. Y quizá mientras esperas podrías hacernos un favor a todos y darte un chapuzón en las aguas heladas del estanque.

El asunto quedó zanjado cuando el señor de la casa lanzó un reniego, entonces Rachel se dio la vuelta.

—Venga, milady. —Ayudó a Alexandra a ponerse de pie.

Alexandra trastabilló ligeramente con el abrigo de Christopher y lo levantó con el puño. Miró por encima del hombro a los dos hermanos, que seguían en la escalera, donde se habían enfrentado verbalmente, y permitió a desgana que la otra mitad de Donally & Bailey Steel and Engineering se la llevara.

12

Christopher se restregó el pelo con una toalla seca. Accedió a la casa por la entrada del servicio y subió por la escalera de atrás; eso le permitió escapar de su familia. Finalmente decidió que poco podía salvarse después de los acontecimientos de aquel día, y tampoco le apetecía intentarlo. Se dirigió a su habitación por el pasillo enmoquetado; llevaba puestos unos pantalones limpios y poco más. La puerta de su dormitorio estaba abierta una rendija.

Rachel se puso en pie cuando entró. Él se detuvo, sorprendido, y bajó la toalla. Rachel estaba sentada en un sillón, con uno de sus libros en la mano, leyendo. Era una mujer increíblemente bella. Christopher se preguntó cuándo se había hecho mayor.

—Me la encontré dormida en la cama —dijo Rachel—. Así que la he tapado.

Al punto, Christopher escudriñó la habitación. Alex dormía en su lecho. Las sábanas estaban húmedas, como si se hubiera metido en la cama nada más salir de la bañera. Por los criados sabía que no se encontraba bien.

Pasó de largo ante Rachel, apoyó la palma de la mano en la mejilla pálida de Alex y sintió que parte de la tensión abandonaba su cuerpo. Estaba tumbada de costado, hecha un ovillo contra la almohada, ajena al resto del mundo, a su aspecto o al hecho de que medio Londres podía estar buscándola en aquellos momentos. Sus cabellos estaban desparramados sobre la almohada, y el guardapelo descansaba justo por encima de sus pechos.

Christopher levantó el guardapelo y lo dejó reposar sobre su mano.

—Nunca ha aguantado bien la bebida. —Apartó la mano, dispuesto a caminar sobre las brasas si hacía falta para defenderla—. Ha tenido una noche muy dura. Déjala dormir.

Rachel lo observó con las cejas arqueadas.

—Por lo visto, no ha sido la única.

Mientras la mujer lo miraba de arriba abajo, Christopher cobró conciencia de que iba a medio vestir. No llevaba camisa. El pelo le goteaba sobre los hombros. Pasó ante ella para ir a su vestidor.

—Aunque no demasiado dura —dijo siguiéndolo con su voz—. Me apuesto mi renta para el próximo año.

Él sacó una camisa blanca de lana de entre una docena que estaban pulcramete dobladas en el estante.

—Te pido disculpas por la escena que has presenciado... —Se interrumpió, se metió la camisa por los pantalones y modificó sus palabras—: No, lamento que todos hayáis visto lo que habéis visto. Pero no tengo que disculparme por nada.

Fuera del vestidor, Rachel se había acercado al armario. Christopher oyó crujir la puerta cuando se apoyó contra ella.

—Ryan decidió hacer la reunión aquí por ti. Quizá tendrías que ser más diligente leyendo tus mensajes.

Él se puso los calcetines con un gruñido.

—Ha ido a buscar a Brianna —dijo levantando un poco más la voz, como si no pudiera oírla—. ¿La pillaste tratando de escaparse por la ventana? ¿Por eso estás tan enfadado?

Las manos de Christopher se detuvieron. Su mirada buscó refugio en las molduras de yeso del techo.

—¿Qué sabes tú de Brianna? —preguntó mientras se calzaba un par de botas altas.

—Siempre me ha gustado. En mi casa, solíamos bañarnos desnudas en el estanque.

Él levantó los ojos al techo.

—No quiero saberlo, Rachel.

—¿Que nadábamos desnudas? ¿O que se escabullía por la ventana?

Mientras se arreglaba uno de los puños de la camisa, Christopher volvió a la puerta del vestidor.

—Ninguna de las dos cosas.

—Cuando vuelva, tendrías que hablar con Ryan.

—Hoy Ryan ha estado totalmente desacertado.

—Tú también, Christopher. —La voz de Rachel se puso tensa—. Yo también soy accionista de D&B. Y si no comprendes nuestra preocupación, entonces, francamente, es que has perdido el juicio. O la memoria. Y me consta que tus hermanos no.

Agradeciendo tener algo que le distrajera, Christopher colocó los gemelos en la camisa. Se había dejado el cuello abierto.

—No sé, Rachel. Quizá tengas razón.

—¿Estuviste casado con ella?

Arqueando una ceja, Christopher se entretuvo con la otra manga.

—Uno de los secretos de los Donally, supongo —continuó la joven al ver que no contestaba.

—¿Es que hay más?

—Imagino que unos cuantos —dijo ella sin mojarse.

Christopher se preguntó cuántas cosas sabría de su vida.

—¿Crees que esta vez podrás permanecer con ella y seguir con tu vida cuando las balas dejen de silbar? —Su expresión se volvió seria—. ¿O se trata de algo diferente?

Los ojos de Christopher buscaron a Alex, desnuda bajo las sábanas de su cama, en su casa. Totalmente inapropiada, y tan vulnerable como lo era el corazón de él. No había pasado ni un minuto sin que considerara la gravedad de sus actos o las consecuencias de su humor cambiante. O lo precariamente cerca que estaba de perder el control. Y sin embargo, por mucho que su mente tratara de justificar aquello por el deseo de venganza, sabía que sus razones para estar con ella eran mucho más profundas.

Después de tantos años, Alexandra seguía fascinándole.

A los veintiún años estaba tan enamorado de ella que no podía pensar con claridad. Para alguien como él, ella representaba lo prohibido. A los treinta y dos, veía las cosas más claras, y sin embargo seguía haciendo que sintiera cosas que una docena de mujeres más bellas y más adecuadas nunca le harían sentir.

—No, no se trata de otra cosa. —Sus ojos volvieron a Rachel, y Christopher supo con absoluta certeza que aquellas palabras eran la verdad.

Sea lo que fuere lo que sentía, no era venganza lo que buscaba.

Quizá era paz. O una forma de poner fin al pasado.

Un nuevo comienzo. Una oportunidad.

Él sabía que Alex era suya. Él había sido su primer amor. Su marido. El padre de su hijo.

Había sido todas esas cosas.

Y sin embargo no habían sido suficientes para que permaneciera a su lado.

Los ojos de color avellana de Rachel se suavizaron.

—Ve abajo con tu familia, Christopher. Creo que necesitas estar con ellos.

Christopher le hizo alzar el mentón.

—¿Por qué estás siendo tan buena?

—Pensé que te debía algo por haberme enseñado a montar cuando tenía cinco años. Incluso si luego me ignoraste el resto del tiempo.

Christopher cruzó los brazos y se apoyó en el marco de la puerta.

—¿Te acuerdas de aquello? Tendríais aproximadamente... ¿cuántos años teníais?

—El día que viniste a mi casa a ver a tu padre éramos por lo menos seis niñas chillonas que estábamos deseando matar a tu caballo del susto. No tuviste más remedio que dejarnos montar. Y me subiste al caballo la primera.

Sí, Christopher se acordaba. Seis niñas chillonas con tirabuzones y volantes y embadurnadas de chocolate. Casi le hicieron caer del caballo. Él tenía dieciséis años y acababa de recibir la notificación de que le aceptaban en Woolwich. Fue a buscar a su padre a la casa de Rachel con su nuevo uniforme.

—Me rompiste el corazón cuando te incorporaste al regimiento y me dejaste en manos de Ryan. ¿Cómo crees que aprendió a boxear tan bien? Me estuvo utilizando como saco de boxeo.

—¿Por qué mi hermana no podía parecerse un poco a ti, Rachel?

—Yo no soy tu hermana, Christopher.

Dejó que sus ojos se encontraran.

—Para mí lo eres. —Él sabía que el deseo de sus familias era que se casaran. Era algo que todos habían dado por sentado. No se le habían escapado las miradas de adoración de Rachel, y siempre achacó aquel enamoramiento al hecho de que lo veía como un héroe. Y seguía viéndolo igual.

Con un suspiro, Rachel se puso de puntillas y le besó en los labios antes de apartarse lentamente.

—Ve con tu familia, Christopher.

Alexandra se despertó por el ruido de unos niños que jugaban en el exterior. Aún tenía el pelo húmedo del baño. De algún lugar llegaba el suave tintineo de cristales. Un tenue olor a mirto delataba la presencia de Christopher. Acurrucándose contra la almohada, se subió las sábanas perfumadas y yació en una dicha absoluta una docena de segundos más, antes de que sus ojos se abrieran de golpe.

Miró a su alrededor y sintió que se quedaba sin aliento. Se había dormido. La brisa susurraba contra las cortinas de damasco esmeralda y convertía los cristales de las lámparas que había junto a la cama en música. Estaba en un lecho con baldaquino y un cubrecama del mismo damasco esmeralda de las cortinas que enmarcaban las grandes ventanas.

Solo se había tumbado un momento después del baño. Estaba desnuda bajo las sábanas.

Se sentó en la cama, y los cabellos le cayeron sobre los hombros en mechones gruesos y húmedos. Se llevó las manos a la cabeza; sentía un dolor sordo. La habitación estaba algo oscura por la proximidad del ocaso.

Dios. Estaba en la cama de Christopher, en su casa, y su familia estaba abajo. Se giró para mirar el reloj con estructura dorada que había visto en la mesita y se quedó petrificada.

Brianna estaba sentada en el borde de una silla de damasco blanco, con las manos cruzadas sobre el regazo. La miraba con una sonrisa vacilante.

—Milady.

—Brianna. —Envuelta en la sábana, Alexandra se llevó las rodillas al pecho—. Lo último que había oído es que estabas confinada en tu habitación a pan y agua.

Llevaba sus cabellos negros en un recogido con rizos y un primoroso sombrerito a juego con su moderno traje de viaje salpicado de violetas. Dándose unos toquecitos apresurados en la nariz, la joven se irguió.

—Ryan me trajo hace unas horas —dijo, y casi pareció que se estaba disculpando por su atuendo—. Christopher dormía abajo, en el salón... No pretendo entrometerme, milady, pero necesitaba desesperadamente hablarle. Por eso he esperado.

Alex se sentía incapaz de soportar ni un momento más la angustia que veía en el rostro de la joven.

—No tienes por qué disculparte —dijo.

—Oh, sí, he de hacerlo. Después de todo lo que ha tenido que pasar por mi culpa... —Su pecho subió y bajó—. No fui del todo sincera cuando le pedí que me acompañara a la feria. Tendría que haberle contado la verdad.

—Sí, es cierto.

—Tenía la esperanza de que el señor Williams aparecería. Pero pensé que no querría venir si se lo decía, y tampoco estaba segura de que él fuera a ir. Así que, en cierto modo, no la engañé del todo.

—Sí lo hiciste.

Los dientes blancos de Brianna mordisquearon el labio inferior.

—Y ¿qué es la vida sin un poco de aventura?

—Felizmente aburrida, muchas gracias.

—Querrá decir opresiva.

Gimiendo para sus adentros, Alexandra dejó caer la cabeza sobre las rodillas. Ahora que había conocido a Rachel Bailey, no se sentía del todo responsable por la filosofía liberal de Brianna en el tema de sociedad. Desde luego, fuera donde fuese que aquella joven impresionable había pasado su juventud, había tenido acceso a bastantes libros.

—¿Sabe Christopher que he permitido que veas al señor Williams casi todos los días en estas últimas semanas? —Alexandra arqueó una ceja.

Briannna bajó la vista, avergonzada.

—Le dije a Christopher que usted no sabía nada de Stephan. Por favor, no le diga que le he mentido. Porque entonces se pondría doblemente furioso. Mi hermano es un tirano, milady, en un nivel similar a Nerón en el que fuera el noble bastión de Roma.

—Sí, algo he oído decir. —Alexandra se echó hacia atrás los pesados mechones de pelo—. Pensé que habías dicho que Christopher dormía cuando llegaste.

—Y dormía, hasta que Ryan lo despertó.

—Entonces, ¿habéis discutido?

—Más o menos, milady. —Brianna se puso a jugar con la manga de su vestido—. Le dije que me escaparía con Stephan y nos casaríamos si se le pasaba por la imaginación llevarme lejos de Londres.

Alexandra gimió.

—Y le acusé de no haber estado nunca enamorado. ¡Porque ningún corazón que haya conocido el amor puede mostrarse tan cruel!

El aliento de Alexandra se heló.

—¿Y qué pasó?

—Nada. —Brianna siguió con el dedo el motivo floral de su falda—. Fue Ryan quien me dijo que no estoy preparada para presentarme en sociedad y que debo volver a Carlisle. Y luego me dijo que subiera y relevara a Rachel hasta que usted se despertara.

¿Rachel estaba allí? Como había descubierto un rato antes, Rachel Bailey no era la criatura sencilla e infantil que Christopher le dio a entender en una ocasión.

Sintió un peso en el estómago. Se miró las manos; había comprendido que Brianna ya no la necesitaría. ¿Qué pasaría con el trato que había hecho con Christopher y sus prometedores comienzos al presentar a Brianna en sociedad? Porque lo cierto era que había empezado a disfrutar. Y entonces se dio cuenta de que ya no tendría excusa para ponerse la ropa que había comprado.

—Milady. —Brianna se acercó al lecho y se sentó—. No podía soportar pensar que me odiaría.

Alexandra la abrazó; la joven hundió el rostro con desolación en su hombro y apoyó el mentón en su frente.

—Entiendo muchas más cosas de las que crees.

Un suspiro sacudió los hombros de Brianna; entonces se incorporó y le dedicó una mirada furtiva.

—Entonces, ¿aún somos amigas? ¿Incluso si me he comportado como una tonta?

—El amor nunca ha contribuido a mejorar la inteligencia de nadie. —Aquella joven bondadosa era deliciosamente melodramática—. ¿Cuándo te vas?

—No lo sé. —Se encogió de hombros—. Supongo que cuando Rachel esté lista.

—Entiendo.

—Milady —Brianna se pasó la base de la mano por el rostro—, ahora que hemos aclarado la cuestión de nuestra amistad... —Se echó hacia atrás para sentarse bien y cruzó las manos con recato sobre el regazo—. Si me permite el atrevimiento... ¿cómo es que llegó aquí sin vestido?

Alexandra se miró, y la realidad volvió a pasar a un primer plano en su pensamiento.

—Me temo que lo poco que quedaba de mi vestido está en algún lugar entre aquí y Epping. Para mi disgusto, lo tiré desde el carruaje.

—¡Milady! ¿Y qué hizo Christopher?

—Me dejó su abrigo.

Y luego se paseó delante de toda su familia con el aspecto de una meretriz. Comportándose como si lo fuera, y eso después de acabar de salir de la cárcel. Solo la muerte la habría podido salvar de tanta desdicha. Pero no, Dios en su infinita sabiduría había preferido mantenerla con vida para que pudiera seguir poniéndose en evidencia y vomitar en la bonita alfombra de Christopher.

—Me alegro de que esté aquí —dijo Brianna creyendo que Christopher la había invitado para compartir algo parecido a una saludable jornada en compañía de su familia—. Tengo algo para usted. Vuelvo enseguida.

La puerta se cerró y, con un suspiro de resignación, Alexandra volvió a quedarse sola en la habitación de Christopher. Miró a su alrededor y cruzó las muñecas sobre las rodillas. Del exterior llegaban las risas de los niños.

Christopher tenía gustos caros en cuestión de muebles. Helechos y delicadas plantas crecían abundantemente sobre el tocador y el armario de Chippendale. Una colección de picantes acuarelas chinas le hizo sonreír levemente. Nunca había conocido a nadie que coincidiera tanto con ella en su gusto por lo exótico.

Oyó un nuevo estallido de risas procedente del exterior y sintió curiosidad. Siguió el sonido de bolas de madera que chocaban unas con otras. Envolviéndose bien en la sábana, fue hasta la ventana y apartó las cortinas sigilosamente.

Cinco niños de diferentes edades jugaban al croquet junto a la terraza. La sombra de la inmensa casa de piedra caía sobre los jardines. Alexandra clavó la mirada en la arcada que formaban los olmos, donde había empezado a congregarse la niebla, y vio que Christopher estaba sentado junto al belvedere que daba al estanque. Llevaba botas de montar y parecía como si acabara de llegar de los establos; sin embargo, con aquel atuendo se le veía tan desenvuelto como en las salas de reuniones de la élite de los negocios de Londres. Tenía a una niña en los brazos. Y otra agarrada a la pierna. A un lado, un hombre alto con un atuendo similar; al otro, un hombre y una mujer. La mano de Christopher descansaba cariñosamente sobre la cabecita de rizos oscuros de la niña, y se veía claramente el afecto que sentía por los dos pequeños.

—Son las gemelas de mi hermano Johnny. —Brianna se acercó a la ventana con ella—. Christopher es un héroe entre sus sobrinas. Johnny es el cuarto de los hermanos. Su hijo mayor tiene siete años. —Señaló a la otra pareja que había bajo los olmos—. Esos son Colin y su esposa. Colin es banquero. —Y acto seguido procedió a localizarle a sus cuatro vástagos—. Mi otro hermano, David, viene justo después de Christopher en el árbol familiar de los Donally, y tomó los votos hace unos años. No ha venido todavía. Ryan, su prometida y Rachel han salido a montar. Él y Christopher han tenido una terrible discusión. Y me temo que por una vez yo no he sido la causa.

Alexandra se apartó de la ventana, dejando que la cortina volviera a su sitio.

—Al principio resulta todo un poco abrumador —dijo Brianna, que la comprendía perfectamente—. Al menos hoy no hay narices que sangran ni ventanas rotas. —Se volvió hacia la ropa que había dejado sobre la cama—. Pero, claro, esta es la casa de Christopher. —Le dedicó a Alexandra una sonrisa mordaz—. Conociéndolo, seguro que les ha metido el miedo en el cuerpo a Nathaniel y Matthew, los hijos mayores de Colin. Son tremendos, lo rompen todo. Esta tarde iremos juntos a misa, y mañana todo el mundo se marchará.

Alexandra se oprimió las sienes, donde el dolor era cada vez más intenso.

Una extraña clase de histerismo empezaba a adueñarse de ella. Y no era simplemente porque no pudiera ir a su iglesia.

O porque prefiriera evitar las multitudes.

O por la certeza de que, aparte de su afecto por Christopher, no tenía nada en común con aquella gente. En una ocasión fueron muy crueles con ella. Y no le gustaban.

Todo aquello, aquella faceta de la vida de Christopher, era tan nuevo para ella... Y contradecía totalmente la imagen que tenía de él, del hombre que esa mañana le había hecho el amor en el carruaje, un hombre con una afición desmedida por los reniegos y que la hacía alcanzar el clímax dos veces.

Siempre había sabido que la familia y la religión eran una parte importante de Christopher, que era lo que le había dado fuerzas para recuperarse. Pero Alexandra solo conocía lo que había compartido con él. Poder verlo desde esta nueva perspectiva le permitió entender mejor su carácter y comprender a qué se estaban enfrentando. Sintió que se le hacía un nudo en el estómago.

Fue una sensación extraña, comprender que pertenecía a un mundo totalmente distinto al de ella.

Donde los enfrentamientos abiertos eran la norma.

Donde la gente comía con los dedos y no veía nada raro en el hecho de machacar a un hermano o arrojarlo por la ventana de un primer piso. Incluso si había sido por accidente.

Y, sin embargo, no había ninguna duda del amor y la lealtad que había entre ellos. Enfrentarse a uno, significaba enfrentarse a todos.

En cambio, Alexandra, durante toda su vida, solo había tenido a su padre. En su casa incluso los hijos del personal de servicio se comportaban apropiadamente. Lord Ware imponía más que la mismísima ira de Dios.

Pero ¿cómo sería su padre si su nieto hubiera vivido para dejar su huella en las enormes casas vacías donde habían pasado sus vidas? ¿Habría suavizado el hijo de Christopher las aristas del mundo de su padre?

Nunca lo sabría.

—Milady. ¿En qué piensa?

Alexandra levantó la vista. No recordaba haberse sentado en la cama. Brianna le estaba enseñando un vaporoso vestido rosa que parecía salido de una floristería de Regent Street. La miró asustada.

—Seguramente usted nunca se pondría la mayoría de la ropa que tengo aquí. Pero este vestido es muy alegre. Nadie se dará cuenta de que es muy corto.

Y fue así, como si la luz del sol hubiera derretido el frío de sus dudas, como la tensión que sentía se fue convirtiendo en algo mucho más palpable.

—Desde luego, es muy rosa. ¿Verdad?

Brianna la miró.

—No dejará que la intimiden, ¿verdad, milady? —Quizá se estaba acordando de la última vez que Alexandra se había enfrentado ella sola al clan Donally—. Por favor, milady. Salga conmigo, como mi amiga.

¿Avergonzaría a Christopher si se presentaba ante su familia?

Alexandra tocó la tela sedosa del vestido.

—No me has preguntado por qué fui a Carlisle hace tantos años —dijo en voz baja—. ¿Por qué?

—Estaba enamorada de mi hermano. —Los ojos azules de Brianna la miraban con expresión grave—. Y no necesito más razones para que usted me guste, milady.

Más que ninguna otra cosa, Alexandra había tratado de ocultar sus lágrimas. Y había decidido que no se amedrentaría. Pero las palabras de Brianna la convencieron de otra cosa, y es que no pensaba disculparse.

Sea lo que fuera que había sucedido entre Christopher y su

padre —porque sospechaba que la fisura que había entre ellos dos era mucho más profunda de lo que los acontecimientos recientes parecían indicar—, no pensaba permanecer en las sombras.

Y, después del numerito de aquella tarde con Christopher, valía la pena ver la cara que se les quedaba a todos cuando la vieran aparecer vestida como una flor de primavera recién cortada.

—¿Es que no tienes una puñetera botella en esta casa?

Christopher escuchaba con paciencia mientras su hermano registraba hasta el último armario de la biblioteca; tenía las piernas sobre la otomana de cuero, la cabeza apoyada en el respaldo de su asiento y sujetaba un vaso de limonada fría contra la sien. Le dolía la cabeza. Casi se había dormido cuando la voz de Colin lo despertó de un susto.

Por encima de la montura de las gafas vio que su hermano se acercaba a la mesa.

—Ahí tampoco encontrarás nada.

Colin era una versión en mayor de Ryan, y ese parecido físico era lo único que compartía con el resto de la familia. Colin era la persona menos mecánica que conocía. Pero era un buen padre, se le daba bien el trato con la gente y era un genio con los números. A diferencia de David, que había dejado el negocio familiar de forma repentina para tomar los hábitos, Colin era el responsable de las finanzas de D&B.

—Y no creo que sea pecado si por un día permaneces sobrio, Colin Donally —dijo una voz femenina desde detrás de Christopher. Meg, la fiera mujer de Colin, siempre tan protectora, se acercó y le puso a su marido un vaso de limonada en la mano—. ¿Desde cuándo ha necesitado un Donally refuerzos para superar una jornada? ¿Dónde está tu hombría?

—Reducida a polvo —farfulló Colin—. Como la de Johnny y Ryan. ¿Los has visto por algún sitio? Seguramente se han ido a la taberna del pueblo a reponerse.

Christopher cerró los ojos y siguió masajeándose la sien. La presencia de Alex era como una espesa niebla que circulaba por la casa. No sabía si se sentía molesto por la poca compasión de su familia o en realidad estaba en perfecta armonía con ellos. Por el momento no se decantaba por ninguna de las dos cosas. Aceptaba que no estaba en sus cabales, de modo que prefirió ser prudente y resistir el impulso de defenderse de nuevo ante otro miembro de la familia.

Además, Meg se mostraba fervientemente protectora con Rachel.

Su mirada se posó en el nuevo vaso de limonada que le dio su cuñada.

—Bueno, ¿cuándo vamos a casar a Rachel y a terminar con este disparate? —preguntó muy a propósito, con ojos de un verde llameante.

—Meg —dijo él con tono de advertencia.

La mujer se llevó sus pequeños puños a las caderas.

—No me mires así, Christopher Donally. ¿Qué se supone que tenemos que decir o pensar cuando te presentas aquí con esa… con esa mujer?

—Nada, Meg. Se supone que no tienes que decir nada.

Así que la conversación decayó y pasó a los informes que Christopher tenía en la mesa, un tema que en realidad tampoco le interesaba.

Meg recogió los vasos y se acercó a la ventana.

—Ryan, Colin y Rachel no se están emborrachando en la taberna local —anunció—. Están en la terraza. Brianna ha bajado en compañía de su alteza.

Christopher fue hasta la ventana. Le sacaba la cabeza y los hombros a la diminuta figura de su cuñada, y miró por encima de su cabecita pelirroja.

Los hijos de Johnny y Colin habían interrumpido su partida de croquet para mirar. Al principio no reconoció a Alexandra. Sus cabellos claros formaban un recogido algo suelto en lo alto de la cabeza y caían en mechones rizados. Pero fue el espantoso vestido que llevaba puesto lo que llamó su atención. El simbolismo de que vistiera de un virginal rosa y con volantes no se le escapaba.

Alexandra se cogió un mechón de pelo y se lo sujetó detrás de la oreja; entonces, levantó la vista y sus ojos se encontraron a través del cristal. Una mirada suya y todo lo demás dejó de existir. Las comisuras de su boca se curvaron levemente.

Reconocía una expresión combativa en cuanto la veía.

No lo esperaba de ella.

Y una parte de él habría querido hundir el rostro en todo aquel despliegue rosa de bravuconería. En aquel momento, delante de toda su familia.

Ese era el problema, decidió mientras se obligaba a apartarse de la ventana. Que no podía pensar más allá de su erección.

Meg le observaba. Y por la expresión preocupada de sus ojos Christopher supo que había interpretado perfectamente su mirada.

—Los niños nunca han estado tan cerca de la realeza —dijo la mujer.

—No es de la realza, Meg. —Se volvió para irse.

Los dedos de Meg lo aferraron del brazo.

—Nunca será una de nosotros, y estás en un país donde apenas te has ganado el derecho a voto. Y, a juzgar por todos los problemas que te ha acarreado, podría ser el mismo demonio...

—Margaret. —Colin miró a su hermano con expresión de disculpa—. Por favor.

—No soy la única que lo piensa, Colin Donally. —Meg se volvió hacia su esposo—. No fuiste tú el que se pasó casi cuatro meses sentado junto a la cama de tu hermano cuando estuvo a punto de perder la pierna. Esas cosas no se olvidan.

—Meg —dijo Christopher con suavidad.

Ella se apartó con brusquedad.

—¡Ahora, si me disculpáis, me voy a la cocina, muchas gracias!

—Meg...

Su hermano corrió tras ella. Renegando por lo bajo, Christopher apoyó los puños contra el marco de la ventana y cerró los ojos.

—¿Tío Fer? —Una manita le tiraba de los pantalones.

Christopher miró abajo y se puso derecho.

La hija pequeña de Johnny le estaba mirando; tenía los ojos azules muy abiertos y el vestido manchado de hierba. Todos los niños le llamaban Fer. La niña volvió a tirar.

—¿Qué pasa, Katherine? —La cogió en brazos.

—Rachel quiere que vengas a jugar con nosotros.

—¿Ah, sí? —Ya podía imaginarse el desastre que se avecinaba.

—Sí. —Con sus ojos azules a la misma altura que los de él, la niña enredó un dedo en su pelo y asintió—. Y quiere que vayas ahora.

13

—Rachel... —Ryan cruzó los brazos—. ¿Crees que podrías demostrar un poco de modestia ante nuestra invitada?

—Ryan Donally, el día que te pongas miriñaque para jugar al croquet, yo haré otro tanto. —Rachel se quitó el miriñaque y se sujetó los bordes de la falda de seda amarilla a la cinturilla del vestido, dejando al descubierto los tobillos cubiertos por las medias y las zapatillas amarillas. Su mirada se encontró con la mirada perpleja de Alexandra—. ¿Juega usted al croquet, milady? Como puede ver, estamos a punto de empezar un partido.

—Seguro que no le interesa. —Ryan se apartó de la pared de piedra en la que estaba apoyado—. Brianna y Johnny juegan conmigo.

—Imposible. —Brianna se arregló la falda y se sentó junto a la prometida de Ryan en la terraza—. Dado que oficialmente estoy castigada a pan y agua... —aceptó el vaso de limonada que le ofrecía el criado—, es impensable que me permitáis divertirme. Además, por mí, tú y Christopher podéis saltar desde el tejado de la casa. —Suspiró—. No os pienso dirigir la palabra a ninguno de los dos.

—Estupendo. —Ryan levantó los ojos con exasperación—. Veo que tu estancia en Londres te ha suavizado mucho el carácter, Brea. Eres un verdadero encanto.

Rachel le dio unos toquecitos en el brazo.

—La señorita puede formar parte de tu equipo.

—Rachel... —Ryan se dio la vuelta y entró en la zona del césped con la mirada puesta en Alexandra, tan tieso como si le acabara de picar una serpiente—. Milady... —le hizo un gesto con la cabeza—, ¿sabe al menos cómo sujetar el mazo?

Alexandra se ofendió. Ryan Donally podía tener ese aire decadente que hacía que las mujeres se volvieran a mirarlo, pero tenía los modales de un mono. Se había mostrado de lo más rudo con ella desde que Brianna la invitó a bajar con ellos.

—El croquet es el principal entretenimiento entre los embajadores del mundo entero, señor Donally. —Alzó el mentón. Ya había tratado con otros como él, y no se habría apocado ni aunque hubiera desatado sobre ella todos los infiernos—. Me crié prácticamente mamando de un mazo.

La mirada oscura del hombre la recorrió de arriba abajo sin ningún recato. Nada de hipocresías.

—¿En serio, milady? Pues no parece de las que se ponen a jugar en la hierba.

—De verdad, Ryan... —Rachel cogió un mazo y dio un toquecito a una de las bolas—, ¿no podrías ser un poco más borde?

—Pues sí, podría. Pero me contendré. —Ryan se inclinó en una reverencia caballerosa ante Alexandra. Llevaba sus oscuros cabellos sujetos en una cola—. Mis disculpas, lady Alex. —Aquello era una mofa, no una disculpa—. Pero si usted mamó de un mazo, yo mamé de una teta de plata.

—Déjala en paz, Ryan —dijo una voz masculina—. No le haga caso, cielo.

Brianna había presentado a Alexandra y John Donally un rato antes, cuando conoció a las niñas. El hombre se acercó y le pasó un mazo verde. Era tres años más joven que Christopher, alto, pelo negro y rizado y unos ojos oscuros con las espesas pestañas de los Donally. Incluso subida a un escalón, Alexandra tenía que levantar la cabeza para mirarlo.

—Tiene usted valor, cielo. En Inglaterra nadie se atreve a jugar con nosotros.

—No deje que la asusten, milady —la animó Brianna—. Los Donally siempre juegan a vida o muerte.

Alexandra cogió el mazo. Aquella gente estaba loca.

De pronto Ryan miró a algún punto por detrás de Alexandra. No le hizo falta volverse para saber que Christopher estaba allí, ni que la tocara con sus manos para sentir el calor de su proximidad. Su presencia cayó sobre ella como un viento caliente del desierto. Estaba en todas partes.

—Coge un mazo, Chris —dijo Johnny, como si tratara de aliviar la tensión repentina—. Íbamos a jugar una partida.

Hubo un momento de silencio, y finalmente Alexandra lanzó una mirada furtiva a Christopher.

—¿Me he perdido algo? —le preguntó él.

—Me han invitado a participar en vuestro campeonato de croquet.

Sin decir palabra, Christopher miró uno a uno a sus familiares. Ryan levantó las manos.

—Yo no he sido.

Tras quitarle el mazo, Christopher se lo pasó a Johnny.

—Si no os importa, tengo que hablar un momento con su señoría.

Alexandra entró con él en la casa; tenía los ojos fijos en su perfil. Ya se había fijado en la facilidad con que su acento cambiaba cuando estaba con su familia.

Cuando se encontraba con ellos no era la misma persona que cuando estaba en el despacho, o con ella. Alexandra sintió una punzada de celos.

Tras entrar en la casa por las puertaventanas, Christopher la hizo pasar a una sala luminosa pintada de azul cielo. Allí todo era azul y blanco, desde las cortinas hasta la moqueta. Alexandra miró a su alrededor maravillada. El sofá y la tapicería de las sillas eran del azul y el blanco de la cerámica de Delft. Christopher cerró las puertas tras ellos, y eso la sobresaltó. Se dio la vuelta.

Él se había apoyado contra la ventana con parteluces y tenía los brazos cruzados. Sus ojos parecían haber adoptado el azul de la habitación.

—No tienes por qué hacer esto, Alex. Puedo llevarte a tu casa. En realidad, preferiría que ya te hubieras ido. Es tarde, y seguramente nadie sabe dónde estás…

—No.

—No tienes que demostrarnos nada.

—Desde luego que sí. El señor Donally, Ryan, ese… ese individuo de ahí fuera ha insultado mi honor. Es una cuestión de principios.

Christopher se oprimió el puente de la nariz entre los dedos, como si tuviera que hacer un gran esfuerzo para no gruñir. Finalmente, la miró, vio la postura decidida de sus hombros y su mirada se relajó.

—¿De verdad sabes jugar al croquet?

Ella se quitó unas pelusillas rosas de la manga.

—Si puedo desenterrar civilizaciones enteras, seguro que soy capaz de empujar una bola de madera por la hierba con un palo. No puede ser tan difícil.

—Un mazo. Las cosas hay que llamarlas por su nombre.

Parte de la tensión abandonó el cuerpo de Christopher. Sus ojos descendieron por el vestido de Alexandra y volvieron a su rostro arrebolado. En aquel acto había cierto grado de contención, y a Alexandra se le aceleró el pulso.

—Para lo que has pasado, no tienes mal aspecto. —Se acercó tanto que Alexandra tuvo que alzar el rostro para mirarle—. ¿Qué tal el estómago?

—Brianna me dio una sopa y pan. Me siento mucho mejor. Incluso si me he puesto en evidencia… —De pronto sus ojos se abrieron desmesuradamente, porque él la cogió y la apartó del cristal, donde todos la veían—. ¿Qué haces?

—No lo sé, Alex. —Apoyó las palmas contra la pared, a la espalda de Alex—. Me resulta difícil pensar lo que tengo que hacer cuando te veo con un vestido de mi hermana. —Le separó de la piel la parte superior del corpiño y asomó la cara.

—¡Christopher! —Alex le empujó, furiosa al ver que se tomaba a broma una situación tan angustiosa.

Él cruzó los brazos sobre el pecho. En sus ojos Alexandra vio algo parecido a la ternura.

—¿Por qué tienes tantas ganas de salir ahí afuera?

A pesar de sus emociones encontradas, una parte de su ser había despertado y había alzado la cabeza sobre la complacencia con que había llevado su vida hasta entonces. Quería que la aceptaran como habían aceptado a Rachel. Aunque era preciso reconocer que lo sucedido aquella mañana no había contribuido precisamente a mejorar la opinión que todos tenían de ella. Pero ahora aquello no importaba. No se dejaría intimidar.

—Tienen todo el derecho del mundo a estar furiosos —dijo él, leyendo en su corazón como si se lo acabara de abrir para su examen—. No justifico su comportamiento, pero entiendo cómo se sienten. Yo he sentido lo mismo.

—¿Y aún lo sientes?

El codo de él le rozó el antebrazo.

—No lo sé. —Christopher apretó la mandíbula y finalmente apartó la mirada—. Tal vez.

—Mi padre hizo algo a tu familia, ¿verdad? De eso se trata. No es porque nos vieran besándonos esta mañana.

—Es mucho más complejo que eso. —Se puso las manos en las caderas y agachó la cabeza contra el hombro, como si tuviera una pena muy honda—. Hay muchas cosas que tú no sabes.

—No tienes que protegerme. Esta también es mi lucha...

—No —su dedo le rozó los labios—, no lo es.

—Christopher. —Le tocó los botones de la camisa, deseando aplacar la tensión que de pronto había entre ellos—. Yo no soy mi padre.

Alguien golpeó el cristal. Alexandra estuvo a punto de morderse la lengua del susto.

Christopher se apartó de la pared. Era Ryan.

—¿Venís o no? —Su voz se oía amortiguada por el cristal.

Se había quitado la chaqueta y el chaleco y llevaba abierto el cuello de su camisa blanca.

—Danos un momento. —Christopher devolvió su atención a Alexandra.

—Maldita sea —dijo Ryan—. No estaría de más que salierais antes de Navidad.

Miró a Alexandra de soslayo y entonces se apartó del cristal y se fue.

Alexandra entrecerró los ojos.

—Tiene una lengua y un carácter terribles.

Los dedos de Christopher le hicieron volver el rostro hacia él.

—Alex…

Ella levantó la vista a aquellos ojos tan azules y sintió que una sonrisa afloraba a sus labios.

—Me recuerda a ti.

Finalmente, Christopher meneó la cabeza y decidió no sacar el tema del que quería hablar con ella.

—Ven aquí. —La llevó hasta la ventana y apartó las cortinas—. ¿Ves aquellos aros que hay colocados en el patio? —Le puso una mano sobre el hombro y con la otra señaló el extremo del patio. Su aroma la envolvía, y Alexandra tuvo que obligarse a concentrarse en sus palabras y no en el hecho de que su boca casi le rozara la mejilla—. Nosotros jugamos al croquet por equipos. Así no nos peleamos, y nos aseguramos de que al menos tres sobreviven.

—Ya veo —dijo ella, preguntándose algo nerviosa si no estaría bromeando. No, no bromeaba. Evidentemente todos los Donally estaban cortados por el mismo patrón.

—El objetivo es lograr que la bola pase por los diferentes aros y llegar al poste del otro extremo, y entonces hay que regresar al poste de salida antes que el otro equipo. Ningún equipo puede ganar hasta que todos hayan regresado al punto de partida. Y eso significa que todos tienen que cooperar.

—Y golpear la bola, y no al contrario.

Christopher se volvió a mirar al patio con una sonrisa apagada.

—Si alguien del equipo contrario toca una bola tuya con una suya, consigue un tiro libre, como cuando pasas un aro.

—Vale. —Alexandra asintió, estudiando el campo de juego con la seriedad de un gladiador preparándose para el combate—. Puedo hacerlo.

Los nudillos endurecidos de Christopher se deslizaron por la mandíbula de Alexandra y le hicieron volver el rostro para besarla. Un beso cálido y posesivo que la dejó sin voluntad, sin nervios, sin dudas, hasta el punto de que se encontró devolviendo el beso con igual apasionamiento.

Alexandra abrió los ojos y vio la mirada divertida de Christopher sobre sus labios. Luego la miró a los ojos.

—¿A qué ha venido eso?

Él le dedicó una sonrisa licenciosa. La sujetó por la cintura y la atrajo hacia sí.

—Esto es porque ahora voy a salir ahí fuera y te daré una paliza. —La miró a los ojos—. No estaremos en el mismo equipo.

—Veo que en estas cosas eres igual de modesto que en todo lo demás. —Y su boca se entreabrió en una sonrisa recatada—. Pero no soy tan fácil.

Solo que en realidad sí lo era.

Cuando Christopher andaba cerca era como si se derritiera. Y por la mirada que le dedicó antes de que salieran supo que él lo sabía.

Alexandra estaba en medio de la fuente, y metió el mazo entre dos querubines de piedra, buscando el mejor ángulo para sacar su bola de su cautiverio. En el otro lado del patio, Rachel y Ryan estaban en un reñido combate. Colin se unió al grupo. En aquel momento, Ryan, que era el que más cerca estaba del poste, era el objetivo del equipo atacante. La mirada de Alexandra se detuvo un instante en la parte posterior de la cabeza de Christopher, que estaba inclinado muy cerca de Rachel. La brisa le pegaba la camisa a los hombros.

Sin hacer caso del nudo que tenía en el estómago, se concentró en la bola. Había intentado tomarse con mentalidad abierta el afecto que Rachel sentía por Christopher. Aquella familiaridad era normal entre personas que se conocían de toda la vida. Tal vez Rachel lo viera incluso como un héroe.

También había intentado tomárselo con mentalidad abierta cuando Christopher envió su bola al jardín de azaleas y luego a la fuente.

Y si alguien le hubiera dicho hacía un mes que estaría en una fuente, con el agua hasta las rodillas, a horcajadas sobre un querubín de piedra, intentando golpear una bola de madera mientras otros adultos normalmente inteligentes iban por el patio haciendo otro tanto, no se lo habría creído. Ni en un millón de años.

Su miriñaque había seguido hacía rato el mismo camino que el de Rachel y estaba tirado en la terraza. Tenía las rodillas manchadas de hierba de arrastrarse entre los arbustos. El resto de la familia de Christopher, los que estaban cuerdos, se habían ido hacía una hora a misa. Nadie se dio cuenta de que el sol se ocultaba entre los árboles, y cuando Ryan levantó la vista entre las petunias, se dio cuenta de que estaban jugando a la luz de la luna.

Estos eran los equipos: Alexandra, Ryan y Johnny, contra Christopher, Colin y Rachel. Y por primera vez en su vida Alexandra supo lo que era estar en una familia en la que se machacaban los unos a los otros con alegría. Una familia cuyos miembros, en el otro mundo, ejercían de ingenieros, arquitectos y banqueros altamente educados. Que horas antes le habían parecido casi normales.

¿Y ella? Le traía sin cuidado quién ganara, siempre y cuando no fuera del equipo contrario.

—¿Crees que alguien se daría cuenta si cambiara mi bola de

sitio? —le preguntó a Johny, que estaba con su bola sobre una capa de mantillo, contemplando la batalla.

El hombre le dedicó una mirada divertida y se acercó.

—Si tú no dices nada, yo tampoco lo haré, cielo.

De pronto, el combate del otro lado del césped se detuvo y todos los ojos se volvieron a ellos.

—Eh, vosotros dos, no estaréis pensando en hacer trampas, ¿verdad? —gritó Colin.

—Me ofendes —espetó Johnny antes de que Alexandra tuviera tiempo de abrir la boca y confesar su pecado—. Sobre todo porque todos hemos visto cómo tú desplazabas tu bola al menos treinta centímetros del otro lado de ese rododendro.

—El arbusto está en una pendiente. Es la gravedad la que ha movido la bola...

—Con la ayuda de tu pie, por supuesto. —Ryan se acuclilló para estudiar un surco en la hierba. Las mangas de su camisa se veían blancas a la luz de la luna—. Además, pensar en hacer trampas no es lo mismo que hacerlas. No se puede colgar a la gente por pensar.

Con un golpe, hizo pasar su bola por un aro. Hizo dos jugadas más, y entonces su bola chocó contra una piedra y se desvió a la izquierda, lo que impidió que le acertara a la bola amarilla que había en su camino. Lanzó un reniego.

—Te equivocas, Ryan. —Rachel se inclinó con su mazo en las manos—. El mes pasado colgaron a un hombre de Bristol precisamente por eso.

—¿Por qué? ¿Por hacer trampas en el croquet?

—Asesinato —dijo ella escuetamente. Su bola chocó con un clic contra la de Ryan.

—Maldita sea, Rachel. ¿No podrías ir a por otro? Es la cuarta vez que me tocas.

Sin hacerle caso, Rachel se situó entre él y la bola. Aprovechó el turno de más para pasar por otro aro y luego volvió a darle a la bola de Ryan.

—Su mujer se había desplomado en el gallinero más muerta

que un muerto —siguió diciendo, apoyando su pie con delicadeza sobre la bola para que no se moviera—. Dos días más tarde, encontraron al marido en una postura bastante comprometida con la nodriza. En el mismo sitio.

—Mejor ahí que en el corral de los cerdos.

—Cuando le preguntaron por la muerte prematura de su esposa, dijo que él solo lo había pensado. Que habían estado discutiendo y, claro, en tales circunstancias, ¿qué hombre no habría pensado en el asesinato? Eso bastó para que lo declararan culpable. —Rachel sacudió su mazo. La bola de Ryan desapareció entre la niebla—. La arrogancia masculina no tiene límite.

—A lo mejor ahí lo que acabó pesando más fue el hecho de que el hermano de la mujer fuera el sheriff. Leí sobre el caso en el *Times*.

Christopher cruzó los brazos y miró a Ryan muy enfadado.

—La próxima vez pon a esas dos en el mismo equipo.

Rachel se volvió.

—Su turno, lady Alexandra.

—Y la ganadora tendrá el privilegio de alardear —se recordó a sí misma.

—Una vez hubo un joven de Bristol que quiso presumir de pistola —dijo Colin tratando de desconcentrarla.

Alexandra se detuvo y rió.

—Era lisa y suave. Pero se le disparó demasiado pronto...

—Vamos, Colin —se quejó Ryan—. Para ya de pensar en el excusado y deja que juegue.

—Solo es una treta, cielo —dijo Johnny junto a Alexandra—. No dejes que te asusten. Tú golpea cuando estés preparada.

—Eso —replicó Christopher. A diferencia de los otros, no había dicho más de diez palabras en todo el partido—. Tendrás que disculpar la crudeza de ciertos impresentables que hay en este campo de juego.

—Vaya, y eso lo dice el rey de los degenerados —se mofó

Colin—. ¿Cómo era aquello que contaste de aquel elefante de Nantucket? —Hubo un estallido de protestas—. ¿O lo de la tal Lorelei de ojos color esmeralda y lo que realmente sucedió con todos aquellos desventurados marineros?

—Y encima lo explicaste delante de nuestra pobrecita Rachel. —Ryan pasó de largo ante Rachel para ir a buscar su bola—. Que prácticamente aún llevaba pañales.

—Por mí puedes decir lo que quieras, Ryan Donally. —Rachel cuadró los hombros—. Pero no soy yo la que ha quedado relegada a los jardines del patio de Christopher. No soy yo quien va a perder.

Alexandra volvió a concentrarse en el juego y miró su bola. Quizá carecía del espíritu combativo y la destreza verbal de los Donally, pero no se compadecía de sí misma. Después de haber sido la más maltratada aquella jornada, se las había ingeniado para aprender las normas del juego. Sorprendentemente, solo hizo falta un golpe desde abajo para sacar su bola de la fuente adonde Christopher la había enviado. La bola rebotó sobre unas rocas a mitad de la colina y, entre los gruñidos del otro equipo, cayó sobre la hierba.

Sin que el enemigo le hiciera caso por no considerarla una amenaza, Alexandra pasó por la mitad de los aros de vuelta al punto de origen sin que la molestaran, atenta siempre a los avances de Christopher. Él situó su bola justo en su camino.

Alexandra levantó la vista hacia el rostro de Christopher. Él le devolvió la mirada con una sonrisa sensual, curvando las comisuras de su hermosa boca. Alexandra sintió una sacudida de deseo, que se reflejó con claridad en sus ojos. Casi se olvidó de que estaban totalmente vestidos en el patio, y que la familia de Christopher los miraba. Era tan engreído... Sobre todo porque sabía que ella estaba deseando darle una paliza en el campo de juego.

—Díganos, milady. —Colin dio un golpecito a su bola—. ¿Cómo es que a una mujer de su posición se le despertó el interés por desenterrar huesos? Es una ocupación extraña.

—¿Por qué? —Rachel se llevó una mano a la cadera—. ¿Porque es una mujer?

—Maldita sea, Rachel, no lo he dicho como un insulto —protestó Colin.

—Rachel está muy sensibilizada con el tema porque una vez encontró un fósil. —Ryan hizo chocar los dientes para hacer un sonido particular—. Grandes dientes.

—Si lo sabrás tú. —Colin sonrió—. Te costó cincuenta jodidos chelines comprárselos.

Rachel rió. Alexandra se dio cuenta de que, de pronto, todo el mundo parecía interesado por su respuesta. Sin apartar la mirada de la expresión desafiante de los ojos de Christopher, pensó en Champollion estudiando la piedra Rosetta, en el entusiasmo que debió de sentir cuando finalmente descifró los jeroglíficos. O lo que Schliemann esperaba conseguir algún día en su búsqueda de Troya.

En aquellos momentos, ella lo único que quería era que llegara su turno para poder golpear la bola de Christopher.

No quería explicar el desastroso rumbo que había tomado su carrera y se las arregló para evitar la cuestión totalmente.

—Lo que yo hago es más académico que el trabajo de campo. Y es muy interesante si te gusta reunir montones de muestras de hojas. Los dientes serían aún más fascinantes.

—A Christopher le encanta coleccionar ese tipo de cosas. —Johnny jugó su turno. Se puso derecho—. ¿Qué fue lo que encontró D&B hace dos años en una de sus obras en Londres? Tuviste que venir personalmente de Carlisle. ¿No es así como empezaste a relacionarte con ese individuo del museo, el tal Atler?

—Ajá. —Ryan gruñó—. La policía pensó que habíamos descubierto una fosa común. Y clausuraron la obra. Luego resultó que solo era una cámara funeraria bajo los cimientos de lo que había sido la enfermería de una abadía. El episodio habría tenido su gracia de no ser porque la paralización de las obras nos costó miles de libras.

Pero ni ella ni Christopher estaban escuchando. La odiosa bola azul de él la miraba desde la hierba como el ojo de un cíclope.

Y le tocaba a ella.

Christopher le dedicó una sonrisa traviesa.

—Tendrás que hacerlo muy bien para tocarme.

A su alrededor, la conversación se detuvo.

Como si acabara de darse cuenta de que la bola verde y la azul estaban muy cerca, Ryan interrumpió el juego.

—¡Alto!

Al punto, Ryan y Johnny se acercaron para una reunión de equipo con ella. La estrategia era sencilla. El objetivo estaba claro. Alexandra escuchó a Ryan, sintiendo su aliento en la sien, y asintió. Para los Donally conseguir una victoria era un asunto muy serio.

Pero, entre el momento en que Ryan y Johnny la incorporaron a su equipo y el momento en que se alejaron, algo inesperado había aparecido en el corazón de Alexandra. Se había producido un cambio extraño y fiero en su universo. Sentía envidia.

Durante todos los años que ella y Christopher habían permanecido separados, y ella, una jovencita asustada de dieciocho años que había fracasado en su único intento de lograr la independencia, había tratado de rehacer su vida, él siempre tuvo una familia a su lado.

A ella nadie la había abrazado. Nadie le había arrancado el miedo del corazón. En aquel entonces Richard estaba en el internado. Y tuvo que superar su dolor ella sola.

Quizá eso la había hecho más fuerte. Quizá no. Hasta ese momento, había disfrutado de su soledad. Pero estar allí con Christopher y los suyos había sido como descubrir un oasis en medio del desierto. Y quería beber.

—Milady, es para hoy.

Se había desconcentrado, y sus dedos se aflojaron sobre el mazo. Ryan agitó los brazos para detener el juego de nuevo, y él y Johnny se la llevaron a un aparte. Ella se rió, porque la trataban como si acabara de arrollarla un carruaje.

—No se nos irá a ablandar, ¿verdad, milady? —preguntó Ryan.

Alexandra los miró, miró a Christopher. Estaba tan guapo a la luz de la luna...

—Por supuesto que no —les aseguró.

—Cielo —la voz de Johnny era grave—, su trabajo es distraerte.

—Exacto —dijo ella, encantada, preparándose para la victoria.

Una vez solucionado este tema, Alexandra tomó posiciones con su mazo. Apuntó, golpeó la bola.

Y falló.

Así de simple, había fallado. Y aquel instante de gloria desapareció con la misma rapidez con que había llegado.

Con la punta del dedo, Christopher le cerró la boca. Con una sonrisa lenta y sensual. Caliente y posesiva, mientras sus ojos pasaban de la bola a su rostro.

—Eso ha estado muy mal, Alex —se conmiseró, y lanzó su bola contra la de ella.

Alexandra estaba tan furiosa que le dieron ganas de coger su bola y arrojarla al otro lado del césped. ¡No, quería acertarle a Christopher entre los ojos!

Christopher no podía ganar como una persona normal. Era el hombre más suficiente, vanidoso y presumido que había visto en su vida. Y no soportaba perder frente a él. Ya se había olvidado de las palizas que le daba en otro tiempo con el ajedrez, y lo furiosa que eso la ponía. Una vez, le tiró el tablero en el regazo porque a él le hizo mucha gracia comerse a su reina.

—Ya has golpeado mi bola dos veces. —Aferró su mazo.

Una oscura ceja se levantó mientras Alexandra le hacía rodear el aro.

—¿Tantas?

—Supongo que no podré convencerte de que me dejes llegar hasta el poste.

Alineó su bola con la de ella y le sonrió.

—¿Quieres intentarlo?

Consciente de la presencia de los otros, Alexandra se acercó más y se inclinó ante él. Christopher olía a trébol y hierba.

—Mi misión es distraerte.

Christopher golpeó su bola con el mazo, y de paso envió la bola de Alexandra bien lejos, hacia el jardín. Solo que la bola rebotó contra una piedra, salió disparada como un proyectil y rompió la bonita ventana de parteluz que daba a los jardines.

Alexandra se cubrió la boca con la mano.

—Mierda —oyó que renegaba Christopher.

—Bueno, Christopher —la alegre voz de Brianna saludó en medio del silencio y la perplejidad de todos—. Diría que esto te convierte oficialmente en uno de los niños.

Alexandra se dio cuenta de que el resto de la familia ya había regresado de la misa y los observaba desde la terraza. Sus ojos buscaron a Christopher. Colin le dio una palmada en la espalda.

—Eso te enseñará a no importar el cristal de Venecia, hermanito.

—Estoy asombrado por tu pericia. —Ryan pasó de largo ante él—. Ahora seguro que ganas.

Tres turnos más tarde, las palabras de Ryan se convirtieron en realidad. El juego había terminado. Alexandra vio que el equipo ganador celebraba su victoria, riendo y dándose palmadas en la espalda, pero con comedimiento.

Ryan le pasó el brazo por los hombros.

—No hay nada peor que un ganador que fanfarronea. Nunca, nunca fanfarronees. Papá siempre lo decía.

—Ajá. —Desde detrás, el brazo de Johnny se unió al de Ryan—. Hoy se nos ha portado muy bien, milady. Pero que muy bien.

Ryan ladeó la cabeza con gesto picaruelo.

—La próxima vez que pase por el museo creo que hasta le dejaré que me lleve en una visita guiada. Y puede que done mi fósil para que lo estudie.

Ella se rió; sentía una profunda calidez en el pecho. Aunque formaba parte de la competición, disfrutó participando de aquella camaradería.

Colin se detuvo ante ella e hizo una reverencia tomándola de la mano.

—Milady —dijo con una blanca sonrisa.

Además del pelo negro y las pestañas, ese era el rasgo común a todos los Donally. Unos dientes blancos perfectos.

—Me gusta su carácter. No me importaría tenerla en mi equipo algún día. —Colin miró a sus hermanos—. Y vosotros dos podéis limpiarme las botas cuando hayáis acabado aquí.

Ryan hizo un gesto obsceno con el antebrazo. Sin decir palabra, Alexandra observó cómo Johnny y Ryan se separaban de los demás y empezaban a recoger los arreos del juego. Evidentemente, estaban acostumbrados a hacerlo.

En un extremo, Rachel levantó la vista y, casi por accidente, Alexandra la pilló mirándola. Había estado hablando durante toda la partida. Pero, bajo el resplandor dorado de las luces que salían de la casa, la joven no parecía tan segura de sí misma como por la mañana o durante el juego. Alexandra se dio cuenta de que le gustaba.

—Gracias por invitarme a jugar.

—Es un placer, milady. —Rachel aceptó el brazo que Ryan le ofrecía y, mirando hacia atrás, dijo—: Espero que no la hayamos abrumado. —Su voz sonaba cadenciosa. Y a su lado Alexandra se sintió más inglesa que nunca.

Con qué rapidez desapareció el halo de gloria.

Christopher estaba apoyado contra el muro de piedra de la terraza, con los brazos cruzados. El corazón de Alexandra se aceleró. Al llegar a su altura, Colin y Rachel aminoraron el paso en los escalones de piedra. Y cuando siguieron andando y pasaron a la terraza, Christopher se volvió para seguirlos con la mirada. Alexandra contempló su perfil. La luz que salía de la casa le iluminaba la mitad del rostro. Johnny pasó también ante él, y Christopher le lanzó su mazo de croquet.

—Lo quiero bien limpio —fueron sus instrucciones.

—Nunca te he dado motivos de queja, ¿no?

Alexandra se acercó, tocó el muro y lo notó mojado bajo sus manos. Al levantar la vista, su mirada se encontró con la de Christopher. Se había remangado la camisa al iniciarse el juego y, durante unos instantes, su conciencia de él como hombre, como amante, como antiguo marido, hizo que todo lo demás se desvaneciera. Habría querido subir a su habitación y yacer desnuda en su enorme lecho, envuelta en el satén esmeralda, en su cuerpo.

—Has jugado muy bien esta noche —le dijo él.

La brisa hizo que algunos mechones volaran ante su rostro.

—Tú también. Ha sido una pena lo de la ventana.

Él se volvió para mirar el ventanal. En ningún momento hizo ademán de tocarla. Sintiéndose algo incómoda, Alexandra fingió estar concentrada en un cuadrado de piedra.

—¿Qué importa un viaje más? —La risa de Christopher no parecía divertida—. Venecia es una ciudad romántica. Fabrican un bonito cristal.

—¿Vas allí con frecuencia? A Venecia. Buscando romanticismo. —Consciente del rumbo que estaba tomando la conversación, Alexandra miró por encima del hombro. El patio estaba casi vacío—. Tendría que ayudar a recoger.

—Deja que lo hagan ellos. —Christopher la detuvo—. Lo tienen por la mano.

El olor a pollo a la brasa y pan recién hecho inundó sus sentidos. Ese día había comido muy poco. Estaba por invitarse a cenar ella misma. Había cien razones por las que habría querido quedarse y participar de la fiesta. Y solo una que podía disuadirla.

Christopher no le había pedido que los acompañara. Ni Brianna.

Nadie se lo había pedido.

Apartó las manos de la pared.

—Reconozco que estos dos últimos días han sido muy interesantes. Me gusta tu familia.

—Afortunadamente, solo nos reunimos para las bodas, los bautizos, los entierros y alguna reunión ocasional. Eso nos deja libres los otros trescientos días del año. —Su mirada bajó a los pies descalzos de Alexandra.

Riendo, ella movió los dedos sobre la hierba.

—Estoy empapada.

—¿Es eso cierto?

Ella levantó la vista bruscamente. Él arqueó una ceja, y Alexandra resistió el impulso de volverse a mirar para ver si alguien lo había oído.

—Por la fuente.

Desde el interior de la casa llegaban las risas de los niños mientras jugaban. Una película de frío parecía haberse posado sobre sus brazos.

Mientras trataba de controlar su confusión, Alexandra se dio cuenta de que habían llegado a un punto muerto. El torbellino de emociones que los había arrastrado se disipó en las frías corrientes de la realidad. Brianna no volvería a Londres para la temporada de la ciudad. Alexandra había fracasado en su parte del trato.

—No es necesario que me acompañes a casa —dijo en voz baja—. Tendrás tu carruaje de vuelta en unas pocas horas. ¿Cuándo volveré a verte?

—Ryan y yo estamos preparando las reuniones de la semana próxima por el proyecto del Canal. Estaremos en contacto.

—Christopher… —No se le había ocurrido que quizá él no querría volver a ponerse en contacto con ella—. Tendremos que renegociar nuestro acuerdo. ¿No lo olvidarás?

—Jesús, Alex. ¿Es lo único que te importa?

La hostilidad de su voz la sorprendió. Trató de controlar el escozor que sentía en los ojos.

—Tú sabes que no.

—No has tenido nada que ver con las indiscreciones de mi hermana. No tengo intención de faltar a mi parte del acuerdo. De verdad, Ryan y yo tenemos trabajo.

—No me debes nada.

—Claro que sí.

—Christopher… —Se apartó el pelo de los ojos—. Nunca digo nada a derechas. No sé qué me está pasando.

—¿No lo sabes? —Dio un paso hacia ella y la rodeó con sus brazos—. Me siento como un idiota, Alex. —Su voz era un susurro ronco contra su pelo. Ella lo abrazó con fuerza y apoyó la mejilla contra su corazón—. No puedo invitarte a que cenes con nosotros. ¿Crees que esto es fácil para mí? Pues no lo es. ¿Crees que una partida de croquet lo arregla todo? No es así. Tú eres tú. Yo soy yo. No hay suficiente terreno común entre nosotros para que andemos jugueteando alegremente. Lo de hoy es un ejemplo perfecto de lo condenadamente jodido que es el mundo.

—Chris. —Johnny se acercó con una capa en las manos. Alexandra miró a uno, luego al otro, y se pasó una mano por la mejilla—. Te necesitan dentro —dijo el hermano—. Ahora.

Christopher se apartó de ella. Pero sus manos siguieron enlazadas entre los pliegues de su falda.

—Tendréis que empezar sin mí. Voy a llevar a Alex a su casa.

—No creo que sea buena idea.

Rachel y Brianna aparecieron en la puerta de la terraza. Alexandra intuyó una extraña quietud en la casa. La clase de quietud que precede a la tormenta.

O a la batalla.

—Es hora de que se vaya. —Johnny le echó la capa sobre los hombros.

Algo estaba pasando. Christopher se volvió cuando vio que Ryan y Colin salían a toda prisa y con expresión tensa.

—Lord Ware está aquí. —Ryan se estaba poniendo una chaqueta—. Llegó hace unos minutos.

—Cabrón —siseó Colin—. Hay que tener mucha cara para presentarse aquí.

¿Su padre?

¿Allí?

El corazón de Alexandra quería salírsele del pecho.

Johnny le apoyó las manos en los hombros.

—Es mejor que dé la vuelta por fuera, milady.

Ella asintió y se puso los zapatos.

Christopher se quedó donde estaba, con una expresión que ni era hostil ni afable, y no hizo ningún esfuerzo por detenerla. Apartando con dificultad la mirada del rostro de Christopher, Alex bajó dos escalones y se quedó petrificada.

Su padre estaba en el césped, mirando. Su aspecto, con el abrigo puesto, bajo la luz de la luna, mientras la niebla empezaba a bajar, era imponente. Una fría sensación de alarma le subió por la espalda y le oprimió el pecho. Vio que Ryan sujetaba a Christopher del brazo.

—Sube al coche, Alexandra —dijo su padre con una voz que destilaba ira—. Me ocuparé de ti cuando lleguemos a casa.

—¿Qué haces aquí, papá?

Su padre avanzó un paso hacia Christopher.

—Irlandés malnacido. ¡Por Dios que haré que te...!

—¡Papá!

En un intento desesperado de detenerlo, Alexandra lo aferró del brazo. Sabía que Christopher no pelearía con su padre. No le levantaría el puño a un miembro de la Cámara de los Lores, y menos delante de su familia. Pero no estaba tan segura con respecto a Ryan y Johnny.

—¿Cómo se te ocurre entrar en una casa llena de niños a hacer acusaciones ridículas? —le susurró—. ¿Atacas a Christopher? ¿Por qué?

Su padre la miró. Luego miró los dedos que le aferraban del brazo. El hombre llevaba un sombrero de copa bastante calado sobre los ojos. Alexandra nunca había visto unos ojos tan llenos de ira.

—Sube al carruaje, Lexie.

—No si no vienes conmigo, papá.

Alexandra siguió sujetando con fuerza el brazo de su padre hasta que finalmente el hombre se volvió. Caminaron hasta la parte delantera rodeando la casa. Rachel y Brianna habían entrado por la terraza y estaban esperando junto al carruaje. Rachel se había cambiado de ropa y lucía un traje de noche de satén azul. Era la viva imagen de una dama. Y parecía asustada. Colin y Ryan salieron por la puerta principal y se quedaron en los escalones.

—Milady. —Brianna hizo una reverencia. Tenía las pestañas salpicadas de lágrimas—. He disfrutado mucho de su visita. Gracias por permitirme que la trajera hoy aquí.

Alexandra no podía soportar mirarla a la cara. Se dio la vuelta y subió al carruaje. Para cuando el carruaje llegó al límite del camino de acceso, solo Brianna y Ryan seguían allí, y siguieron mirando hasta que el coche desapareció de la vista.

Cerrando los ojos con fuerza, Alexandra trató de recordar alguna ocasión en que se hubiera sentido más humillada por los actos de su padre. O en que le hubiera visto despreciar públicamente a alguien como acababa de hacer con Christopher. En un gesto de desesperación, se pasó el dorso de la mano por la cara.

—No merece que lo trates así. —La luz parpadeante de la lámpara enmarcaba su reflejo en el cristal—. Te has equivocado.

Su padre se quitó el sombrero y lo arrojó a un lado.

—He despedido a Mary y a Alfred. No tolero la desobediencia ni las mentiras. Si cuando lleguemos los encuentro todavía en la casa, haré que los detengan por violar una propiedad privada.

Alexandra apoyó la espalda contra el asiento de terciopelo, furiosa por las libertades que su padre se había tomado con su servicio.

—Dime, papá —cruzó las manos sobre el regazo—, ¿qué hiciste para que la familia de Christopher nos odie tanto? ¿Para que te tengan tanto miedo?

—¿Te has acostado con él?

—¡Cómo te atreves! ¿Me convertiría eso en alguien del populacho, indigno de estar en presencia del gran lord Ware?

—¿Has dejado que se acueste contigo, Alexandra?

—¡Contéstame, papá!

—A mí me está dejando por idiota y a ti por una furcia.

—¡Basta!

—Esto es lo que quería ese cabrón irlandés, ¿no es cierto? Convertir a la hija de lord Ware en una puta cualquiera.

Alexandra le dio una bofetada.

Apartó la mano, horrorizada, y trató de respirar dando boqueadas. Las lágrimas le escocían en los ojos. Nunca en toda su vida había pegado a nadie; nadie le había pegado. La violencia de sus emociones la asustó.

Sin decir palabra, su padre se metió la mano en la chaqueta, sacó un paquete marrón y lo arrojó a su lado.

—Léelo. —Se limpió el labio con un pañuelo.

Con manos temblorosas, Alexandra sacó un puñado de documentos. Fue pasando las páginas, con el corazón desbocado, sintiendo que el nudo que tenía en la garganta se hacía cada vez más grande.

—Esto no tiene sentido, papá. —Hablaba en voz muy baja, a causa del pánico—. El dinero que hace falta para hacer esto... ¿por qué?

—Dos de mis inversiones se han ido a la ruina. Él tiene la maldita hipoteca de nuestra casa de Londres. El dinero que pedí prestado para mi última expedición a Borneo. Él es el dueño de mi reputación en los bancos y los clubes...

—Entonces, ¿por qué no ha exigido que saldes tus deudas con él? ¿Que liquides la hipoteca?

—Evidentemente mi influencia política le será mucho más útil. —Apretó la mandíbula en un gesto de ira contenida—. Me partí la espalda luchando en la provincia de la Frontera Noroeste. Donally no sabe con quién se está metiendo.

—Utiliza el dinero del fideicomiso, papá. No hay razón

para que sigas endeudado. Volveré a recuperarlo antes de que nadie se dé cuenta. O deja que se lo quede todo, no me importa. Podemos vivir en otro sitio.

—Aunque pudiera tocar tu dinero, no lo haría. Se trata de mi reputación, y eso vale mucho más que cualquier suma de dinero.

—No creo tus insinuaciones —dijo al tiempo que tiraba el paquete.

Alexandra sintió un escalofrío. No creía que Christopher estuviera ejecutando una especie de venganza ni de chantaje; en su corazón sabía sin lugar a dudas que no era culpable. Pero el hecho de que aquello sucediera precisamente cuando ella estaba teniendo problemas en el museo… era como una terrible coincidencia cósmica. La reaparición de Christopher en su vida, los robos en el museo, su presencia en el consejo de administración…

Se miró las manos, que aferraban con fuerza la falda. No sabía por qué, pero todo la llevaba a Christopher. Y de pronto sintió que alguien estaba jugando a un espantoso juego con su vida.

Estuvo por hablarle a su padre de los robos en el museo. Pero se contuvo. Lo conocía demasiado bien. Sin duda encontraría la forma de implicar también a Christopher.

—Lexie… siempre nos las hemos arreglado para superar nuestras diferencias —dijo su padre en tono distante.

Alexandra levantó la vista y se apartó el pelo de la cara. Su padre tenía su pesado bastón entre las rodillas, y su mano descansaba sobre el león del puño. Le temblaban las manos.

—He hecho lo posible por hacerte feliz, y a cambio tú has hecho que me sintiera orgulloso. Siempre hemos formado una asociación satisfactoria. Y para tu información, te diré que jamás me he permitido pensar en lo que sucedió en Tánger. Eras joven e impresionable, no fue culpa tuya. Pero ya no eres una niña.

—Nunca he sido una niña —susurró ella.

—No pienso pagar tus desvaríos. —Desvió su atención a la calle—. Si decides ponerte en evidencia, no seré yo quien lo impida. Pero no permitiré que lo hagas estando en mi casa, bajo el mismo techo que yo. —Dicho esto, se volvió para mirar su rostro perplejo y añadió—: Si crees que no me necesitas en tu vida, te equivocas. Si disfrutas de la independencia y el respeto que tienes es porque yo he confiado en ti lo suficiente para apoyarte.

—Le quiero, papá —dijo ella, deseando que su padre mirara en su corazón y viera cómo era realmente Christopher—. No me obligues a elegir entre los dos. Por favor.

—¿Tan desesperada estás que no ves lo que tienes delante de las narices? Se casará con otra. No creas que no me he informado de sus actividades. Sé más de él de lo que descubrirías tú en diez años. Nunca te pondrá por delante de su familia y su responsabilidad frente a su negocio. No lo hará, Lexie. No confíes en él.

—Vete al infierno, papá. —Se oprimió el costado con el puño—. Si le haces algo malo, lo que sea, te juro por mi vida que jamás volveré a dirigirte la palabra. Yo misma te arruinaré. Lo juro.

Su padre se inclinó hacia ella. Sus ojos se veían húmedos bajo la luz tenue del carruaje.

—¿Quieres que vayamos a la guerra, hija? —Su voz era ronca—. Que así sea. Intenta sobrevivir por ti misma. Tú decides.

14

Cuatro días después, a las nueve de la mañana, Alexandra pasó entre dos imponentes columnas corintias y entró en el vestíbulo de mármol y granito del First Bank de Londres. Hasta hacía unos días, el señor Tibley, el administrador de su herencia, había estado ausente, en su viaje anual por Italia. No había querido hablar con nadie más.

Alexandra se presentó en recepción y esperó a que la acompañaran arriba. Había muy pocas mujeres en el banco, y su presencia atrajo las miradas de la mayoría de los hombres que había en la sala. Con el estómago revuelto, Alexandra fingió interés por los diferentes cuadros que decoraban las paredes. La alfombra de Axminster amortiguaba el sonido de sus pasos. Las paredes estaban cubiertas de obras de Antonio Zucchi. Lo reconoció enseguida por el tema de la caza, tan típico de sus trabajos, del mismo estilo que los que su padre tenía en su biblioteca.

Le escocían los ojos. Christopher había regresado a Londres, y Alexandra sabía que esa semana tenía importantes reuniones. Aun así, le había hecho llegar un mensaje a través del personal del museo preguntando por su salud. Dos veces. Alexandra no había visto las notas hasta que empezó a sacar sus cosas de los baúles. Quien fuera que había escondido las notas entre sus cosas cuando abandonó la casa, era evidente que tenía miedo de lord Ware. La noche antes no había podido dormir. No había dormido desde que se fue de la casa de su padre.

Alexandra había tomado su decisión.

Nunca había tenido las cosas más claras.

La mayor parte de sus pertenencias estaban apretujadas en una casa de la ciudad que Richard le había encontrado cerca de la entrada posterior del museo. Por las noches dormía con una silla bajo el endeble picaporte de la puerta. A pesar de estar tan solo a unas manzanas de la sede de la policía metropolitana, cada ruido y cada sombra le parecían siniestros en su nueva casa. Por supuesto, también podía deberse al hecho de que estaba físicamente sola por primera vez en su vida.

Alexandra miró el reloj de la pared y recordó que tenía una entrevista con la redactora de *Vanity Fair* a mediodía. Su mirada se desvió hacia la escalera que subía a su izquierda. Esos días había estado muy ocupada en el museo. Para su sorpresa, el profesor Atler la había incluido en la inauguración de la exposición de El Cairo. Solo aquel primer fin de semana se esperaba que visitaran la exposición diez mil personas. Y al día siguiente tenían que recibir a otro reportero para otra entrevista. Si quería sobrevivir, no podía seguir viviendo al margen de la sociedad. Christopher tenía una vida, y ella también la tendría. Y, por lo que se refería a Mary y Alfred, había enviado una carta a una dirección que Mary le había dejado de una hermana suya que vivía en Devon.

—¿Lady Alexandra?

Alexandra se giró bruscamente al oír la voz. El señor Tibley estaba a su lado. Aunque medía por lo menos cinco centímetros menos que ella, seguía teniendo un aire de autoridad que en otro tiempo la había intimidado, al igual que le sucediera con el profesor Atler. Sin embargo, ese día no podía mostrarse apocada. Le ofreció su mano enguantada y solicitó educadamente hablar con él.

—Su presencia aquí no es una sorpresa —le dijo el hombre tras acompañarla a su despacho, en el piso de arriba—. La esperaba. La mayoría de las personas que van a heredar una suma tan elevada me visitan con cierta regularidad. Y desde mucho antes que usted.

—Sí, esa es una de las razones por las que estoy aquí. —Tras aceptar el asiento de cuero que había ante la mesa, Alexandra dejó su ridículo en el regazo. Nunca se había responsabilizado de sus gastos personales, y mucho menos del presupuesto de una casa—. Verá, ahora vivo sola.

El señor Tibley no pareció sorprendido.

—Su padre estuvo anoche en el banco.

Alexandra se quedó muy quieta.

—Entonces, ¿le ha visto?

—Ha suprimido su asignación.

Alexandra toqueteó su ridículo. Aunque sabía que eso iba a pasar, la noticia le hizo todavía más consciente de su situación.

—Milady, si le sirve de consuelo, traté de disuadirlo. Si lo desea puede enfrentarse a él. Es usted su heredera legal y tiene ciertos derechos.

Su padre también lo sabía. Pero quería dejar clara su postura. Desafiarla a que lo necesitara.

—¿Ha tocado mi cuenta personal?

—No, milady. Simplemente, ha dispuesto las cosas para que no reciba más ingresos.

—¿Puede mi padre bloquear mis cuentas cuando reciba mi herencia?

—El fideicomiso revertirá en usted cuando cumpla los treinta años. —El hombre se inclinó hacia delante y la silla de cuero crujió—. Su padre tendría que lograr que la declararan mentalmente incapacitada para impedir que tuviera acceso a la herencia que la familia de su madre le ha dejado. Pero permita que la prevenga, milady. Por ley, su padre puede mantener el control sobre su herencia como si fuera su marido. Sin embargo, en mi opinión, si quisiera su dinero, podría haber accedido a él como su tutor legal.

—No somos aristócratas venidos a menos —insistió ella con voz pausada—. ¿Por qué está tan endeudado?

El señor Tibley se recostó en el asiento y, tras cruzar las piernas, descansó un codo en el apoyabrazos de la silla.

—Lord Ware se ha visto obligado a poner buena parte de su renta en su propiedad de Ware. Además, tiene importantes deudas debidas a su expedición a Borneo. Luego están las aportaciones al museo y a la universidad. Ha pagado mucho dinero para asegurarse de que usted tenga todas las oportunidades de lograr el éxito, milady.

Los dedos de Alexandra apretaron el ridículo. ¿Cómo era posible que un hombre que había hecho tanto por ella hubiera destruido todo lo demás?

El señor Tibley permaneció en su sitio, esperando que Alexandra dijera algo.

—¿Milady? ¿Ha venido hoy aquí para pedirme algo en concreto?

Ella estaba sentada en el borde de la silla, hacia un lado, muy derecha.

—Quería saber si es habitual que una persona compre con carácter privado la hipoteca y las deudas de juego de otro.

—Se hace continuamente y, aunque quizá no sea muy ético, es legal.

—¿Y cuál es el propósito?

El hombre la observó por encima de sus lentes.

—Es una inversión.

O chantaje.

Alexandra digirió la información. La angustia que había sentido anteriormente volvía a estar allí. ¿Y si alguien quería arruinar a su padre como él creía?

—Deseo saldar las deudas de mi padre —dijo finalmente.

El señor Tibley se aclaró la garganta.

—Y no me diga que no es posible. O que heriré su sensibilidad. Ni un sinfín de excusas porque soy mujer. Puedo solicitar un préstamo a cuenta de mi herencia.

Le debía a su padre lo que había invertido en ella. Y se aseguraría de pagar la deuda.

Y luego no volvería a dirigirle la palabra.

—Por supuesto, milady. No soy quien para decirle lo que puede o no puede hacer. Pero hasta que la herencia revierta legalmente en usted, hay que notificarle a su padre cualquier movimiento.

—No quiero que se lo notifique. Sin duda tengo suficiente dinero en mi cuenta corriente para cubrir buena parte de los intereses por un año.

—No puedo permitirle un desembolso tan cuantioso. Mermaría de forma considerable sus recursos.

Alexandra se puso de pie.

—Esto es absurdo. —No soportaba aquellas leyes y aquella burocracia desfasada: te ponían la soga en el cuello y apretaban hasta que te ahogabas.

—Lady Alexandra... —El señor Tibley se levantó y le cerró el paso a la puerta—. Llevo treinta y cinco años trabajando en este banco. Si hiciera lo que me pide, no solo perdería mi trabajo, sino que ningún otro banco volvería a contratarme, ni siquiera en ventanilla.

—No tiene que explicarme nada.

—Espero sinceramente que comprenda mi posición. —La miró con expresión dubitativa.

Alexandra quería sentirse furiosa con él, pero en realidad era aquella sensación de impotencia lo que la ponía furiosa. Comprendía la situación de aquel hombre demasiado bien.

Miró el reloj de la pared y vio que debía apresurarse si quería llegar a tiempo a su entrevista.

—Si no es molestia, querría hacerle otra pregunta, señor Tibley. ¿Es posible que alguien adquiera los derechos sobre una hipoteca en nombre de otra persona sin que esa persona se entere?

—No entiendo la pregunta. Si lo que quiere saber es si es necesaria la presencia física de una persona para adquirir esos derechos, la respuesta es no. Este tipo de operaciones pueden realizarse a través de intermediarios.

Alexandra salió al vestíbulo y se dio la vuelta.

—Entonces, en teoría, alguien podría adquirir esos derechos y ponerlos a nombre de otra persona.

—En teoría sí, milady. Pero ¿para qué un subterfugio tan costoso?

—No lo sé, señor Tibley —dijo, pero estaba decidida a descubrirlo. Se volvió y lo dejó en el vestíbulo, viendo cómo ella se iba con expresión extraña.

Por más que Christopher despreciara a lord Ware, no era él quien estaba detrás de los ataques financieros contra su padre. Christopher era de los que te lanzan un gancho de izquierda en plena cara, jamás evitaría el enfrentamiento directo.

—¿No te divierte estar enterrada en las catacumbas de Londres?

El olor de la colonia de Richard flotó hasta ella. Alexandra miró por encima del borde dorado de sus lentes y lo vio en la puerta del laboratorio, donde ella estaba trabajando, encorvada sobre un molde. Extrañamente, iba vestido con un sombrío traje negro.

—No hay quien te encuentre —dijo.

La mirada de Alexandra volvió al molde. Un polvo blanco cubría la mesa de trabajo y el suelo.

—Tú me has encontrado.

Richard dejó caer una revista sobre la mesa. Tras detenerse solo un instante, Alexandra apartó la mirada y volvió a concentrarse en el escalpelo que tenía en la mano. Le dieron ganas de hundir el rostro entre las manos. La revista había salido a la venta aquella mañana. Christopher la iba a matar, y por Dios que tenía razón. Aquello no podía llegar en peor momento.

—Eso pensaba —dijo Richard—. La entrevista que concediste al *Vanity Fair* no tenía nada que ver con la exposición de El Cairo. ¿Cómo has podido dejarte engañar de esta forma?

—Vete, Richard. Estoy trabajando.

Durante toda la semana, diferentes fragmentos de su vida habían ido apareciendo en las columnas de cotilleos. Gracias a la posición intocable de su padre en la Cámara de los Lores, sus andanzas se habían convertido en un asunto de interés general. Primero, la exposición de El Cairo, en la que Alexandra había demostrado sus dotes intelectuales para acabar descubriendo que lo que realmente importaba era el color de su vestido; luego la gala de la Academia de las Artes, a la que tuvo la osadía de asistir sin una pareja.

Pero ¿por qué no iba a poder asistir sin un hombre del brazo? ¿O una carabina? Después de todo, ya era una solterona.

Y ahora aquello.

Y todo porque la habían visto en compañía de la hermana de Christopher en el salón de lady Wellsby.

Richard dio un golpe a la revista.

—Ahora que todo el mundo da por sentado que tienes una aventura con un insignificante soldado irlandés que en otro tiempo trabajó a las órdenes de tu padre, ¿crees que eso le ayudará o perjudicará sus esfuerzos por que lo acepten en sociedad? El marido agraviado y pobre que ya no es tan pobre, oprimido de nuevo por la autocracia cuando intentaba acceder a ella a través de ti. Y fracasa. Seguro que los poetas ya están escribiendo sonetos.

—Christopher no ha fracasado en nada.

—Ayer por la tarde sí.

Alexandra dejó lo que hacía.

—¿De qué estás hablando?

—D&B ya no compite por el proyecto del canal. La empresa de tu amado ya no pincha ni corta, como se suele decir. Hoy ha venido dos veces preguntando por ti.

Alexandra apoyó la frente contra la mano. Christopher había luchado tanto por aquel sueño... No era justo.

—Pero, a juzgar por su cara, seguramente es mejor que no le hayas visto. No parecía un hombre que viniera a visitar a su amada.

—De verdad, Richard, detesto tus sarcasmos.

—Bueno, ¿qué estabas haciendo? ¿Moldes de barro? —Se inclinó sobre el hombro de Alexandra y dio un bufido—. Una tarea realmente erudita para una mente tan brillante. ¿Has estado desenterrando plantas para el herbario o se trata de un proyecto personal?

—Es personal. —Se levantó del taburete y fue hasta el sumidero, donde había un cubo con agua turbia en la que se lavó las manos—. Como puedes ver, estoy muy ocupada.

Richard le puso la mano en el hombro.

—¿Por qué no me miras y me dices qué estás haciendo?

—Déjame en paz. —Le apartó la mano de un manotazo, y a ella misma le asustó su reacción—. No he hecho nada malo, salvo conceder una entrevista a un redactor sin escrúpulos. No supe cómo contestar a su pregunta.

—Pues el que fueras a la exposición inaugural de la Academia de las Artes sin escolta no fue precisamente una ayuda. Justo delante de tu padre. Pensé que no irías. Tu vestido rojo causó sensación.

Alexandra no levantó la vista para ver si realmente lo decía en serio. Por lo menos, se había puesto el vestido una vez antes de morirse de vieja.

—¿De verdad?

—Pues claro. Vestida de satén rojo, hasta mi madre me parecería arrebatadora.

—Tu madre era arrebatadora.

—Mi madre era una furcia que dejó a mi padre por un escultor de Florencia. Ni siquiera me acuerdo de ella. Aunque sé que el rojo era su color favorito. Odio el rojo.

—El vestido era de color borgoña.

Richard apoyó la cadera contra la mesa de trabajo.

—Con lo alborotada que estás, ya no me sorprende nada.

¿Cuánto crees que pasará antes de que mi padre se vea obligado a despedirte?

—Deja que piense. —Alexandra colocó el papel sobre el molde y empezó a frotar con el carbón—. Un día de estos, seguro.

Se apartó el pelo de la cara con el dorso de la mano y se levantó para ir a buscar más carbón a unos estantes. Había libros y diferentes diarios de campo apilados en enormes montones contra la pared.

—Al menos, si mi padre intenta bloquear la financiación para otros proyectos de Christopher, todo el mundo sabrá por qué lo hace.

Richard cruzó los brazos sobre el pecho y meneó la cabeza.

—Olvidas que Donally dirige una empresa. No necesita la ayuda de nadie para demandar a tu padre si se considera agraviado. Tu padre detesta los escándalos. Al admitir prácticamente que tú y Donally estuvisteis casados, le has humillado delante de los suyos.

—Lo siento si la verdad ofende —susurró Alexandra, frotando el carbón sobre el papel.

—Por desgracia, tú no eres un hombre. El hecho de que tú hayas dado la espalda a las convenciones sociales o legales no significa que no existan. —Le puso la mano sobre las suyas—. ¿Cuánto crees que pasará antes de que las personas equivocadas se enteren de lo de tu hijo? ¿O de que el responsable de D&B tiene una multitud de pecados que preferiría mantener ocultos?

Alexandra se había recogido el pelo en un moño apretado, pero sin la ayuda de Mary el resultado era más bien pobre. Largos mechones le caían sobre los hombros.

—Eso suena a preocupación. Pensé que no te gustaba.

—He cambiado de opinión cuando le he visto hoy. —Richard se metió las manos en los bolsillos—. ¿Se va a casar contigo?

—No es tan sencillo, Richard. —Apoyó la cabeza contra las manos.

Ojalá no lo hubiera visto aquel día en el museo. Ni hubiera accedido a ningún estúpido acuerdo. Ni hubiera jugado al croquet. Ni hubiera cometido el millar de errores que había cometido desde que Christopher había vuelto a entrar en su vida. Le aterraba pensar en la facilidad con que había vuelto a perder la cabeza por él.

—Ya no sé quién soy, no sé qué estoy haciendo, Richard.

—Y esto, ¿qué es esto?

Pestañeando, en un intento por hacer desaparecer las lágrimas, Alexandra cogió el papel con el que había estado trabajando sobre el molde. En carbón aparecía un dibujo muy claro. Alexandra lo sujetó en alto con expresión perpleja.

—¡El vaciado ha funcionado! —Acercó el papel a la luz—. Parece...

—La cabeza de un león —señaló Richard, en modo alguno impresionado.

—Exacto. —Alexandra reconoció la melena—. Pero, qué marca tan extraña.

—Es la marca registrada de Earnhart Baggins & Sons. La ponen en la suela de todos los zapatos y botas que producen.

—¿De verdad? —Alexandra levantó la mirada—. ¿Conoces a alguien que lleve zapatos con esta marca?

—Para comprarse un par de esos hay que tener mucho dinero, como los de tu clase. Baggins & Sons tiene una clientela muy exclusiva y adinerada.

—Encontré esta huella cerca de la ventana de mi casita. —Volvió un tarro boca abajo y una hoja cayó sobre la mesa de trabajo—. Y esta hoja estaba en el desván. —Se sujetó el pelo detrás de la oreja—. ¿Ves? La marca de barro coincide exactamente con el talón de esta huella. —Colocó la hoja sobre el molde del talón—. El hombre que dejó esta huella es el mismo que arrastró la hoja hasta el desván.

Él ladeó la cabeza para mirarla.

—Una hoja es una hoja, milady. —Meneó la cabeza—. Puede haber sido tu padre. ¿Quién sabe? Es posible que la hoja llevara días allí. ¿Por qué te preocupa tanto?

Con gesto distraído, Alexandra se pasó los dedos por el pelo y se deshizo el moño. Christopher también era lo bastante rico para comprarse zapatos de Baggins & Sons. Aquella noche la ventana estaba abierta. Y a ella no se le ocurrió preguntarle cómo había entrado. Quizá había sentido curiosidad y había subido al desván. Aunque, por alguna razón, no parecía tan descuidado como para arrastrar una hoja con el zapato.

—No sé. Supongo que tienes razón.

Ahora que sabía a qué clase de calzado correspondía la huella, todo parecía más lógico. Además, en su casita lo único que tenía eran libros viejos y antigüedades sin valor.

Richard se apartó de la mesa.

—Tengo que irme. —Había sacado su reloj de oro para consultarlo, y lo cerró—. En realidad, estos días tengo cosas importantes que hacer. Voy a dar unas conferencias en la universidad toda la semana.

—¿Tú? —Alexandra se volvió en el asiento—. Es estupendo.

—Lo sé. La idea de trabajar es una novedad para mí. —Volvió la mirada hacia ella, con las manos en los bolsillos—. Necesito dinero.

Alexandra arqueó una ceja, impresionada.

—Desde luego.

—¿Quieres acompañarme? No me iría mal contar con tu apoyo moral.

Alexandra se miró la ropa, cubierta de polvo.

—Tienes razón. —Richard asintió con el gesto antes de que ella pudiera decir nada—. No te preocupes.

Alexandra estaba por preguntar si tenía tiempo de cambiarse.

—Oh... —Richard volvió a entrar—. Hoy ha venido un policía preguntando por ti.

Su cabeza se levantó de golpe.

—¿Te ha dicho qué quería?

—Algo de una doncella sobre la que hiciste una declaración en abril. Dicen que la han encontrado.

—¿Dónde?

—En el Támesis.

15

Alexandra se sumergió entre el gentío del atardecer para volver a casa; el ruido de los omnibuses y los carruajes se mezclaba con el murmullo de las voces de la gente. Ese día, incluso los rateros, a los que nadie parecía querer, habían intentado quitarle su ridículo. Sujetándose la falda, bajó a toda prisa por el estrecho tramo de escaleras y, tras buscar a tientas la llave en su ridículo, finalmente abrió la puerta de su casa. Cuanto más pensaba en la visita del policía, más miedo sentía.

Cuando entró, la puerta se cerró de un portazo.

Alexandra se volvió, sujetando el ridículo con fuerza contra el pecho. Tuvo que reprimir el grito que estaba a punto de salirle de la garganta.

—¡Christopher!

Él estaba con la espalda contra la puerta, con los brazos cruzados sobre el pecho y una férrea expresión de contención en los ojos.

—Te recibiría con un saludo, pero es que aún no me has invitado a pasar.

Ella apartó la mano de su corazón desbocado.

—Me has dado un susto de muerte.

—Me alegro. A lo mejor eso te anima a poner una cerradura mejor en tu puerta.

—¿Cómo me has encontrado?

—Por tu secretaria en el museo.

Seguía apoyado contra la puerta, con los brazos cruzados; la perfecta raya de sus pantalones estaba en consonancia con el resto de su persona. Bajo aquella oscuridad, su expresión indescifrable no daba mucho pie al optimismo, rasgo que se acentuaba por las inconfundibles arrugas que rodeaban sus ojos. Había leído el artículo.

Estaba furioso.

Alexandra se sintió presa de emociones encontradas. Sabía que sus esfuerzos por ser fiel a su decisión de aceptar las consecuencias de sus actos estaban fracasando estrepitosamente. Pero ahora que se hallaba ante Christopher tampoco estaba dispuesta a sentirse avergonzada.

—¿Te gusta mi casa? —dijo en tono provocativo, tratando de desafiar la expresión crítica de sus ojos, consciente de que no estaba impresionado.

Había una mesa y una silla apoyadas contra la pared del fondo. Con la excepción del dormitorio y la pequeña sala de la derecha, tenía muy pocos muebles. Montones de libros polvorientos y viejas reliquias que en otro tiempo ocupaban su casa en las cocheras se amontonaban ahora en la habitación. Aún no había subido nada al piso de arriba. Pero, a pesar del poco espacio, las paredes estaban recién empapeladas y pintadas, y al suelo solo le faltaba una buena capa de barniz: aquella era su casa.

—¿Qué pasó entre tú y tu padre cuando os fuisteis de mi casa?

Alexandra dejó su ridículo cuidadosamente sobre un montón de libros.

—Mi padre y yo hemos seguido por caminos diferentes.

—Y qué más. Estás ligada a él por un jodido cordón umbilical. Siempre lo has estado.

El color abandonó su rostro.

—No tienes ningún derecho a decir eso.

—Tengo más derecho que nadie a decirlo. —Se metió la mano bajo la chaqueta y sacó una revista—. Ahora lo entiendo todo. Está claro que no tuviste ningún reparo en contarle mi vida a un periodista para devolverle el golpe.

Alexandra estaba perpleja, más por la conclusión a la que Christopher había llegado que por la revista que le arrojó a los pies.

—Y me entero de esto después de mi visita al depósito de cadáveres —siguió diciendo—. ¿Por qué no me dijiste que alguien había desaparecido en el museo y que tú fuiste la última persona en verla con vida?

—Hasta hace una hora no he sabido que estaba muerta.

—Bridgett O'Connell, o lo que quedaba de ella, fue encontrada ayer en una de mis obras. O se tiró al Támesis o la tiraron. El cuerpo estaba irreconocible, salvo por algunas partes de su uniforme de trabajo. Las autoridades creen que es ella. Pero podría ser cualquier vieja borracha que se ha caído al río.

—No es difícil calcular la edad de un cadáver. O la forma de la muerte —susurró Alexandra, sintiendo náuseas—, si hay alguna señal. Yo lo hago continuamente.

Christopher se apartó de la puerta.

—No te entiendo, Alex. Hay un robo en el museo. Horas después de descubrirlo, una mujer desaparece y tú eres la última persona que la ve con vida. ¿En qué te convierte eso sino en una maldita sospechosa? ¿O en un testigo?

—Pero ¿cómo se me puede considerar testigo de nada? ¡Lo último que sé es que aquella noche Bridgett O'Connell estuvo muy ocupada con un guarda de seguridad!

—Ya sé lo que estaba haciendo.

—¿Y cómo es que sabes tanto?

Una sombra pasó por sus ojos.

—El policía que te estuvo interrogando aquel día en el museo es hermano de Barnaby, y trabaja en el juzgado de paz de Marlborough Street. Es uno de mis contactos. Muy conveniente si necesito acceso a los registros policiales. La Policía Metropolitana también se encarga de la seguridad en el museo. Esa entrevista que concediste al *Vanity Fair* la semana pasada ha hecho muy difícil llevar la investigación con un poco de discreción.

Alexandra no podía pensar. Su mirada bajó a la revista que tenía a los pies. La profundidad de sus emociones era tanta que aquella rigidez que mantenía en un intento por conservar la entereza se le estaba haciendo insoportable. De pronto se volvió hacia la mesa de cerezo que había contra la pared. Encendió la lámpara; sentía la mirada de Christopher sobre ella, pero se negó rotundamente a mirarlo.

—No me importa que el mundo entero conozca nuestro pasado. —Con una actitud casi histérica, siguió encendiendo lámparas para disipar aquella horrible penumbra—. No me importa, Christopher. Estoy harta de esconderme como si hubiera cometido algún terrible pecado. ¡Estoy harta de esconderme entre las sombras de la vida de los demás!

Se dio la vuelta y chocó con él. Había entrado en el dormitorio tras ella, como un fantasma. Y su olor le hizo sentir calor en el estómago y las rodillas. Alexandra aspiró el olor de su camisa limpia, todo aquello que había en él de familiar y que le hacía sentirse tan segura.

Quiso rodearlo, pero él la cogió del brazo.

—Si querías atacar a tu padre, podrías haberlo hecho sin anunciar al mundo nuestro pasado. O mudarte aquí. —Su pulgar calloso le acarició el labio inferior—. ¿Estas últimas semanas conmigo también forman parte de tu venganza? ¿No soy más que tu pequeño y sucio pecado, Alex?

Ella trató de contener un arrebato de ira, exacerbado por los brazos poderosos que le cerraron el paso, pero no pudo ocultar su desesperación.

—Tú sabes que no.

Sus dedos se enredaron en su pelo.

—No se trata solo de mí, Alex. D&B da trabajo a miles de personas en todo el país. Yo… mi familia es la empresa.

Sin poder contener apenas las lágrimas, Alexandra se mantuvo muy derecha y trató de mantener la distancia.

—Envié mensajes a tu despacho. Mandé notas todos los días tratando de avisarte. Ese reportero conocía nuestra historia, Christopher.

Él renegó en voz baja, agitando los cabellos de Alexandra con su aliento.

—Cuando dejé que salieras a la ciudad con Brianna tenía que haber sabido que solo era cuestión de tiempo que suscitaras interés. —Le hizo alzar el mentón y pasó los dedos por su pelo, haciendo que cayeran las últimas horquillas que quedaban en su sitio—. Esto se está complicando de mala manera. Y en mi vida ya he cometido demasiados errores que otros han tenido que arreglar. Ni siquiera tendría que haber venido.

—¿Es eso lo que soy para ti, una complicación?

—¿Tú qué crees? Tengo una aventura con la hija de uno de los hombres más poderosos de la Cámara de los Lores. Un cabrón antipático que preferiría verme clavado en una estaca antes que mirarme. La investigación que me encargaste podría fácilmente convertirse en la investigación de un asesinato. D&B ha perdido el proyecto del canal y yo he perdido la mejor ocasión que tendré nunca de labrarme un nombre. Digamos que esta semana no ha sido precisamente afortunada. —Apoyó la cabeza contra el marco de la puerta—. Por eso no he pasado por la oficina hasta hoy y no había podido leer tus mensajes.

—Siento lo del proyecto. Sé que era importante para ti.

En la respuesta de él, Alexandra notó resignación, y supo lo difícil que le estaría resultando fingir indiferencia.

—El proyecto en sí ha sido una apuesta arriesgada desde el principio. Quizá la empresa no está lo suficientemente asentada. No tiene la suficiente experiencia.

Alexandra se pasó el dorso de la mano por la cara. Se volvió hacia su habitación.

—De verdad que lo siento, Christopher. —Colocó bien el tapete que tenía encima de la cama—. No tendría que haberte implicado en todo esto…

Se puso a ordenar cosas, tocando con torpeza sus pertenencias. En un pedestal triangular que había junto a su lecho, la arena de un reloj de arena de Giza caía lentamente. Le habían dado la vuelta. Christopher debía de haber estado allí un rato antes de que ella llegara.

Había estado en su dormitorio.

Había tocado sus cosas.

Su mirada se paseó por la habitación. La presencia de armaritos de marquetería atestados de pequeñas estatuillas y tallas esculpidas por lapidarios durante el mandato de César delataban la extravagancia del coleccionista. Junto a su cama había una exquisita lámpara de oro con una inscripción en árabe. Muy pocos entendían la curiosa criptografía labrada en oro. Tocó la lámpara.

—La paz es la paloma sobre cuyo corazón reposa —dijo Christopher leyendo la inscripción en voz alta.

Alexandra se volvió a mirarlo. Él arqueó una ceja.

—Esa lámpara era mía —dijo al ver la expresión de sus ojos—. Estaba en mis alojamientos cuando me enviaron a la India, junto con el reloj de arena Murand.

Durante todos aquellos años, desde que regresó a Inglaterra, la lámpara había estado en el mismo lugar junto a su cama. Durante todos aquellos años, había pertenecido a Christopher. Alexandra examinó el resto de la habitación.

Todo lo que tenía formaba parte de los restos del pasado de otros. Sin piedad, implacablemente, la ira se clavó en su corazón como una daga, porque se dio cuenta de que su existencia no era más que un cúmulo de años muertos.

Se acercó a la ventana y se apoyó contra el marco. Fuera, un gato dorado se había acomodado en el alféizar.

—La primera vez que dejé a mi padre y volví a Inglaterra, llegó con mis cosas. —Miró a Christopher en el reflejo del cristal—. Debieron de recoger tus cosas y enviarlas de vuelta con las mías.

Deslizando los dedos por la delicada lámpara de cristal, se puso a pensar en la inscripción.

—¿Crees que significa que la paloma da paz al corazón o el corazón se la da a la paloma?

—Lo escribió un poeta. —La voz de Christopher parecía cansada—. No tiene por qué significar nada.

Alexandra se volvió.

—«Filosofadas pomposas», así es como solías llamar a estas cosas. Por supuesto, esa es la razón por la que tienes tantos volúmenes de florida prosa en tu biblioteca. —Inclinó la cabeza esperando que él lo negara—. Brianna me enseñó tu biblioteca.

Christopher apoyó una mano en el marco de la puerta.

—Era una lámpara interesante. Se la compré a un mercader árabe. No quiero que me la devuelvas.

Su chaqueta estaba abierta. Era alto, y su figura ocupaba el umbral igual que su presencia llenaba la habitación. Alexandra se dio cuenta de que no pensaba entrar.

Por la facilidad con que había dejado atrás su pasado común y objetos por los que ella habría dado su mano derecha, se preguntó si alguna vez se habría permitido vincularse afectivamente a nada que no fuera la seguridad o la santidad de su familia. Alexandra había visto destellos de avidez en sus ojos cuando le hablaba de sus propiedades o de su trabajo. Pero era algo esporádico, como si tuviera miedo de amar realmente a nadie o a nada.

Alexandra quería mirarlo a los ojos y ver al hombre de antaño. Al soldado que cruzó una sala de baile llena de gente e invitó a bailar con gesto desafiante a la hija del diplomático.

—Mira qué nos estamos haciendo el uno al otro, Alex —dijo él—. Vuelves a entrar en mi vida y de pronto nos vemos enfrentados a todo lo que fue mal en nuestro pasado. Quizá estamos buscando la absolución. ¿Quién sabe? Dejamos muchas cosas sin zanjar.

—No tiene por qué ser así —susurró Alexandra—, que las cosas queden sin zanjar.

—Hoy he ido a buscarte al museo. —Sus ojos azules se clavaron en ella—. No estabas en la sala de lectura.

—Estaba en el sótano... —Estaba levantando la mano hacia la estructura de caoba de su cama cuando un pensamiento la asaltó y le hizo bajar la mirada a los pies de Christopher—. ¿Me dejas ver la suela de tus zapatos?

Christopher la miró como si dudara de su cordura.

—Por favor —dijo ella—. Con un pie será suficiente.

Él apoyó un tobillo sobre la rodilla de la otra pierna para enseñar el talón. La melena del león estaba allí.

—Baggins & Sons.

Los ojos entornados de él se posaron en sus pechos, y de pronto pareció muy interesado.

—¿Para qué querías verla?

—Hice un vaciado de una huella que encontré en el jardín de mi casita la semana pasada. La descubrí la noche después de tu visita. Cerca de la ventana.

En lugar de reírse por aquella preocupación innecesaria, Christopher la miró con atención.

—Solo un idiota habría entrado por la ventana. Yo entré por la puerta.

—¿Tienes por costumbre colarte en las casas de los demás?

Christopher agitó los dedos ante ella y arqueó una ceja en un gesto de arrogancia muy propio de ese otro hombre que ocultaba bajo la fachada educada.

—La destreza tiene sus recompensas. Todavía no se ha hecho una cerradura que yo no pueda abrir. Y las de tu casa no son especialmente buenas. La ventana ya estaba abierta cuando yo llegué aquella noche. ¿Es algo normal?

—No es tan raro que Mary deje abierta una rendija de la ventana.

—Ningún delincuente llevaría este tipo de calzado. Se arriesgaría a que lo asesinaran sus congéneres, o a que lo detuviera la policía. Y son demasiado pesados para colarse en las casas con ellos. ¿Recibe tu padre muchas visitas en su casa?

—Algunas. —Alexandra cruzó los brazos mientras consideraba la idea de que alguno de los amigos de su padre la estuviera acosando—. Me estás asustando.

—Es que hay para asustarse. Conoces Londres lo bastante bien para saber el peligro que corres estando sola.

—Mary y Alfred llegarán pronto.

Christopher se echó la chaqueta hacia el costado y miró el techo meneando la cabeza.

—Dios nos libre de los aristócratas. —Recorrió la planta baja como si quisiera comprobar las ventanas. La luz realzaba el negro azulado de sus cabellos—. Solo a ti se te podía ocurrir traerte criados a una casa cuando a tu alrededor todo el mundo trabaja doce horas al día para tener un plato en la mesa.

Alexandra intuía que no hablaba solo por sí mismo, sino en nombre de todo un grupo social con el que hasta la fecha su único contacto había sido visual: desde las ventanillas del carruaje o en los pasillos del museo. Y el hecho de que hablara con tono burlón no cambiaba nada. Tenía razón. Pero, como muy bien le había dicho cuando estaban en su casa, él era él y ella era ella. Y eso no dejaba mucho margen para jugar.

Aun así, una franja de terreno común era suficiente.

Quizá con eso bastaría para que por fin brotaran las semillas que habían plantado hacía tanto tiempo.

—¿Sabes cómo bombear agua del pozo y encender una estufa? —preguntó él desde donde estaba.

Ella permanecía en la entrada de su habitación. Oyó que en la cocina se abrían y se cerraban las puertas de los armarios. Christopher estaba revisando cada armario y cada estante.

—Por supuesto —repuso ella, aunque en realidad solo imaginaba cómo se hacían ambas cosas.

—¿Es esta la idea que tienes de una despensa?

—Tengo que ir al mercado. —Alexandra se sintió algo violenta, pues no deseaba reconocer que no había ido al mercado en su vida.

Christopher volvió, se plantó ante ella y examinó su nueva casa con expresión combativa.

—Nunca has estado en un mercado.

—Soy perfectamente capaz de aprender a comprar.

Él levantó los ojos al techo y rió con un sonido seco y cavernoso. Siempre a la defensiva. Entonces sus ojos descendieron al punto en que su vestido se amoldaba a las curvas de sus pechos, y Alexandra sintió sus ojos en ella. Los dos permanecieron inmóviles, envueltos en el arrullo distante de voces, el ruido de un pesado ómnibus, con aquellos increíbles ojos azules clavados en ella. Alexandra pensó que la iba a besar. Tanto si le hacía feliz como si no, estaba allí.

Preocupado por ella.

—Te he añorado. —Aunque su mano se deslizó por los botones de su chaleco, Alexandra sentía que él se estaba conteniendo. Lo deseaba. Quería que la besara—. Quédate conmigo esta noche.

—No. —Él acercó su boca y Alexandra sintió un fuerte impulso entre los dos—. No puedo, Alex —susurró contra sus labios.

—¿No puedes o no quieres?

Por la mirada que le dedicó cuando se apartó, Alexandra supo que el problema no eran las ganas.

—Quiero que sepas lo que siento por ti, Christopher.

No vio ningún destello en sus ojos. Y entonces meneó la cabeza y apartó la mirada.

—Entre nosotros el sexo es increíble, Alex. No confundamos las cosas. Porque eso ya nos pasó una vez. ¿Te acuerdas?

Aquel hombre nunca dejaba de sorprenderla.

—Me hablas como si yo no conociera la diferencia entre deseo y amor. Tengo casi treinta años, no soy ninguna jovencita virginal que cree que está enamorada del primero que le hace tener... —y se sonrojó—... ¡un orgasmo!

Él le dedicó una mirada maliciosa.

—¿No lo eres?

—¡Oh! ¡Eres tan arrogante!

Él le mantuvo la mirada. Aquella mirada azul. Pensativa.

—¿Has probado el opio alguna vez, Alex? ¿Has sentido cómo calentaba tus venas?

Ella logró mantener el mentón alto.

—Sabes muy bien que no.

Él se inclinó hacia delante.

—El opio te hace rendirte a lo mágico. Te lleva a un lugar donde las consecuencias no importan. No te importa quién salga perjudicado mientras puedas lograr un poco más. Antes solía fumar acompañándolo con whisky. Para mí sería muy fácil dejar que te convirtieras en un vicio tan adictivo como el opio.

Christopher se apartó y ella cruzó los brazos.

—Vete, Christopher.

Él abrió la puerta de la calle y miró atrás por encima del hombro, vacilando.

—Dentro de unas horas alguien vendrá para cambiarte las cerraduras. Se llama Finley.

Durante un instante, Alexandra solo fue capaz de suspirar.

—¿Por qué? —Estaba en medio de su sala de estar.

—Porque tienes unas cerraduras espantosas, Alex.

Y dicho esto, cerró la puerta.

Alexandra se quedó un minuto mirando la puerta, furiosa, y entonces se dio cuenta de que había olvidado hablarle de las acusaciones de su padre. No se lo podía creer. Fue hasta la puerta y cerró con llave.

—¡Maldita, maldita sea!

Luego fue a la cocina y echó el café frío de la mañana en una taza de porcelana. Con la afición que tenía Christopher por contestar el correo, podía pasar un año antes de que leyera ninguno de los mensajes que le había enviado.

Rebuscando entre las cajas que había por toda la habitación, encontró una botella del preciado brandy de su padre y echó un chorrito en su café.

¡Sexo increíble!

Con aquella manía suya de extraer siempre una conclusión

lógica de una ecuación, Christopher había excluido el único factor que en diez años no había cambiado entre ellos.

Seguían estando enamorados.

—Esta noche trabajaré hasta tarde —le dijo Christopher a Stewart cuando pasó ante el mostrador de recepción de camino a su despacho.

—Sí, señor.

Una vez en el despacho, Christopher se quitó la chaqueta y la arrojó sobre el sofá.

—¿Ha llegado la lista con los miembros del comité financiero? —le preguntó a Stewart desde la puerta.

Su secretario casi dio un salto del susto.

—¿La lista?

—Sí, la lista, Stewart. La que pedí esta mañana. Quiero saber quién puede influir en el proyecto del canal, desde los puestos más bajos hasta el Parlamento.

—Sí, señor —repuso Stewart sin levantar la vista de los papeles que tenía delante.

Christopher reparó en que cuando estaba hablando con su secretario, este había mirado con gesto vacilante a otros miembros del personal, que volvieron la cabeza enseguida. No era dado a paranoias, pero algo pasaba. Nunca había visto a un grupo de personas esforzándose tanto por parecer ocupadas.

Christopher fue hasta su mesa para encender la lámpara. No tenía ni tiempo ni paciencia para tonterías. La luz iluminó lo que había sobre la mesa. Su mirada topó con un ejemplar del *Vanity Fair* y la edición vespertina de un par de diarios, abiertos por la página de cotilleos de la ciudad.

Tendría que haber acompañado a Alexandra a la gala de la Academia de las Artes. Se sentía como si la hubiera abandonado. Y la imaginó, sola en su casa de clase media en la ciudad, peleándose con la cena, cuando él podía haberle procurado comida fácilmente.

—Maldita sea, Alex. —Se quitó la corbata, pestañeando ante aquella furia que sentía, consigo mismo y con ella—. ¿En qué estabas pensando?

Estaba completamente equivocada si creía que podía vivir al margen de las críticas de la sociedad. Hojeó los mensajes que tenía sobre la mesa y vio los que le había escrito Alexandra. Los dejó caer, maldiciéndose por lo bajo. Desde que dejó la casa de su padre había estado tan preocupado por ella...

Tanto si era esa su intención como si no, Alex había dejado suelta una manada de hienas que iban a por su padre. Gente que estaba deseando encontrar algo con lo que atacar a la poderosa aristocracia desde la base. Y desde luego no era que Ware no se lo mereciera, pero a Christopher no le hacía mucha gracia convertirse en el mártir del día. Ni en el catalizador.

Ni siquiera por ella.

Y ahora que todo el mundo conocía su pasado en común con la hija de Ware, ¿cuánto tardarían en descubrir los otros detalles? Su historial militar, los registros de las amonestaciones que había recibido habían desaparecido convenientemente después de su estancia en la India. Sí, Ware le mandó al fin del mundo, pero borró la mancha de su historial y lo convirtió prácticamente en un héroe.

Y lo peor de todo, ¿cuánto pasaría antes de que alguien descubriera que Alex y él habían tenido un hijo?

Aquello era algo tan íntimo, pesaba tanto sobre su corazón, que se preguntó hasta qué punto él mismo era consciente de la profundidad de su dolor.

Arrojó los periódicos a un lado.

—La gente tiene demasiado tiempo libre, señor —dijo Stewart desde la puerta—. Pero pensé que querría saberlo. Por eso los he dejado en su mesa. Y que sepa que aquí ninguno estamos interesados en ese tipo de cotilleos, señor.

—Por supuesto. —Christopher no levantó la vista y siguió hojeando la correspondencia—. Porque de otro modo seguramente te despediría.

—Sí, señor.

—No estás en el ejército, Stewart. —Dejó caer las cartas sobre la mesa—. Hace años que nos conocemos. Así que deja de hablarme como si estuvieras en posición de firmes.

—Sí..., señor Donally. —Stewart le entregó la lista que le había pedido—. El nombre de lord Ware está ahí. Recientemente ha sido nombrado miembro de la Comisión Real para Obras Públicas.

Christopher se dejó caer en su silla.

—¿Señor?

—¿Alguna cosa más para acabar de alegrarme el día?

Anonadado por la acritud de su respuesta, Stewart cuadró los hombros.

—Este mensaje llegó hace unas horas. —Sujetó en alto un trozo de papel y leyó por encima de las lentes—. Un individuo llamado Potter vino del museo preguntando por usted. Insistió mucho en que usted querría verle, y dijo que tenía información. Y, por si se había olvidado de él, me dejó una tarjeta.

Christopher no se había olvidado. Le dio la vuelta a la tarjeta. Era la misma que le había dado al guarda de seguridad cuando visitó el museo hacía unas semanas. Hubiera apostado ciertas partes de su anatomía a que el guarda se había enterado de la muerte de la doncella.

—¿Señor? —Stewart se quitó las lentes—. Referente a ese artículo...

—La respuesta es sí. —No tenía ningunas ganas de hablar del artículo. Por otro lado, tampoco podía hacer nada—. Lady Alexandra Marshall fue mi esposa. Nuestro matrimonio fue anulado legalmente. Y sí, nos dirigimos la palabra, así que si viene por aquí, espero que se la trate con el debido respeto.

Cuando Christopher terminó con el trabajo que tenía en su mesa, casi todos se habían ido. Finley ya habría estado en la casa de Alexandra y habría cambiado las cerraduras. Se quitó el chaleco y se acercó a la ventana. En Londres la noche nunca era tranquila. Del otro lado del río y hasta donde alcanzaba la vista, las luces salpicaban el paisaje. Oyó la sirena de un barco de vapor. Muy pocas veces podía mirar al Támesis y pensar en el silencio.

Mientras miraba por la ventana, empezó a debatirse con todas las razones por las que no se había quedado esa noche con Alexandra. Que ella nunca podría integrarse en su mundo. Que él no quería formar parte del de ella. Por mucho que estuviera tonteando con el éxito y por mucho que a fuerza de tenacidad hubiera logrado ascender de entre las filas de los plebeyos y ahora se codeara con los ricos, las emociones que Alexandra despertaba en él seguían haciendo que fuera dolorosamente consciente de sus raíces.

Las tablillas del suelo crujieron. Christopher se volvió. Ryan entró en el despacho y dejó un par de dossieres sobre la mesa, junto a una regla de cálculo.

—¿Cómo es que aún estás aquí? —le preguntó.

Christopher volvió hacia la mesa.

—Me gusta mi trabajo.

No habían hablado desde el día anterior, cuando salieron de su entrevista con el comité tras enterarse de que D&B ya no optaba al proyecto del canal. Y, como en última instancia había sido su presentación lo que impidió que se ganaran la confianza del comité, Christopher intuía que su hermano buscaba pelea.

No se lo reprochaba. Aunque las ideas de Christopher fueron las que impulsaron el proyecto, era Ryan quien más había trabajado en él. Sí, solo tenía veinticuatro años, pero no había nadie más dotado para la ingeniería civil, y además tenía la rara habilidad de saber explicar las especificaciones técnicas en términos profanos ante los comités parlamentarios. Su trabajo en Londres era un éxito porque había puesto a Ryan al frente.

Christopher cogió el dossier que Ryan había dejado y lo sostuvo cerca de la luz.

—Tenemos problemas en las obras de Charing Cross —dijo su hermano—. El equipo de inspección ha encontrado grietas en la ataguía del contrafuerte de Hungerford.

Christopher renegó. Con el trabajo que le esperaba ante el consejo de administración, la pérdida del proyecto del canal y los problemas con Alex, aquello no podía llegar en peor momento.

—¿Piensas seguir viéndola? —Ryan arrojó el periódico en la bandeja de documentos desechados.

A Christopher le habría gustado decirle que no era asunto suyo.

—Puede.

—¿Crees que Ware ha tenido algo que ver en lo del proyecto del canal?

Christopher buscó la mirada de su hermano.

—No lo sé.

—Estábamos tan cerca... —Ryan se metió la mano en el bolsillo y sonrió con tristeza—. Quizá tendríamos que recoger nuestros trastos y ayudar a De Lesseps a terminar el canal de Suez. Y demostrarle de qué pasta estamos hechos los irlandeses.

Christopher gruñó. Tiró a un lado el dossier que estaba leyendo.

—¿No es en las obras de Charing Cross donde los obreros han encontrado el cuerpo de esa tal O'Connell?

—Medio enterrada entre el cieno, debajo del puente. Cuando hay marea alta el agua lo cubre. Pensaba ir allí mañana...

—Iré yo —dijo Christopher.

—¿Tú? ¿El estimado lord de D&B? —Ryan entrecerró los ojos—. Tenemos una docena de ingenieros que pueden hacerlo.

—Echo de menos el trabajo al aire libre. ¿Qué problema hay?

Ryan lo miró pensativo.

—Stewart dice que has estado haciendo horas en el gimnasio. ¿Cómo está Finley? Imagino que ya ha salido de la cárcel.

—No estoy implicado en nada ilegal, si eso es lo que te preocupa.

Ryan esbozó una sonrisa torcida.

—Me alegra oír eso, Chris.

La preocupación que vio en el rostro de su hermano hizo

que Christopher se callara su respuesta. Sí, era verdad, en el pasado había tenido problemas con el opio y el whisky. Era algo que jamás lo abandonaría, y en el fondo sabía que su familia siempre estaría alerta, que se preocuparía más de lo normal por sus capacidades y su salud mental.

Y entonces, de pronto, sintió que era importante que Ryan supiera cuánto valoraba su talento, su compañerismo y su lealtad.

—Superaremos esto —dijo—. Habrá otros proyectos.

Ryan se acercó a la ventana.

—Ahora que las entrevistas para el proyecto del canal han terminado, Rachel no tardará en llevarse a Brianna a Carlisle. Le di mi palabra a mi prometida de que le enseñaría la ciudad antes de que se fuera. Y Rachel nos acompaña.

Una ceja se levantó con aire incrédulo.

—¿Quieres que haga de acompañante de Rachel?

—Ten piedad de mí, hermano. Esta noche iremos a Cremorne Gardens. Y esta misma semana Kathleen quiere una visita privada al museo. Necesito tus contactos. —Un rizo oscuro cayó sobre la frente de Ryan—. Además, Rachel cree que la odias. Así tendrías ocasión de compensarnos por lo mal que te has portado estos días.

Ver cómo su hermano hacía manitas con su prometida no estaba en su lista de entretenimientos para esa noche, pero era mejor que todo lo demás que había en su agenda.

—¿Dentro de una hora? —preguntó—. Me cambiaré aquí.

—Volveré con el carruaje.

Cuando Ryan se fue, Christopher se puso las manos detrás de la cabeza y se echó hacia atrás en el asiento. Su mirada se topó con la tarjeta de Potter. Se inclinó hacia delante, la cogió y la golpeó con el dedo. Se levantó y fue hasta la puerta.

Stewart levantó la vista de su mesa de recepción.

—¿Sí, señor?

—¿Se ha confirmado la identidad de la mujer que encontraron en las obras de Charing Cross?

Stewart pasó unos papeles.

—No, señor. No que yo sepa.

Christopher se acercó a la ventana y contempló la ciudad. Ni siquiera el hecho de saber que su amigo irlandés pasaría la noche vigilando el apartamento de Alex le tranquilizaba.

Sus ojos se volvieron como si la puerta los estuviera llamando. Poco a poco se dio cuenta de que quería mucho más de Alexandra que su recuerdo. Su cuerpo le pedía a gritos que volviera a su lado.

Con un reniego apretó las manos contra el cristal, como si aquella barrera pudiera mantener a raya su voluntad.

Dios, alguien tendría que haberle obligado a salir a la calle y haberle pegado un tiro.

Y acabar con aquello de una vez, antes de que Ryan o Johnny lo hicieran por él.

16

Alexandra encendió una cerilla. Había corriente y, bajo las mangas de su bata de seda, tenía la carne de gallina. El sulfuro se encendió. Acercó la llama a las astillas de madera que había arañado del tronco. Y repitió la operación tres veces más, hasta que se quemó los dedos.

Aquella condenada madera no quería encenderse. Fuera, la lluvia repiqueteaba sobre las calles. Alexandra se restregó la frente contra la manga sucia de su bata y se acuclilló disgustada. Echó un vistazo al montón de libros, artículos y años de recuerdos que estaban esparcidos por el suelo como una alfombra descuidada. Había decidido dedicar aquella semana a organizar la casa, y había pasado tanto tiempo de rodillas que las tenía desolladas. Había subido las escaleras que llevaban al desván cien veces y aun así parecía como si no hubiera hecho prácticamente nada.

Con un suspiro, observó los platos sucios que habían quedado tras un desayuno desastroso. Christopher podía irse al infierno.

Arrojó aquellas cerillas inútiles contra el tronco y se puso en pie para ir a recoger el cubo de agua. Había fregado diligentemente las habitaciones del piso de arriba, y luego colgó las cortinas que había traído de las cocheras.

Para ella fue una sorpresa comprobar que realmente Christopher pensaba mantenerse alejado. Hacía días que no le veía. No le había enviado ningún mensaje, solo a Finley, para que le arreglara las cerraduras. ¿Para qué molestarse?

Aun así, Alexandra se había mantenido ocupada. Mary y Alfred aún no habían llegado. Y ella había estado trabajando toda la semana para prepararles su habitación. Quería que todo estuviera perfecto.

Inclinó la cabeza para apretarse los nudos del pañuelo que se había traído del laboratorio de antropología. Y luego, tras echar un vistazo a un par de trapos sucios y la mopa, se puso a trabajar.

Brianna estaba muy erguida, con la nariz pegada a la puerta de la casa de lady Alexandra y unos pensamientos muy negros. Esperaba que la puerta se abriera antes de que nadie la viera. Hacía un tiempo demasiado frío y espantoso para el mes de junio. Si Christopher se enteraba de que había salido sola de la casa, se pondría furioso. A su espalda, en la calle bulliciosa, alguien dio un grito para parar un cabriolé. Aquella semana había hecho un tiempo estupendo, justo hasta el día en que ella decidió salir.

De pronto lady Alex apareció ante ella. Llevaba una bata sucia y el pelo oculto bajo un pañuelo, como si hubiera estado limpiando la chimenea.

—Dios santo. —Lady Alex miró a la calle—. Eres la última persona a quien esperaba ver. ¿Cómo me has encontrado?

—No ha sido fácil, milady. —Sin esperar a que la invitara, Brianna entró y paseó la mirada por las diferentes habitaciones—. Ayer fui a su casa. Hoy he ido al museo. Un guarda de seguridad me dijo dónde podía encontrarla. Pero me he gastado todo el dinero que tenía para llegar hasta aquí. Christopher no cree que deba tener mi propio dinero —espetó la joven; las lágrimas que había estado conteniendo todo el día amenazaban con volver a salir—. Me sorprende verla aquí, milady. Ojalá yo tuviera un lugar como este.

—Brianna. —Lady Alexandra apartó un rizo suelto de la frente de la joven—. ¿Qué haces aquí?

—Necesitaba hablar con alguien. Usted es la única persona a quien podía recurrir.

—¿Dónde está tu hermano? —Lady Alexandra entró en la salita contigua, una habitación agradable decorada en tonos marrones y borgoñas, con sillones con botones y un sofá a juego ante una segunda chimenea. Las cortinas estaban abiertas y permitían ver la verja de hierro que daba a la calle. La lluvia caía contra los cristales.

—Christopher está en alguna de sus obras. Lleva allí toda la semana. —Brianna sacó un pañuelo de encaje—. Esta noche seguramente volverán a salir y me dejarán sola. Pero no pasa nada, claro, porque se trata de Christopher. Y él hace sus propias normas. *Hypocrite extraordinaire!* —Alzó el mentón—. Y usted, ¿cómo pudo ocultarme que usted y mi hermano estuvieron... que fueron más que simples conocidos?

Alexandra estaba bajo un arco, y apoyó la mano en la pared.

—No me correspondía a mí decírtelo.

—¿Ni siquiera cuando nos hicimos amigas? —Brianna se sentó, tenía los ojos brillantes—. Mi hermano nunca concede entrevistas personales. Y sin embargo estos últimos meses han hablado de él en cuatro diarios y revistas. Sin contar con todo el revuelo por sus aportaciones económicas al museo. ¿A qué viene tanto interés? No lo entiendo.

—Su desafío de las normas lo convierte en un personaje interesante, supongo.

—Rachel piensa que es porque es guapo y rico, e irlandés. —Brianna soltó los llamativos lazos de su sombrero—. Se puso furioso cuando se enteró de lo del artículo del *Vanity Fair* y supo que usted le había hablado de él a un reportero. Creo que mi hermano no es el hombre de carácter excepcional por quien todos le tienen.

—Sí, lo sé.

—Christopher es un mentiroso por omisión. Y un tirano de

hecho. Y no es justo que a mí se me juzgue con un doble rasero. Creo que me uniré a las sufragistas. O me escaparé. Por eso he venido.

—Brianna...

—Le odio. De verdad que le odio. Y si soy mala, es culpa suya.

Alexandra se sentó junto a la afectada joven.

—Pensaba que ya habrías vuelto a Carlisle.

—Rachel no quería macharse hasta después de las audiencias por el proyecto del canal. Y si Rachel quiere algo, lo consigue. Ella y Christopher se han hecho muy amiguitos, siempre charlando y riendo. —Sus ojos relampaguearon—. Y tuvo la desfachatez de ponerse de parte de Christopher y Ryan, en mi contra. Me dio un discursito, como si ella tuviera algún derecho sobre mí solo por el hecho de ser una Bailey. Jamás se lo perdonaré.

Alexandra consiguió controlarse y no mirar sus manos, que tenía cruzadas sobre el regazo. Christopher había estado saliendo por la ciudad con Rachel. La impresión le hizo sentir cierta angustia en el estómago. Pero si Christopher decidía flirtear con otra mujer, ella no podía impedírselo, del mismo modo que no podía hacer retroceder el tiempo.

—¿Por qué has venido, Brianna?

La joven bajó la vista.

—No soy tu madre, Brianna. No soy la madre de nadie. Y soy demasiado mayor para ser tu mejor amiga. No puedes escaparte, y al venir aquí hoy me pones en una posición muy delicada.

Brianna seguía sin contestar. Alexandra sabía que había herido sus sentimientos, pero aquel no era su sitio, no debía estar allí.

Alexandra se puso en pie y decidió ofrecerle un té. Al menos hervir agua sí sabía. Era lo menos que podía hacer antes de acompañar a Brianna de vuelta a Belgrave Square. Christopher no querría que vieran a su hermana sola por aquel barrio.

—Milady —dijo Brianna cuando se sentaron a la mesa. El vapor del té se elevaba sobre las tacitas—. ¿Sabe que a la luz de una lámpara tiene usted los ojos más maravillosos que he visto? —Su voz se apagó—. Salvo los de Stephan.

Alexandra apartó los rizos de la mejilla de Brianna.

—Este arrebato repentino ¿tiene algo que ver con el señor Williams?

—Como ya sabrá, no es repentino. Milady... siento haberme presentado aquí de esta forma. Sé que no tendría que haberlo hecho. —De pronto se arrojó a sus brazos y se puso a llorar como una criatura—. Mi vida se ha terminado. He perdido a Stephan. No sabía adónde ir.

—Tonterías. —Alexandra le acarició el pelo—. ¿Qué te hace pensar que le has perdido?

—No quiere hablar conmigo. —Sus ojos miraban fijamente el motivo floral de sus mangas—. Verá, Stephan y yo solíamos encontrarnos cuando Christopher se iba. El único árbol de la manzana crece en el patio trasero de la casa de Ryan. Y hay un columpio colgando de una rama. Solíamos sentarnos allí durante horas para hablar. Una vez hasta fuimos a los jardines Cremorne. ¿Ha estado allí alguna vez? —Levantó los ojos con mirada inquisitiva.

Alexandra negó con la cabeza, incapaz de comprender el comportamiento de Brianna.

—Es un luminoso mundo de fantasía y cristal.

—¿No se te ocurrió que tal vez no estaba bien que el señor Williams te llevara allí? Es mayor que tú. Él tendría que saberlo, Brianna. Si Christopher se entera, te garantizo que no volverás a ver la luz del día. Ni el señor Williams. Si logra sobrevivir a la paliza.

—Ya no importa. —Un suspiro áspero brotó de sus labios—. Stephan ni siquiera viene a mi ventana. Tiene miedo de Christopher. ¿Cómo puedo amar a un hombre que no es capaz de plantarle cara a mi hermano?

—¿Puede mantenerte, Brianna?

Ella se dio unos toquecitos con el pañuelo en los ojos.

—Nos amamos.

—¿Pertenecéis a la misma iglesia, al mismo grupo económico o social? ¿Tenéis algo lo bastante fuerte en común como para construir una vida juntos? ¿Y aguantar la censura de los demás?

—¡Nos amamos!

—Existen normas, y romperlas tiene consecuencias. Quizá Christopher sabe que el amor no basta para hacer frente al sacrificio. —Aquellas palabras detuvieron su pensamiento y la dejaron sin habla unos instantes, hasta que vio que Brianna la observaba—. Quizá él quiere algo mejor para ti. Y teme por tu futuro.

—Y quizá no sabe quién soy realmente.

—Cuando una tiene diecisiete años, todo le parece imposible. Cuando tienes veintiocho, entiendes por qué todo te parecía imposible a los diecisiete. —Alexandra cogió la mano de Brianna y la sostuvo entre las suyas—. Quizá tu hermano entiende muchas más cosas de las que imaginas.

—El señor Williams ha sido aceptado en Cambridge. —Los sollozos de Brianna remitían—. Es un honor, ¿no es cierto?

—Ciertamente.

Brianna se sentó más derecha.

—Algún día será abogado del tribunal superior.

—Una noble profesión.

—Le dije que le esperaría, pero no estoy segura de que él pueda seguir queriéndome.

—Si no lo hace, su vida seguirá adelante, y tú debes hacer otro tanto.

Con delicadeza, Brianna le limpió una lágrima de la mejilla a Alexandra.

—¿Es eso lo que les pasó a usted y a mi hermano?

Alexandra estuvo pensando una respuesta mientras se cambiaba de ropa y acompañaba a Brianna a su casa. Christopher estaba haciendo exactamente lo mismo que había hecho su padre y, del mismo modo que no quería sentir empatía por su padre, se dio cuenta de que tampoco quería compadecerse de Christopher.

Y si embargo, eso era lo que sentía.

Christopher se equivocaba. Igual que se había equivocado su padre.

Pero en parte también tenía razón.

Había demostrado que tenía razón en tantas cosas, que Alexandra empezó a ver su voluntad de mantenerse alejado de ella bajo una nueva luz. Una luz que resaltaba los marcados planos de su malestar y no devolvía calidez alguna.

—Milady —dijo Brianna cuando llegaron a la residencia londinense de los Donally. Alexandra había pedido al cochero de la calesa que esperara—. Ya no le caigo bien, ¿verdad?

Alexandra se volvió hacia su joven pupila.

—Eso no es cierto. —Apreciaba mucho a la joven Donally. En realidad, la apreciaba demasiado.

El viento agitó su falda. Sujetándose el sombrero con una mano, miró el cielo encapotado y sintió que una gota le caía en la cara.

—¿Christopher duerme aquí?

—No, milady. —Brianna pasó por las elevadas verjas de hierro y se dio la vuelta—. Antes se quedaba aquí únicamente por mí.

Bueno, entonces él y Rachel no dormían bajo el mismo techo. Christopher volvía a su casa todas las noches.

Solo.

Y de pronto Alexandra sonrió para sus adentros.

Brianna agachó la cabeza.

—Sigue siendo un hipócrita, milady.

—Tienes que entender una cosa. —Con un dedo enguantado le hizo alzar el mentón—. Si me entero de que vuelves a salir sola de noche, no dudaré en informar a tu familia. Y, Brianna... —a pesar del impulso de aleccionarla por su tendencia al melodramatismo, Alexandra la besó en la mejilla—, si tuviera una hermana pequeña, me gustaría que fuera como tú.

El rostro de Brianna se iluminó.

—Gracias, milady.

Lo que se le antojaron horas más tarde, Alexandra finalmente se encontró en el antepecho del muro de contención donde Christopher estaba trabajando. No había dejado de pensar en su conversación con Brianna, sobre todo porque sus propias experiencias en aquel campo le pesaban en el corazón.

Unas barreras de madera dividían la zona en bloques y, abriéndose paso entre los cascotes, Alexandra rodeó el muro. El viento le agitaba la falda, y se arrepintió de no haber llevado una capa. En el río sonó la sirena de un ferry. Alexandra se detuvo a recuperar el aliento, sujetándose el sombrero con una mano, y luego se puso derecha. Un ruido amenazador la envolvía; a su alrededor vio que estaban levantando una serie de andamiajes de varios pisos de altura y excavando pozos.

Alexandra contempló con asombro aquel mundo que veía desplegarse ante ella. El Big Ben y el Parlamento estaban enmarcados por un perfil variopinto, una monstruosidad visual de belleza antigua rodeada por un tapiz de progreso. Kilómetros de andamios ocupaban la orilla del río. En cuestión de años, el pasado de Londres habría quedado reducido a poco más que un puñado de fotografías en los libros de historia y el nombre de Christopher quedaría gravado en la piedra por toda la eternidad como el de uno de los responsables de la nueva imagen de la ciudad. Una profunda sensación de respeto la invadió.

Un movimiento llamó su atención, y vio a Christopher, apoyado entre dos vigas en un lugar donde antes solo estaba el río, con el cuello de la camisa abierto, sin corbata ni chaqueta. Vestido de aquella forma, con los pantalones y la camisa blanca pegada al cuerpo por la llovizna, parecía fuera de sitio y al mismo tiempo perfectamente integrado en el caos que le rodeaba. Alexandra se fijó en su altura, en la camisa abierta y caída. Hombres con aspecto de ganarse la vida desvalijando casas asentían mientras él les hablaba.

Ciertamente, parecía ocupado, y Alexandra empezó a pensar si no se habría equivocado al presentarse allí. Quizá lo único que quería era ver en parte cómo era su vida. Entender un poco mejor al hombre en quien se había convertido. Entender lo que le movía.

Él se jugaba más que ella. Tenía mucho más que perder.

Mientras que durante toda su vida ella solo se había interesado por las excavaciones, con la suya él trataba de cambiar su entorno. Su reputación y la de su familia necesitaban del apoyo de la opinión pública para salir adelante.

Ella había provocado el escándalo entre los suyos. Desde luego, había hecho mucho más que suicidarse socialmente, y aun así, una parte de su ser se regodeaba en aquel gesto misantrópico de desafío. Obviamente, a ella no le movía la preocupación por su bienestar.

A Christopher sí.

Y ahí estaba el problema. No dejaba de ser irónico el cambio de roles que se había producido en aquellos diez años. Sin embargo, quizá la incertidumbre por el futuro no era nada que el tiempo no pudiera curar. ¿No podía sentirse optimista al menos en asuntos del corazón?

Le habría gustado poder volver a los diecisiete años, cuando todo parecía posible.

Aún se encontraba en lo alto de la pendiente cuando desde la orilla alguien le gritó al tiempo que hacía señas frenéticamente con los brazos. El sonido de un motor de vapor ahogaba su voz. Un hombre que estaba junto a Christopher la vio y le dio un codazo a su jefe al tiempo que la señalaba. Christopher se volvió bruscamente, con el pelo mojado pegado a la cabeza y el viento agitando las mangas de su camisa. Alexandra vio que miraba algo que había detrás. Asustada, también ella miró hacia arriba. En ese momento una grúa deslizaba su pesada carga por encima de ella. Y pasó, pero, mientras miraba, un pilote de una tonelada cayó en el lecho del río, a treinta metros de donde ella estaba. El suelo se sacudió. Alexandra cayó hacia atrás sobre las rocas y se quedó sentada mientras los obreros corrían hacia ella.

Y entonces, cuando pensaba que las cosas no podían estar peor, se desató un furioso aguacero.

El carruaje adonde habían llevado a Alexandra estaba en una estrecha calle lateral. Alexandra oyó la voz de Christopher allí fuera y la portezuela se abrió. El agua le salpicaba las pestañas y el rostro y hacía que la camisa se le pegara a cada centímetro de fuerza contenida de sus brazos.

—¡Señor! —lo llamó uno de sus hombres desde el otro lado de la calle, y corrió hacia él, haciendo chapotear sus botas sobre el fango. La lluvia caía con fuerza sobre el suelo—. Se ha dejado esto, señor. —Tenía barba y un rostro rubicundo, y estaba sin aliento cuando le dio a Christopher su chaqueta—. Junto a los pilotes. ¿Qué les digo a los hombres?

Christopher arrojó la chaqueta al interior y se detuvo un momento a limpiarse el barro de los zapatos.

—Envía un mensaje a Ryan para que revise todo lo que ha llegado de la planta de Galloway en los últimos dos meses. Está en la oficina de Southwark... o estará —se sacó su reloj— dentro de una hora.

—Sí, señor.

—Yo termino en un minuto. —Christopher desvió su atención a Alexandra—. Quizá dos.

Cerró la portezuela de golpe, se sentó frente a Alexandra, dejó escapar un suspiro y se pasó la mano por la nuca. Por un momento, ninguno de los dos dijo nada. Haciendo rechinar los dientes en un intento por recuperar su maltrecha compostura, Alexandra cruzó las manos sobre el regazo como una niña a la que acaban de reprender. Sus ropas estaban empapadas. Hechas un desastre. La pluma de su sombrero se le había pegado a la mejilla. La única nota positiva de todo aquello era que se había podido dar un baño, que falta le hacía.

—Nunca había visto lo que haces —dijo ella en medio de aquel incómodo silencio.

Christopher sacó una manta de lana de debajo de su asiento.

—El policía acaba de reabrir la sección en la que se encontró el cuerpo de O'Connell. Los muertos suelen entorpecer la marcha de las obras. —Le pasó la manta por encima—. ¿Estás bien?

La boca de Alexandra hizo una mueca. Los dientes le castañeteaban por el frío. No hacía falta ser una lumbrera para saber que había metido la pata al ir allí. Así que no trató de justificarse.

—Estoy muy orgullosa de ti. —Sujetó los bordes de la manta y sonrió—. Aunque sé que suena muy trillado.

Los ojos de él se demoraron un instante en sus labios, y al levantar la vista vio que ella le observaba. Se recostó en el asiento.

—¿A qué has venido, Alex?

Había una luz encendida junto a la portezuela, y daba un suave resplandor a su bello rostro. Había ido allí por una docena de razones. Ninguna de las cuales parecía tan palpable como el hecho de que él estuviera en el carruaje con ella.

—Desde que mandaste a ese tal Finley a mi casa has estado evitándome. ¿No sientes curiosidad por comprobar mis nuevas cerraduras?

Christopher arqueó una ceja; sabía perfectamente que no era eso lo que la había llevado allí.

—Me dijo que sus servicios no te parecieron satisfactorios.

—Quizá convendría que visitaras mi humilde morada —replicó ella con arrogancia—. Ahora tengo unas bonitas puertas que seguramente valen más que la casa entera, lo cual no deja de resultar extraordinario teniendo en cuenta que me las instaló un individuo acompañado por una cuadrilla de delincuentes. Deberías haberme prevenido.

—Así que ya conoces a mis chicos. —Una leve sonrisa apareció en su boca—. No se portarían mal contigo, ¿verdad?

Alexandra se suavizó.

—¿Cómo es que conoces a esa gente? Finley no se mostró muy comunicativo sobre su relación contigo.

Él extendió el brazo sobre el respaldo del asiento.

—¿De qué querías hablarme, Alex?

A Alexandra le habría gustado preguntarle por Rachel, pero los celos impedían cualquier pregunta en ese sentido. Necesitaba hablar con él de su padre, pero el momento no parecía el más indicado. Así que lo que dijo fue:

—No has contestado a mis mensajes. Así que hoy he ido a visitar a tu hermana.

—No me has mandado ningún mensaje. —Apoyó un codo en la rodilla, desafiándola con la mirada—. Últimamente leo *toda* mi correspondencia. Algo imprescindible cuando uno quiere evitar sorpresas. ¿Mi hermana no te habrá estado contando sus penas porque no le dejo ver al señor Williams?

Alexandra cruzó los brazos bajo la manta.

—Brianna es una mujer hecha y derecha, tanto si te gusta como si no. —Miró por la ventanilla y contempló el desigual paisaje de Londres—. Si alguna vez aprendiste algo de mi padre, tendrías que saber que la forma más segura de que tu hermana se case es prohibirle ver al hombre al que ama.

Él se recostó en el asiento, separó las rodillas con descuido y le dedicó una mirada penetrante.

—Estás helada. Te llevaré a casa.

—¡Lo ves! Te preocupas por mí. Admite que me echas de menos.

—¿Preocuparme? —Christopher se inclinó hacia delante y le sujetó el rostro con la mano. Alexandra notaba la calidez de su piel contra la mejilla—. ¿Qué crees que significa todo esto? —Y, tras pasarse las manos por el pelo, volvió a recostarse—. Hace un momento me has dado un susto de muerte. Créeme, le estoy haciendo un favor a Williams. Lo que menos falta le hace es una mujer que le complique la vida. Sois peor que la jodida Inquisición.

—Eso que has dicho está muy feo, Christopher Donally. Ya puestos, ¿por qué no me dices que te clave una estaca en el corazón y acabe de una vez?

Él sonrió, mostrando unos dientes blanquísimos contra la mandíbula oscura.

—Ajá —dijo mientras se fijaba en sus ropas mojadas allí donde la manta se había escurrido—, una estaca estaría bien. Larga y de metal, con el extremo en punta.

—Eres el hombre más irrazonable que conozco, Christopher. —Le arrojó la manta e hizo ademán de levantarse para salir.

Él le cerró el paso con el brazo. Una sonrisa perezosa y peligrosa torció sus labios cuando clavó los ojos en los pechos de ella, pegados contra su brazo, y entonces levantó la vista y sus ojos se encontraron. El rostro de Alexandra se cubrió de rubor.

—¿Lo soy? Y yo que pensaba que estaba siendo sociable.

Alexandra vio que abría la portezuela.

—El carruaje es suyo, milady. —El sonido atronador de la lluvia penetró en el carruaje. Con una mano apoyada en la puerta, Christopher vaciló—. Si hay algo más de lo que quieras hablar, mi cochero te llevará hasta mi oficina cuando te hayas cambiado.

—¿Donde todo el mundo puede oír lo que decimos? De verdad, necesito hablar contigo. Se trata de mi padre.

Su mirada buscó el azul sereno de los ojos de él.

—Veré si puedo cambiar mi agenda —dijo él sin comprometerse—. Y, Alex, no vuelvas a venir aquí. ¿Lo has entendido?

Cerró la portezuela de un golpe y le gritó algo al cochero, que estaba encorvado bajo una lona al otro lado de la calle. El carruaje osciló bajo su peso cuando el hombre subió al pescante. Alexandra bajó la ventanilla.

—¿Cómo volverás?

—Alquilaré una calesa.

Christopher se quedó en la calle, con el pelo y la camisa apelmazados contra el cuerpo, y Alexandra cerró la ventanilla con un golpe y se acomodó.

Desde luego su antiguo esposo podría haber escrito un libro sobre comportamiento irrazonable.

La chaqueta de Christopher se había quedado en el asiento. Durante unos momentos, Alexandra no hizo caso. Pero, como una brillante moneda romana de oro, no dejaba de sentir que la llamaba.

Finalmente, dándose por vencida, cogió la chaqueta empapada y se la puso en el regazo. Algo cayó con un sonido sordo a sus pies.

Alexandra recogió el fajo de billetes de Christopher y, con ojos desorbitados, pasó el pulgar por aquel grueso montón de dinero.

Pobre Christopher. No podría pagar a nadie para que lo llevara a su despacho. Tendría que ir a pie.

Alexandra abrió y cerró uno tras otro los armarios de la cocina. Con tanto ajetreo se había olvidado de ir a la panadería. Miró las conservas de tomate, melocotón y pera. Había comprado unas manzanas a una niña en una esquina de la calle, pero hacía unos días que había dado cuenta de la última. Y, como ya no comía en el museo, sus provisiones se habían reducido considerablemente el fin de semana. El café se le había acabado esa mañana.

Anduvo arriba y abajo ante su chimenea inservible, temblando con la bata puesta, valorando más que nunca la comodidad de tener criados que se ocuparan de todo. Ella sola casi no había sido capaz ni de quitarse el vestido mojado. Y de hecho no se pudo desabrochar el corsé. Trató de soltar los corchetes con ayuda de un cuchillo, y lo único que consiguió fue hacerse un corte en un dedo.

Era imposible no compadecerse de sí misma y sentirse furiosa con Christopher por todo. Christopher, con su instinto de supervivencia, saltando siempre sobre la adversidad. Seguramente habría comido mucho mejor que ella. Incluso si había tenido que volver andando a su despacho.

Con un profundo suspiro, Alexandra trató de recuperar la compostura y no hacer caso de la vocecita insidiosa que no dejaba de repetirle lo estúpida que había sido al cambiar las comodidades de su casa por aquel lugar horrible. Se apretó el cinturón de la bata y se asomó a la puerta de la calle, y cuando vio a los cuatro niños al otro lado, abrió de par en par. Ya se había fijado en ellos cuando llegó a la casa, antes de que el policía los ahuyentara. Eran los mismos que acompañaban a Finley cuando el hombre fue a cambiarle las puertas días antes.

No le sorprendió cuando vio que cruzaban la calle bajo la luz menguante del atardecer. Uno era pelirrojo y llevaba una gorra sucia, otro era un golfillo rubio y los otros dos tenían el pelo negro. No les habría ido mal un baño. El pelirrojo parecía el cabecilla.

—¿Os gustaría ganaros un chelín? —les preguntó.

Los críos se miraron entre ellos, nada impresionados.

—De acuerdo, dos —ofreció Alexandra con voz firme.

—Cinco —dijo el pelirrojo—. Uno para cada uno.

—Pero si solo sois cuatro.

Aquel listillo de ojos azules sonrió.

—Es que no sabemos contar, madam. Nosotros no tenemos educación como su señora de usted.

Alexandra entrecerró los ojos.

—Cinco chelines es un robo. Ni siquiera sabéis qué quiero que hagáis.

—Da igual. Cinco chelines es nuestro precio.

A su espalda, el sol empezaba a ponerse.

—Necesito comida —dijo Alexandra—. Os haré una lista. —Sus ojos vacilaron cuando miró sus rostros mugrientos—. Bueno, ¿os acordaréis de lo que os diga?

—Mejor que leer, sí, señora Donally.

—Por favor, no me llaméis así. Ese no es mi nombre.

El picaruelo del pelo rubio se puso un puño en la cadera.

—Finley dice que sí. Dice que la señora y el señor Donally estuvieron casados hace tiempo.

Alexandra levantó las manos. Explicarlo habría sido demasiado complicado. Entró en su dormitorio y se puso a rebuscar en su armario. Dejaría que fuera Christopher quien solucionara el problema del nombre. Sin duda lo dejaría todo muy claro en cuanto oyera que alguien se refería a ella como su esposa.

Sacó los chelines que necesitaba y comprobó sus reservas. Se mordió el labio. El fajo de dinero de Christopher estaba en la mesa de su comedor, donde lo había dejado. No había administrado nada bien el presupuesto que se había impuesto. A aquel paso, no le alcanzaría ni para acabar el año.

—Un año y medio —se dijo mientras volvía a meter el saquito en el cajón—. Un año y medio y tendrás la edad necesaria para recibir tu herencia. —Prefería ponerse a fregar suelos a pedir ayuda a su padre.

Cuando salió del dormitorio, vio que los niños habían entrado.

—Cáscaras, milady. —Cuatro pares de ojos infantiles miraban lo que había encima de la chimenea—. ¿Sabe usar esa cosa?

La mirada de Alexandra se posó en la cimitarra. Se había pasado la mañana entera solo para colgarla. La luz destellaba sobre la hoja de plata.

—¿De dónde la ha sacado, madam? —preguntó uno de los niños, que no tendría más de siete años.

—Argelia —dijo ella, estudiándolos uno a uno.

Ellos no apartaron la mirada.

—Jo —dijeron al unísono.

—¿Y ha matado a alguien con eso? —preguntó el cabecilla.

—Sí, muchas, muchas veces. ¿Veis esto? —Señaló un punto cerca de la empuñadura dorada con una mancha de color óxido—. Es sangre —dijo.

El interés de los niños se convirtió en admiración y Alexandra supo que se los había ganado. Uno de ellos vio el montón de cerillas usadas en el suelo y se arrodilló junto a la chimenea. Los agujeros que tenía en el pantalón indicaban que se había hecho algún arañazo recientemente.

—La leña no está seca, milady —le dijo—. Por eso no arde.

Alexandra se acercó, y los dos miraron el montón de leña inservible.

—Cortaron el árbol que había ahí fuera. Las raíces empezaban a asomar por la calle. Me encontré la leña amontonada junto a la puerta.

Unos momentos después el pelirrojo entró del patio con un cubo de carbón. Y le enseñó dónde estaba la carbonera.

Los cuatro niños salieron al patio con ella.

—Y también tiene carbón para la cocina, madam. Pero pronto tendrá que llenar las carboneras. Están casi vacías.

—¿De verdad? —Alexandra se inclinó y miró dentro. Y tomó nota mentalmente de que tenía que preguntar al casero cómo se conseguía el carbón.

Rodeándose a sí misma con sus brazos, miró arriba y abajo, hacia la hilera de jardines. Algunos vecinos no habían recogido la ropa antes de la tormenta.

Todo aquello era nuevo para ella. Hasta hacía poco, nunca había hecho algo tan básico como barrer. Su mirada subió por la fachada de ladrillo, hasta el primer piso, donde había abierto las cortinas de encaje.

—Tiene una casa bonita, madam —dijo el rubio—. Hasta hay pájaros en los árboles.

Ella asintió y echó un vistazo a su pequeño patio pavimentado, rodeado por un muro de ladrillo, junto al que estaban los cubos de la basura. El inquilino anterior había intentado crear un jardín en la pequeña parcela de tierra que quedaba junto al muro.

El más pequeño de los cuatro se adelantó.

—Cuando hay sequía, viene el hombre del agua y llena las cisternas, ¿a que sí, Bob?

—La lechera pasa por la mañana —añadió Bob—. Y el carro de la verdura pasa más tarde. Y una vez a la semana viene el vendedor de quesos.

Volvieron adentro con ella y, antes de irse al mercado, le enseñaron cómo encender el fuego. Una hora más tarde regresaron con lo que les había encargado.

—Le hemos traído caramelo, milady. —Y, tras ofrecerle un trozo de caramelo de menta, consiguieron sacarle otro chelín.

Más tarde, Alexandra comió huevos, patatas, pimientos y queso, mientras el gato dorado la observaba desde el alféizar. Miró con afecto su nueva puerta de caoba, con su flamante cerrojo de latón, aunque sabía que seguramente Finley la habría robado de alguna casa de Mayfair.

Una extraña sensación de serenidad la invadió. No acababa de entender muy bien el porqué, aunque sabía que tenía que ver con el hecho de que por fin había terminado de desempaquetar sus cosas y de limpiar. Su despensa ya estaba llena. Después de fregar los platos, se había vendado la mano, porque la herida había empezado a sangrar otra vez, y se sintió idiota por haberse cortado de una forma tan absurda. Tendría que haber sido mucho más paciente y haber esperado a que el corsé se secara, entonces los corchetes se habrían soltado con más facilidad.

Al otro lado del patio trasero, la *ingénue* del barrio tocaba el piano mientras Alex leía la última edición de la revista del museo. Apoyó el mentón en la mano y exhaló un largo suspiro. Comparada con aquella extraña parte de Londres donde se desarrollaba su nueva vida, ahora se daba cuenta de lo silenciosa que había sido su existencia hasta entonces. Y de lo mucho que le gustaba el ruido.

Oyó unos golpecitos en la puerta de la calle. Alexandra se volvió en su asiento y miró el reloj de la repisa de la chimenea. Las once: la hora perfecta para salir y disfrutar de la colorida vida nocturna de la ciudad.

Sabía que a Christopher rara vez se le escapaba ningún detalle, y menos un fajo de dinero. Así que supuso que era él. Sus ojos se posaron en la cimitarra y por un momento deseó realmente saber utilizarla.

17

La mano de Alexandra vaciló sobre el pestillo. Pegó la oreja a la puerta y pudo intuir la presencia de Christopher al otro lado. Cada fibra de su ser vibraba llena de una nueva fortaleza.

—¿Quién es? —preguntó.

Un silencio. Luego:

—Soy yo, Alex. —Christopher hablaba en voz baja—. Abre la maldita puerta.

Alexandra manipuló la llave en la cerradura y la movió ruidosamente, tomándose su tiempo antes de abrir. Casi esperaba encontrarse a miss Bailey detrás de él, o esperándolo en el carruaje.

Christopher tenía la palma de la mano apoyada en el marco de la puerta y la cabeza ligeramente inclinada. Su largo abrigo de lana le tiraba de los hombros. Levantó la cabeza, la miró, y ella se sintió desnuda bajo el oscuro destello con que la recorrieron sus ojos.

—Bonita puerta —dijo.

La niebla había bajado. La calle estaba desierta.

—Es un poco tarde para visitas, Christopher.

—Y sin embargo, aquí me tienes. Tu humilde servidor.

—¿Humilde? —Alexandra arqueó las cejas con expresión dubitativa—. ¿No será que estás aquí porque tengo algo tuyo muy valioso?

—Ajá. —Christopher apoyó el hombro en el marco de la puerta—. Con el fajo de dinero que encontraste podría mantener a una querida.

—Vaya —dijo ella, en modo alguno impresionada—. ¿Eres un libertino? Yo creo que no. —No se apartó de la entrada—. Aunque si te lo propusieras, seguro que serías un calavera.

La mirada de Christopher pareció suavizarse.

—¿Puedo pasar?

Alexandra se apartó a un lado.

—¿Dónde está tu carruaje?

Christopher cerró la puerta y reparó en lo ordenada que estaba la habitación, en el fuego, en el aspecto de Alexandra. Había en él un halo de elegancia y desenvoltura. Se había puesto ropa de noche y la chaqueta negra que llevaba bajo el abrigo combinaba con su pelo y contrastaba con el azul de sus ojos. Aquella era su ropa. Y no parecía cansarse de ella.

—Ryan quería que Kathleen viera el museo. Alter nos ha hecho una visita privada por la exposición de El Cairo. Y luego cena. Una de las ventajas de ser miembro del consejo de administración. Después de la cena, el carruaje ha llevado a los otros a casa.

Y él se había quedado.

—¿Qué te ha parecido la exposición? —preguntó Alexandra.

—Se nota que los responsables tienen una imagen muy romántica de la historia.

Alexandra se sintió perversamente complacida por el tono con que lo dijo.

—Me lo tomaré como un cumplido.

Christopher se inclinó, acercándose más a ella.

—Ha sido más que un cumplido, Alex.

Sin quitarse el abrigo, se acercó a la chimenea y tocó el reloj de la repisa.

—Te las has arreglado muy bien aquí. Estoy impresionado.

—Oh, vamos, Christopher. —Alexandra rió—. No soy del todo inútil. —Se acercó a la mesa, donde estaba el dinero de

Christopher, junto a un cajón de madera lleno de alimentos que aún no había lavado ni guardado.

—Veo que hasta has ido al mercado.

—No hace falta estudiar para saber cómo conseguir comida en un mercado. Hay puestos de todo. Incluso de caramelo. —Dejó caer un trocito de caramelo de menta en su boca y se volvió.

Christopher estaba justo a su espalda y Alexandra casi se atraganta. Se estaba quitando los guantes; cuando terminó, pasó un brazo en torno a ella, cogió el último trozo de caramelo, y le rozó el hombro. Las pestañas de Alexandra se levantaron y se encontró con la mirada oscura de Christopher. Vio cómo se metía el trocito de caramelo bajo la lengua.

—Conozco la tienda de donde ha salido esto. —Dejó un par de pasos de distancia entre ellos—. Un buen negocio. La mejor tienda de Regent Street.

—¡Regent Street!

Aquellos pequeños sinvergüenzas se habían gastado todo su dinero en una de las tiendas de dulces más caras de Londres.

Christopher se metió la mano en un bolsillo, sacó un puñado de chelines y los dejó en la mesa.

—Les pagaste demasiado, Alex.

Alexandra lo miró perpleja.

—Les pagué para que me hicieran unos recados. No tenías ningún derecho.

—Ya se les paga para que te hagan los recados. Y para que vigilen la casa. Si les dejas, te robarán el aire que respiras.

—Pensé que te caían bien.

—Eso no tiene nada que ver. Necesitas tu dinero.

Alexandra suspiró mentalmente, pero el sonido salió por su boca.

—A veces eres de lo más irritante, Christopher. De verdad.

—Entre otras cosas. Me han llamado cosas mucho peores.

Ella cruzó los brazos.

—Tu familia, seguro.

Christopher se apoyó contra la mesa y cruzó los brazos. El abrigo le colgaba alrededor de las pantorrillas.

—¿No querías hablar?

Alexandra deseaba apartar la mirada de aquel hombre cuya presencia en la habitación hacía que el fuego pareciera dar mucho más calor que antes.

—Sí, ya que estás aquí. —Se sujetó un mechón de pelo detrás de la oreja, y se sobresaltó al ver que él le cogía la mano.

—Habría venido antes, pero no podía escaparme. —Le rozó el vendaje con el pulgar—. ¿Qué te ha pasado en la mano?

—Me corté cuando trataba de quitarme el corsé. —Al retroceder para apartarse, topó con una silla que a su vez golpeó ligeramente la mesa y que hizo que su taza de café se moviera—. El cuchillo estaba afilado y se me escapó.

—¿Querías cortarte el corsé? —Su voz sonaba incrédula.

Ella alzó el mentón. Le estaba haciendo desviarse del tema.

—Mi padre cree que quieres humillarle públicamente. O incluso chantajearle.

Él se llevó una mano a la cadera.

—¿Por ti? —Un bufido de desdén brotó de sus labios—. Es un poco tarde para chantajearle por eso.

—¿Te parece divertido?

—Sinceramente, Ware es un malnacido, y te admiro por haberte alejado de él.

Aquellas palabras le hicieron vacilar.

—¿De verdad?

Él volvió a cogerle la mano, y ella se puso tensa. Le volvió la palma hacia arriba y empezó a deshacerle el vendaje.

—Eso no significa que esté de acuerdo con la forma en que has decidido enfrentarte a él. Pero admiro tu valor. —De pronto los dos estaban mirando su dedo; parecía el punto más neutral entre ellos—. No es más que un arañazo —dijo él sin impresionarse.

—Nadie ha dicho que me hubiera cortado hasta el hueso.

—No creo que haga falta un vendaje.

—Desde luego, no me dejará ninguna cicatriz de la que presumir, como tú. Pero duele.

—¿Crees que con un beso te dolerá menos?

—¡Oh! —Alexandra apartó la mano con brusquedad—. ¿Para que se me infecte? —Ocultó la mano a la espalda y de pronto se sintió furiosa porque comprendió que se estaba riendo de ella—. Has cambiado de tema.

Él cruzó los brazos.

—¿Esas eran las noticias tan importantes que tenías que darme?

—Mi padre ha perdido mucho dinero —dijo Alexandra—. Pidió un préstamo poniendo como garantía sus propiedades de Londres. Y por lo visto ahora tú eres el dueño de su hipoteca y de sus deudas en los clubes.

—He comprado muchas hipotecas. —Hablaba con expresión neutra—. Pertenezco a un lucrativo consorcio que se dedica a invertir en la propiedad inmobiliaria.

—¿Es posible que seas el tenedor de los derechos de retención sobre sus propiedades de Londres?

—¿Has visto mi nombre en el documento de retención? ¿La ha visto tu padre?

—Papá recibió una carta de su asesor legal.

—Y, evidentemente, cuando vio mi nombre en ella supuso lo peor.

—Papá pertenece a la Comisión Real que supervisa los proyectos de obras públicas. Cree que quieres chantajearle para que vote en tu favor en la concesión de ciertos proyec…

Christopher le apoyó un dedo en los labios y se puso en pie.

—Conozco a tu padre, Alex. —Sus ojos la miraban fijamente—. Y en cuanto a lo otro, mi asesor legal es la única persona que puede contestarte a esas preguntas.

—Entonces, ¿lo vas a investigar?

—Sí.

De alguna forma, Alex había acabado con los muslos pegados contra la mesa.

—Bueno, dime. —Las manos de Christopher la sujetaron por el cinturón de su bata—. ¿Pudiste quitarte el corsé?

Ella percibió su tenue esencia a mirto.

—Sí, y si parece que me estoy quedando sin aire es porque me sofocas. —Y, sin recordarle que la había acusado de ser como la adicción al opio o que había dicho que cualquier hombre habría preferido la Inquisición antes que a una mujer, le estampó su fajo de billetes en el pecho—. Vete, Christopher, no tengo nada más que decirte. —Dicho esto, se apartó y fue a abrir la puerta de la calle. Se sentía tan indignada que temblaba de arriba abajo—. Lo digo en serio. Vete.

Christopher se quedó donde estaba, devastadoramente guapo y tentador.

Una ráfaga de aire hizo que entrara el olor húmedo de la niebla. Christopher fue hasta la puerta y se detuvo ante ella.

Y entonces levantó el brazo y cerró. Alexandra sintió todo el peso de su mirada sobre ella.

—No se me escapan la sucesión de casualidades que nos han castigado a los dos desde que nos hemos vuelto a encontrar. —Como si acabara de tomar una decisión, se sacó una tarjeta de visita del bolsillo interior. En la parte de atrás aparecía escrito el nombre de alguien—. ¿Conoces al vigilante del turno de día del museo? Potter.

Alexandra asintió, alertada ante aquel cambio en la conversación.

—Lo veía cada día al pasar delante de las cámaras de seguridad. Creo que dejó su puesto hace unas semanas.

—¿Lo dejó o le echaron?

Ella agachó la cabeza. El pelo le cayó sobre los hombros.

—Sí. —Asintió—. Creo que lo despidieron. ¿Es eso lo que has estado haciendo esta noche? ¿Buscando a Potter?

—Si no me equivoco, eres la única persona vinculada a esos robos que sigue trabajando en el museo.

Aquel comentario la sobresaltó.

—No me había parado a mirarlo de ese modo.

—¿Por qué? ¿No te parece muy raro?

—Visto desde esa perspectiva, sí —dijo ella, a la defensiva; la verdad era que no entendía por qué Atler no la había echado aún—. De todos modos, el personal cambia con frecuencia. Excepto los eruditos.

Él sopesó la tarjeta que tenía en la mano y dobló la esquina con el pulgar.

—Atler es totalmente fiel a tu padre. ¿Por qué?

—Los dos se criaron en Ware. Lo creas o no, hace años que son amigos. —Consciente del nuevo enfoque que estaban tomando sus preguntas, Alexandra levantó la vista—. ¿A qué viene todo esto?

—Esta noche tu padre estaba en la residencia de Atler. Los dos estábamos invitados a cenar.

Alexandra se abrazó a sí misma con fuerza.

—Seguro que os habéis divertido.

—Ajá, y aún está vivo.

Alexandra cruzó los brazos sin dejar de mirarlo. Pero parte de la tensión había desaparecido.

—¿Por eso no sabías si hablar conmigo? ¿Te preocupan mis lealtades? —Quizá ni siquiera ella pudiera contestar a eso con sinceridad, porque estaba demasiado apegada a Richard y a su padre—. Por si te interesa, mi padre utilizó su influencia para obligar al profesor Atler a contratarme. No lo he sabido hasta hace muy poco. Pero soy culpable, porque he seguido en mi puesto después de enterarme.

—No estoy acusando a nadie —dijo él con voz neutra—. Y desde luego tampoco cuestiono tu integridad profesional.

—Eso espero, Christopher. Porque realmente sé muy bien lo que hago. —Y de pronto se encontró defendiendo a Atler, porque al hacerlo se defendía también a sí misma—. El profesor Atler está haciendo lo que debe para proteger el museo. Tú mismo lo has dicho.

—Alex...

—Tiene una reputación impecable. El hecho de pensar que

puede estar implicado en un delito solo puede perjudicarte. Y en cuanto a Richard, le conozco de toda la vida. Jamás haría nada que pudiera perjudicarme. Jamás.

Christopher escuchó la perorata con gesto inexpresivo. Ella se sujetó un mechón de pelo detrás de la oreja, asustada, aunque no sabía por qué.

—¿Dónde está el Cisne Blanco que te di? ¿Has conseguido alguna información sobre el original? —preguntó, y medio recobró la compostura—. Quizá tendría que limitarme a recuperarlo y devolverlo a la cámara de seguridad.

—Lo tiene Finley. —Mientras volvía a meter la tarjeta en el bolsillo de su chaqueta, los ojos de Christopher fueron subiendo por la figura de ella y finalmente se clavaron en su rostro—. Sería una negligencia por mi parte no acudir a la policía.

—Pero prometiste que no lo harías. No puedes hacerlo. Arruinarás mi carrera. Aún no tenemos pruebas de nada.

—Hay ciertas coincidencias que no puedo seguir ignorando.

—Entonces, ¿te preocupa lo que te he dicho esta noche?

Él sacó la mano del bolsillo.

—Lo que me has dicho no me coge del todo por sorpresa, porque esta noche Ware y yo hemos intercambiado unas palabras, aunque breves. Principalmente sobre ti.

—Ya veo. Y entonces decidiste venir porque sabías que te dejaría entrar y mi padre te vería.

Christopher se rió, pero fue una reacción tan dulce que Alexandra sintió que aquel sonido la arrastraba.

—Ware se fue de la residencia de Atler hará más de una hora. Nadie me ha visto venir. Fui a dar un paseo.

—¿De verdad?

—Tu padre dijo que eres ingenua y que tienes una visión demasiado romántica de la vida. Por supuesto, eso fue tras ofrecerse a recomendar a D&B para varios proyectos de obras públicas y de amenazarme con la cárcel si trataba de hacerle chantaje.

Alexandra se sentía tan humillada que trató de ocultar el

rostro entre las manos. Christopher la sujetó por la nuca y le hizo echar la cabeza hacia atrás. El contacto con aquellos dedos le hizo sentir la necesidad incontrolable de liberar parte del fuego que ardía en su interior.

—Ya no soy el mismo hombre, Alex —dijo él de pronto, con una voz suave y tan intensa que Alexandra no fue capaz de apartar la mirada—. Tánger se llevó una parte de mí a la tumba y hasta ahora había preferido no revivir esos recuerdos.

Alexandra vio cómo se debatía consigo mismo con una desesperada sensación de indecisión.

—Solo sé que he pasado las última horas sopesando todos los argumentos para no venir a verte.

Una mueca de autodesprecio tiñó sus palabras. Ni siquiera el intrépido Christopher Donally parecía inmune al sentimiento de vergüenza, y el hecho de saber que ella era la causa le dio ánimo.

—Y tus argumentos han perdido. —El tono áspero y deliberadamente provocativo de sus palabras hizo que Christopher arqueara las cejas—. Tampoco es que te haya arrollado una carreta de cerveza, ¿verdad? —dijo imitando su acento irlandés.

—No puedo abandonar D&B. —Alexandra no estaba preparada para la solemnidad de la respuesta, para aquella vulnerabilidad inesperada—. Y no me interesa una vida que se mide por las temporadas de caza, en la que todos examinarán todo lo que hago con lupa. Ya tuve que aguantar ese tipo de control en el ejército. Mi vida es mía. Y yo la he convertido en lo que es.

—¿Te has fijado alguna vez en la gente que va a pie al trabajo?

La boca de Christopher hizo una mueca.

—No, no puedo decir que lo haya hecho.

—Siguen el mismo camino. Cada día. De ida y de vuelta. La misma rutina. Repetir las mismas cosas hace que te sientas seguro. Es un rasgo que comparten la mayoría de las especies.

Christopher la miró y reflexionó en aquellas palabras. ¿Se

habría reconocido a sí mismo? ¿O habría comprendido que hablaba de los dos? Podían continuar por el mismo camino que habían seguido durante años o tomar un desvío.

—¿Y la mayoría de las especies ponen a su pareja contra las cuerdas, Alex? —Aquel exabrupto delataba en él una conciencia que ya no podía reprimir, afilada como una navaja—. No tienes ni idea de lo que me gustaría hacerte en este momento.

La mano de Christopher fue a la puerta, pero ella la frenó con la suya. En algún momento había dejado de desear que se fuera. Y no se le escapaba lo mucho que aquello podía costarle a él.

Pero su corazón latía acelerado y su aliento se detuvo mientras sentía la fuerza reprimida de aquel brazo bajo su mano. Había tantas cosas dentro de él a las que no podía llegar...

De pronto el suelo que pisaba le pareció menos sólido.

—Dime para qué has venido.

La mirada de Christopher bajó lentamente a sus dedos, fríos y pálidos contra su camisa oscura, y volvieron luego a sus ojos.

No se movió.

—Dímelo.

Apoyó las manos en la pared y clavó sus ojos en ella.

—¿Los detalles sórdidos también? —Su aliento le hizo entreabrir los labios.

—Sí.

Alexandra habría querido permanecer para siempre arropada en el fuego que veía en sus ojos. Él le levantó el pelo hacia un lado y se lo echó hacia atrás, haciendo que ladeara la cabeza.

Su boca bajó con abandono buscando los labios de Alexandra, rozándolos como un hierro candente. Su lengua entró en su boca y la saboreó con ansia. Y ella, dejándose llevar, le rodeó el cuello con los brazos, empapándose de aquel calor, de aquel olor tan suyo. Sus manos la sujetaron por la estrecha cintura, quemándole la piel a pesar de la bata, se deslizaron hacia las caderas, las nalgas. Y la pegaron contra su pelvis. Alexandra profirió un sonido entrecortado, mientras los labios de él recorrían su mandíbula, hasta llegar a la oreja. Un beso bastaba para superar las diferencias que había entre ellos.

Nadie había conseguido nunca que la sangre le hirviera en las venas como Christopher.

Nadie la había hecho ser nunca más consciente de sus emociones. O la había poseído de una forma tan completa. O la había besado con una furia tan turbadora.

Nadie tenía el poder que tenía Christopher para destruir su mundo.

Ni siquiera su padre.

Alexandra sintió la mirada de Christopher sobre su rostro, como si pudiera adivinar lo que pensaba.

—¿Alex? —Su voz era ronca, prometedora, posesiva y oscura.

Sus pestañas se levantaron.

—Y entonces, ¿cuánto has dicho que costaba mantener a una querida?

Los ojos azules de Christopher titilaron como la noche.

—¿Quieres que te mantengan?

—Yo... no lo sé. —Alzó el mentón, pensando en las diferentes posibilidades.

De pronto Alexandra fue consciente de las limitaciones de su posición y envidió la libertad de Christopher. Los dos sabían que ella nunca podría zafarse del todo de su mundo.

Tal vez Christopher tenía razón. Tal vez él era su pecado. Su manera de rebelarse. Su chispa de arrojo en un mundo con demasiadas restricciones.

—¿Alguna vez has hecho el amor contra una pared? —preguntó Alexandra.

Él arqueó una ceja, como si no hubiera oído bien, pero no contestó.

—¡Christopher! —Los celos de ella respondieron a su silencio.

—¿Qué clase de pregunta es esa?

—¿Quién era ella?

Sus facciones eran sorprendentemente hermosas, sus ojos la miraban con impertinencia.

—La esposa de un comandante de Nueva Delhi.

Alexandra abrió la boca para replicar, pero no fue capaz de decir nada.

—Hice lo que hice, Alex —dijo él con gesto despegado. Sin humildad, contemplando su rostro con una quietud predadora—. Ya no formabas parte de mi vida.

Había en Christopher una oscuridad que hasta entonces Alex no había empezado a entender.

—Quiero la pared —le susurró al oído. El calor de él traspasaba la bata y le subía por todo el cuerpo—. Nunca he hecho el amor de pie.

Él le deslizó las manos bajo las nalgas. Y habló con voz suave.

—Apaga las luces y corre las cortinas para que pueda apartarme de esta puerta.

Sintiendo que el corazón le golpeaba con violencia en el pecho, Alexandra se buscó el cinturón de la bata para comprobar el nudo. Fue apagando las lámparas, una a una. Cerró las cortinas de la sala de estar, la que había junto a la mesa. Cuando todo estuvo a oscuras, se volvió buscando a Christopher.

Estaba en el umbral de su dormitorio; el abrigo y la chaqueta habían desaparecido. La estaba observando, con los brazos flexionados a la altura de la cintura, porque se estaba quitando los gemelos de su camisa nívea, que estaba desabrochada. Alexandra no había cerrado del todo las cortinas de su habitación, y el tono ambarino de las luces de la calle dibujaba un entramado de encaje sobre el suelo, detrás de él.

Él le tendió la mano, ella la aceptó y se quedó donde estaba, entrelazando los dedos con los de él, sintiendo su contacto en silencio.

Y entonces él dio un ligero tirón.

—Ven aquí —susurró.

Alexandra fue a sus brazos y saboreó el calor salvaje de sentir su nombre pronunciado contra sus labios. Fue un beso caliente y lánguido, demasiado breve. Y entonces él empezó a quitarse los pantalones. La bata de ella cayó a sus pies. Deslizando su mirada por el pecho nervudo y cubierto de vello negro, siguió la línea de la cicatriz por el muslo musculoso.

Era como si estuviera tallado en piedra y sombras. Todo él.

La piel de Alexandra se veía inmaculada bajo la luz tenue. El guardapelo destellaba con calidez entre sus pechos.

No había nada en ella que quedara oculto a sus ojos. Nada en él que quedara oculto a los de ella. Christopher apoyó la mano en el marco de la puerta y siguió con sus labios el pulso en su garganta.

—¿Prefieres alguna pared en concreto?

Ella no dejaba de estremecerse. Lo quería en su dormitorio, dentro de ella. Alrededor de ella.

—Aquí —susurró, incapaz de moverse.

Él le pasó los dedos por la maraña enredada de sus cabellos, atrapándola en su mirada.

—Aquí. —Las palabras sonaron con calidez contra sus labios, como si quisiera mucho más que penetrar en su interior.

La besó con delirio, mientras Alexandra notaba claramente su erección contra el vientre. Sus labios bajaron a sus pechos, y ella arqueó la espalda con una sensación caliente y líquida. Y hundió los dedos en los músculos fuertes de su espalda. Todo lo demás había dejado de existir, solo estaba el contacto de sus labios sobre su cuerpo, su lengua, el maravilloso roce de sus manos.

Él deslizó la mano entre sus piernas.

—Christopher... —Profirió un pequeño grito.

Sus dedos la separaron, la penetraron y entraron muy adentro. Alexandra estaba caliente y mojada.

—Estás muy caliente.

Alexandra echó la cabeza hacia el lado mientras la sangre corría desbordada por sus venas al ritmo de los dedos de él, cada vez más cerca del clímax, sintiendo que su cuerpo se arqueaba. Él la sujetó por las nalgas.

—Llévame dentro de ti, Alex. —Aquel gemido gutural le quemó en los labios—. Llévame.

Sin ser consciente de qué hacía, salvo de la intensidad de la invasión, Alexandra levantó una pierna y le rodeó la cadera. Él susurró su nombre y ella dejó que entrara. Sus manos le acariciaban el pelo, sus piernas estaban sujetas a su cintura. Y, así, pegado contra ella, Christopher se detuvo, con el cuerpo rígido, palpitando por la excitación. Todo el peso de su cuerpo palpitaba dentro de ella. El sonido de su respiración saturaba sus sentidos. Poco a poco, Alexandra abrió los ojos, y al levantar los párpados se encontró con los ojos de él, que la miraban, la acariciaban como si fuera la cosa más hermosa del mundo.

—Haces que me sienta bien, Alex. —Las palabras eran tensas, apenas audibles.

Ella sonrió, mientras lo miraba con los ojos entreabiertos. La pasión se había adueñado de su ser.

—Tú también haces que me sienta bien, Christopher.

Sujetándola por las nalgas, Christopher la levantó más, enlazando sus dedos con los de ella. Y ella apretó con fuerza. Él le empujó las manos contra la pared y empezó a moverse dentro de ella. Lentamente al principio, moviéndose sobre ella, contra ella. Dejó que su cuerpo lo envolviera, extrayendo cada precioso aliento de él. Allí donde la tocaba, Alexandra sentía que ardía.

Y siguió amándola.

La pasión se había adueñado de los dos. Con el pelo de ella sobre sus hombros, sus pechos pegados contra su pecho, sus labios se deslizaron sobre su boca, pidiendo, y ella se lo daba todo, clavando las uñas en sus brazos fuertes y musculosos. Y mientras el cuerpo de Christopher seguía empujando poderosamente, aquella tempestad primaria la elevaba hacia las nubes y más allá.

Hasta que, finalmente, la elevó a lo más alto.

Christopher yacía con Alex en sus brazos. Ella le acariciaba el pelo; una sonrisa se dibujaba en las comisuras de su boca. Una película de sudor cubría sus cuerpos. Aún bajo los efectos de aquel maratón sexual, Alexandra arqueó el torso y se echó contra su almohada, con el halo sedoso de sus cabellos alrededor de la cabeza. La mirada de él se clavó en su rostro. Hechizado por su belleza, deslizó la mano sobre su pecho. Tenía la belleza de un hada, una belleza etérea, como si hubiera salido de algún bosque pagano.

—¿Te quedarás a pasar la noche? —Siguió la línea de sus labios con la uña.

—Sí.

Estaban en la cama de Alexandra; una de las piernas de ella le rodeaba la cadera, arropándolo en su calor animal. Las almohadas, las mantas, y casi todo lo demás estaba en el suelo.

—Podría pasar toda la noche haciendo esto —dijo al tiempo que se desperezaba llena de satisfacción.

Los dedos de Christopher le acariciaron la mejilla.

—Puede, pero incluso yo necesito un rato para recuperarme, señorita.

Alexandra rió. La única luz que había en la habitación era la que entraba por una rendija abierta en las cortinas, y bajo esa luz Christopher vio que ella se ponía pensativa. Alexandra le apartó el pelo de la frente.

—¿Cómo es que conoces a gente como Finley y esos críos? —preguntó.

Christopher le besó el hombro.

—Finley y yo nos conocemos desde que éramos niños —dijo al cabo de un momento.

Ella pestañeó.

—¿Y cómo es eso?

Al ver su reacción, él sonrió con pesar.

—Cuando mi padre se trajo a la familia de Irlanda, no vivíamos muy lejos de Holborn —dijo sin más—. No porque quisiéramos. Con la ayuda de un hombre que se llamaba Michael Bailey, a papá le habían ofrecido un puesto de profesor adjunto en el departamento de metalurgia de la universidad. Yo tenía cinco años. Para cuando cumplí los siete, los amos de la calle nos utilizaban a Finley, a mi hermano David y a mí para que nos coláramos en las casas por las ventanas y les abriéramos la puerta para que entraran a robar. —Sus dientes blancos destellaron—. Así que aprendimos a abrir las cerraduras.

—¿Y qué pasó?

—Yo hablaba el idioma de todos los extranjeros que vivían en el barrio. La mayoría eran obreros que trabajaban en los muelles. Aprendí a leer gracias a mi madre y me convertí en una buena inversión. —Sus ojos la evaluaron—. Y luego, poco después de que se hablara de uno de los inventos de mi padre en una publicación científica, Bailey nos encontró otro sitio. Y me encontré en una clase con un tutor antipático durante los siguientes ocho años. Con el tiempo, logré unas notas lo bastantes altas para que me admitieran en la Real Academia Militar de Woolwich. —Contempló su rostro—. Bueno, esa es la historia de mi vida.

—¿Por qué no me habías contado nada de esto?

—Finley es el propietario del gimnasio de Holborn —dijo él mirándose la palma de la mano—. Yo le financio. Financio los campeonatos de boxeo, sus programas con los niños. Esos críos tienen un sitio donde dormir y comen mejor que muchos en sus casas. —Levantó la vista, deseando que ella comprendiera lo que había en su corazón—. Es algo personal entre yo y mi creador. Un asunto privado podríamos decir. Se lo debo.

Los ojos de Alexandra se llenaron de amor.

Por él.

—¿Me hablarás alguna vez del tiempo que pasaste en la India? —Lo miró con expresión inquisitiva—. Me ayudaría a entender.

—¿Entender el qué? —Sujetándola contra el colchón,

Christopher deslizó su boca por la curva húmeda de su cuello—. Trabajo cada día. Como. Duermo. A veces, cuando el tiempo lo permite, me gusta salir a montar y de vez en cuando participo en alguna investigación criminal. Últimamente hasta me he permitido tener una aventura amorosa. Algunos dirían que es un milagro.

Ella se incorporó sobre los codos y le obligó a echarse sobre su almohada.

—¿Por qué?

—Porque no creí... —siguió la curva de su ceja con el dedo—, no creí que pudiera volver a sentirme así.

Lo que sea que Alexandra estaba a punto de argüir, se desvaneció en su mirada verde y líquida.

—¿Es guapa? La de tu aventura amorosa.

—Normalmente sí. Cuando no la acaban de sacar de la cárcel o la pilla una tormenta.

Con aquel gesto tan seductoramente petulante, los labios de Alexandra acapararon toda su atención. Las comisuras de la boca de Christopher se curvaron con expresión traviesa.

—La encuentro... interesante.

Ella le acarició el pelo.

—Ella también te encuentra interesante.

Al otro lado del patio, alguien se puso a tocar el piano. Alexandra rió. Christopher levantó la cabeza y miró con enfado ante aquella intrusión espantosa.

—¿Sabe esa mujer qué hora es?

—Parece muy entusiasmada con su piano, ¿verdad? —Con una risa tonta, Alex le pasó un dedo por el vello del pecho y esperó hasta que pudo verle los ojos para seguir hablando—. ¿Crees en el destino?

—¿Es una pregunta retórica? —Le rozó los cabellos con los labios—. ¿O te vas a poner a hablar de filosofía religiosa? Porque si es filosofía, perdona pero yo me visto y me voy.

—En serio. —Alex lo empujó con las palmas de las manos—. ¿Alguna vez has pensado si fue una coincidencia que volviéramos a encontrarnos después de tantos años? ¿Y justamente cuando nos encontramos?

—Ninguno de lo dos lo tenía planeado.

—Aquella noche papá y yo estábamos invitados a cenar con el profesor Atler y el nuevo miembro del consejo de administración. Papá no sabía que el otro invitado eras tú. Yo salí tarde y al final no asistimos a la cena. Pero esa noche, en vez de utilizar la salida posterior del museo, salí por la entrada principal. Y acabamos encontrándonos de todos modos. El destino.

Algo pareció pasar por la mente de Christopher. Quizá era que no creía en el destino. O quizá, al igual que ella, consideró la cuestión con más detalle.

Christopher pestañeó al oír la voz de soprano que de pronto se unió al piano.

—En cuanto la temporada termine te mudarás a otra parte. Enseguida quedará libre algún sitio que puedas alquilar.

Alex se estiró contra el cuerpo de él. Y se arrebujó en la cama.

—¿Y si no me quiero ir?

Él le pasó la mano por el pelo y la besó en la sien.

—Este no es tu sitio, Alex. No está bien. Y no me digas que no estás aquí para desafiar a tu padre. Desafíalo en algún sitio más razonable.

—Está convencido de que no puedo hacer nada sin él.

—Y tú estás decidida a demostrarle que se equivoca. —Era una afirmación.

—No —dijo ella en voz baja—. Solo quiero vivir.

Christopher ya no la miraba con los ojos entornados por sus preguntas.

—Has vivido en diferentes lugares del mundo, Alex.

—Sí. Y nunca he vivido en el mismo sitio más que unos pocos años. Nunca he tenido amigas. Estaba tan desesperada por tener compañía que obligaba a Richard a jugar al té conmigo. Una vez hasta le hice ponerse unas enaguas en la cabeza para que pareciera que tenía el pelo largo y le dije que si quería sentarse a tomar mi té especial tenía que ser una chica. Él tenía cinco años.

—¿Y te dejó que lo hicieras?

Una sonrisa curvó sus labios.

—Me seguía a todas partes. Teníamos que ser exploradores y estar siempre juntos. —Alex levantó la vista y lo miró pestañeando—. Así que ya ves... cuando me preguntaste por la relación entre mi padre y el profesor Atler... si mi reacción fue desproporcionada, lo siento. Tú tienes hermanos, hermanas, sobrinos y sobrinas que te quieren. Y eso es algo que nunca perderás.

Los ojos de Christopher la miraron con dulzura. No le discutió lo que había dicho. Se limitó a deslizar la mano sobre su pecho, sobre el estómago, para reclamar el calor que había entre sus muslos.

—Ahora que estoy aquí desnudo junto a ti, se me ocurren mil formas mejores de que utilices la boca que hablar.

Se acomodó entre sus piernas, y se deslizó en su interior. Con los ojos entrecerrados, la sujetó por las nalgas y giró en la cama con ella encima. Ella se apretó contra él.

—También me gusta esta postura —ronroneó contra sus labios.

Christopher abrió los ojos, con los sentidos desbocados y una sonrisa en los labios. Ella le estaba mirando.

—Eres buena, Alex. Muy buena.

No dejaron de mirarse, y se amaron con los ojos tanto como con el cuerpo. No pronunciaron las palabras, pero estaban ahí, sin diluir, tan fuertes como el whisky. A Christopher le inquietó pensar lo agradable que era beber de aquello.

La sangre le martilleaba en las venas y su respiración agitada era el único sonido que salía por su boca, tan completa era su entrega a Alexandra. Ella se arqueaba sobre su cuerpo y sus pechos llenaban sus manos. Sus ojos no dejaban de mirarse y sus dedos se enlazaron cuando ella se echó hacia delante buscando su boca. En algún lugar oía un sonido lejano y resonante como los latidos de su corazón. Ella apartó la boca, abrió los ojos. Era como si la realidad quisiera inmiscuirse. Christopher rezó para que se fuera.

Pero entonces vio que la expresión de Alexandra se helaba. Y, tras incorporarse sobre los codos, se dio cuenta de que el continuo martilleo procedía de la puerta de la calle.

—¿Milady? —Una voz apagada le llegó del otro lado de la ventana. Luego, un golpecito en el cristal.

La mirada frenética de Alexandra volvió a posarse en él.

—Mary y Alfred. —Lo dijo moviendo solo los labios.

—¿Ahora? —contestó él moviendo también los labios con enfado.

—Voy corriendo, Mary —gritó con lo que esperaba fuera una voz somnolienta, separándose de Christopher.

Christopher tuvo que reprimir un gemido.

—No, esta noche me parece que no te vas a correr más.

Ella lo miró con brusquedad. Christopher se levantó de la cama para coger sus pantalones y Alex tuvo que taparse la boca para no echarse a reír. La boca de él también esbozó una sonrisa. De pronto todo resultaba inexplicablemente divertido, y los dos estaban tratando de no reírse.

Había algo liberador en el hecho de sentirse jóvenes otra vez, en la exaltación de que les pillaran o incluso en el hecho de haber hecho el amor.

—Sus habitaciones están encima de la mía —susurró Alexandra mientras se ponía la bata—. Puedes salir cuando suba con ellos arriba.

Él se metió la camisa en los pantalones.

—Hace tiempo que no tenía que salir corriendo de este modo.

—¿Cuándo fue la última vez que tuviste que huir de algo?

De pronto lo tenía ante ella, con la camisa colgando, abierta, abrochándole los diminutos botones de la bata.

—Aquel día en los establos del complejo —su voz era ronca, y la acercó hacia sí—, cuando te pusiste a perseguirme con un bieldo. Y creo recordar que acabamos en el granero. Entre pulgas.

Ella le pasó la mano por la nuca. Con los ojos chispeantes por la risa, pegó su boca a la de él.

—¡Te acuerdas!

Atusándose los cabellos, le dedicó una sonrisa y salió de la habitación con aire regio. Cerró la puerta a su espalda. Christopher apoyó la mano contra el picaporte. Pero no para escuchar lo que decían al otro lado. Estaba pensando en las palabras de Alex.

Había mentido al decir que durante aquellos años no había pensado en su pasado en común.

No había ni uno solo de los días que pasaron juntos que no recordara.

18

El chorro de vapor no ayudó a iluminar el motor de la locomotora de cabeza del tren en la oscuridad. No era así como Brianna había imaginado que abandonaría Londres. Con sus lámparas de gas y las farolas doradas de las calles, su alegre colorido, las sesiones literarias en la casa de lady Wellsby... nada que ver con el lugar al que se dirigía. No se había mostrado precisamente amable con Christopher y, mientras esperaba en el andén, viendo cómo Rachel hablaba con el mozo, involuntariamente escrutó el revuelo de cabezas de la abarrotada estación.

Su hermano sujetaba por el mango una de sus coloridas bolsas de viaje y charlaba con Kathleen y Ryan. Ryan, con su coleta pasada de moda, sus ojos inquietos, demostrando abiertamente su desinterés por las normas al tener cogida de la mano a su amada delante de todo el mundo. A diferencia de Ryan, Christopher parecía más distante de lo habitual. Preocupado.

Mordiéndose el labio inferior con frustración, Brianna se dio la vuelta. La noche anterior, Rachel había dicho en voz muy baja que su hermano pasaba mucho tiempo con lady Alexandra. La innombrable lady Alex, como si fuera el sucio secreto de Christopher y no alguien que podía hacer muy feliz a su hermano. Brianna sintió cierta empatía por él cuando menos lo esperaba.

Tenía que admitir que su comportamiento había sido desleal para con su familia, en especial con Christopher. Desde la muerte de su padre, Brianna había vivido con sus diferentes hermanos, pero fue Christopher quien se ocupó de que recibiera una educación cuando la mayoría de las mujeres jamás salían de su casa, quien la llevaba al internado de Edimburgo en otoño y la iba a recoger para las vacaciones. Quien le dio clases de idiomas y de aritmética y le hizo sentir que podía lograr cualquier cosa, independientemente de su clase o su religión, incluyendo su debut en Londres.

En ese momento Christopher levantó la mirada. Y ella, que se dio cuenta de que lo estaba mirando fijamente, tuvo que pestañear para contener las lágrimas.

Christopher le entregó la bolsa de viaje a Ryan y empezó a abrirse paso entre la gente, pero antes de que pudiera llegar a ella, oyó que alguien lo llamaba y se volvió. Era su asesor legal, el señor Joseph Williams.

El corazón de Brianna dejó de latir. Junto al distinguido caballero, con un abrigo de lana a cuadros azules y sombrero de copa, estaba su hijo.

¡Stephan estaba allí!

La expresión del joven se iluminó en cuanto la vio.

Brianna buscó a su hermano con la mirada. Y vio que la miraba con afecto. Había sido él: Christopher había hecho aquello por ella.

Stephan estaba a su lado y de pronto todo volvía a estar bien.

—Has venido a despedirme —dijo con una risa.

Se oyó el sonido agudo de un silbato. Stephan la guió hasta un banco cercano.

—Estás preciosa.

Sonriendo con timidez, el joven sacó un pequeño paquete.

—Te he traído esto. —Le entregó un retrato suyo—. Me lo hicieron hace unos días. —La miró a los ojos—. Espero que no me tomes por un presuntuoso. Me gustaría tener uno tuyo.

Brianna aceptó la miniatura de sus manos y la apretó contra

su corazón. Stephan le dijo que la iría a visitar a Carlisle. Ella prometió escribirle todos los días. La multitud se encrespó y alguien le golpeó el codo.

De pronto no veía a Christopher por encima de las cabezas y los sombreros de la gente.

—¿Hay algún problema? —Stephan siguió su mirada.

Ella se puso en pie.

—Tengo que ver a mi hermano antes de que se vaya.

Entonces alguien le tocó el brazo.

—¿Adónde vas, fierecilla?

—Oh, Christopher. —Y se arrojó a sus brazos—. Gracias.

Las comisuras de la boca de él se curvaron.

—Trata de portarte bien con Kathleen y Rachel cuando vuelvas a Carlisle. Nada de travesuras.

Ella asintió y se enjugó las lágrimas. Y Christopher buscó la mirada de Stephan detrás de su hermana.

—Espero que en algún momento de esta semana hagamos los arreglos necesarios para que cortejes a mi hermana.

—Sí, señor.

Brianna se inclinó con ciertas prisas sobre su ridículo y sacó una carta.

—¿Puedes darle esto a lady Alex en mi nombre? Si crees que no le molestará.

Él cogió la carta.

—Querrá leerla, no te preocupes.

—Si me viniera a visitar alguna vez, no me importaría. Y me da igual lo que piense el resto de la familia.

Él la miró con expresión afable.

—Gracias, fierecilla. —Miró de nuevo a Stephan y le saludó educadamente con un gesto de la cabeza—. Señor Williams.

Al volverse, por encima de la multitud su mirada se encontró con la de Ryan, que estaba haciéndole señas con su mano enguantada. Después de años trabajando con maquinaria pesada, entre ellos el lenguaje de los signos se había perfeccionado hasta convertirse en un arte.

—Y ahora, si me disculpáis. —Le puso la mano en la mejilla a su hermana y sin decir más se marchó.

—Mi padre está trabajando en una investigación para él —dijo Stephan con aire de importancia mientras lo veían dirigirse hacia Rachel, que estaba sola.

Pobre Rachel, con su amor no correspondido. A Brianna le dio pena y decidió ser más amable con ella, incluso si se había hecho la idea equivocada de que era su carabina oficial.

Se volvió hacia Stephan.

—¿Tu padre? —En su voz había cierta emoción—. ¿Qué investigación?

Tras mirar brevemente alrededor, el joven dijo:

—Puesto que eres hermana del señor Donally, imagino que no le importará que lo sepas. —Y procedió a hablarle de los robos en el museo y la investigación del pasado de algunas personas que podían estar implicadas—. Podría ser el escándalo de la década —dijo a modo de conclusión—. Todo es muy secreto.

Brianna miró por encima del gentío, más que impresionada. El presumido de su hermano se estaba convirtiendo en un héroe en todos los frentes. Se hubiera apostado el meñique de la mano izquierda a que en la familia nadie más lo sabía.

Alexandra estaba sentada ante su mesa de trabajo en el laboratorio de antropología, con aire soñador, el mentón apoyado en la mano y la mirada perdida. Esa semana ella y Mary habían barnizado el suelo de su casa y ella estaba pensando en el papel que quería para su habitación. Le gustaba el azul, del mismo tono que los ojos de Christopher. Por tercera vez se dio cuenta de que estaba fantaseando y se obligó a concentrarse en sus notas sobre una nueva exposición. Apenas había pasado una hora desde la última vez que se sacó el reloj del bolsillo. Y no era que tuviera que ir a ningún sitio. Ya había cumplido su horario en la Sala de Lectura. Y esa noche Christopher trabajaría hasta tarde.

Aquel había sido un mes de dicha secreta para ella. Habían visitado casi hasta el último rincón de Londres, de incógnito, disfrutando de la libertad de explorar lugares que la buena sociedad no frecuentaba. Christopher la había llevado a una representación especial del prolífico autor teatral irlandés Dion Boucicault, a una casa de subastas de antigüedades y, cediendo a sus súplicas, la llevó también al gimnasio donde Finley ejercía de árbitro en el ring de boxeo. A pesar de todos sus viajes, jamás había experimentado algo más chocante que ver a dos hombres dándose golpes en medio de una multitud de juerguistas escandalosos, la mayoría de los cuales seguramente se contaban entre los rufianes del infame barrio de Seven Dials o de Whitechapel.

Oyó pasos a su espalda y vio que Richard salía de su despacho.

—No te quedes aquí abajo todo el día, muñequita. —Pasó velozmente junto a ella—. O dentro de poco andarás por ahí con cola y un tridente, como yo.

—Muy gracioso.

Richard cerró la puerta a su espalda antes de que pudiera preguntarle adónde iba. ¿Por qué estaba tan contento?

Alexandra frunció el ceño y miró por encima del borde de sus gafas de lectura. Últimamente estaba muy reservado y evasivo. Era una entidad totalmente asocial.

De pronto la puerta volvió a abrirse, solo un poco. Los goznes oxidados casaban a la perfección con las sombras y la humedad que lo impregnaban todo en aquel laboratorio, donde ella y Richard estaban trabajando en un nuevo proyecto.

—Buenas tardes, milady. Este lugar me produce escalofríos. —Su secretaria estaba en el mismo sitio por donde Richard acababa de pasar.

En la sala reinaba el caos. Pero lo cierto era que el laboratorio de antropología siempre tenía ese aspecto. El despacho de Richard se hallaba en la parte de atrás. Las paredes estaban cubiertas por diferentes niveles de enormes cajones de madera, cada uno con una fecha perteneciente al último medio siglo. Un inmenso almacén de esqueletos humanos, la mayoría encontrados en hoyos de Londres. Detrás del polvoriento osario se encontraba el verdadero laboratorio, donde dos miembros del personal estaban trabajando en aquellos momentos.

—¿Pasa algo, Sally?

—Tal vez, milady. —Su secretaria entró como si temiera que fuera a ser devorada por unos duendes—. Vengo a decirle que me trasladan arriba, a la oficina. —Le entregó una declaración jurada—. Tendría que ver el despacho, milady. Está recién encalado.

¿Habían pintado su despacho? Obligándose a hablar con una ligereza que en modo alguno sentía, Alexandra leyó la nota.

—Me alegro, Sally. Quizá dentro de poco todo vuelva a la normalidad.

Sally pareció aceptar sus palabras como algo positivo porque vio que sonreía.

—Milady, he oído decir que el inventariado de las cámaras puede alargarse eternamente. Nadie sabe cuánto material tenemos. Una buena parte jamás ha sido catalogada. —Siguió parloteando como una experta, porque ese era el trabajo que había hecho con Alexandra.

—Sally, no van a catalogar el fondo entero del museo.

—Entonces espero que acaben pronto. No sé cómo aguanta en este sótano, milady. —Su secretaria se estremeció visiblemente—. Después de lo que le pasó a la pobre Bridgett, me da miedo pasar sola por el pasillo.

—Tonterías —espetó Alexandra, tratando de evitar el rumbo tan absurdo que estaba tomando la conversación—. A miss O'Connell no la asesinaron en el museo.

Alexandra había leído el informe de la policía y sabía que la mujer que encontraron en el río se había ahogado. Aun así, seguramente nunca sabrían si había saltado o la habían empujado.

Cuando Sally se fue, Alexandra recogió un poco. Marcó y etiquetó el recipiente, y lo guardó con los otros que se alineaban en los estantes mohosos. Ella nunca había tenido miedo allí abajo. Se sentía segura entre aquellas paredes. Y eso era así porque conocía aquel mundo y era su vida.

Pero ya no estaba segura de conocer ninguno de los dos.

En más de una ocasión había preguntado por el inventario y la respuesta que recibía siempre era un ambiguo: «Todo va según el programa».

¿El programa de quién?, empezaba a preguntarse.

Encontró al profesor Atler en el pasillo de la segunda planta; llevaba un montón de papeles en los brazos. El hombre aminoró el paso al verla. Era alto y desgarbado, como su padre, y prácticamente tuvo que correr para alcanzarlo.

—Justo a tiempo, querida —le dijo él—. Necesito ayuda con estos libros.

Con el rostro enrojecido por el esfuerzo, Atler dejó en sus brazos los libros que llevaba. Estaban ante la puerta de su despacho, y su nombre aparecía en letras doradas sobre la reluciente madera. El profesor se inclinó mientras buscaba la llave.

—¿Qué puedo hacer por usted, querida?

Alexandra no soportaba que le hablara con aquel tono protector.

—¿Por qué no me dijo que pensaba vaciar mi despacho?

—No le pertenece, Alexandra. —Abrió la puerta y volvió a coger los libros de los brazos de Alexandra—. Como bien sabe, he hecho ciertos cambios entre el personal para responder mejor a la expansión del museo. Sus pertenencias se han guardado adecuadamente.

—Pero ¿y mis archivos?

—Estoy seguro de que han sido trasladados al sótano. —Tras abrir de par en par la puerta, se volvió. Alexandra vio que también estaban renovando aquella estancia—. Como puede ver, su despacho no es el único que estamos cambiando.

Un obrero los interrumpió. El profesor Atler fue hasta su mesa y, tras dejar los libros encima, indicó al hombre una habitación contigua. Era como si no hubiera ninguna investigación interna, ninguna preocupación, solo una intensa sensación de caos acentuada por las obras de ampliación de la galería del ala oeste. Otros dos hombres entraron cargados con cubos de yeso. Y Alexandra quedó olvidada en el umbral.

Tras quitarse la bata y arrojarla en la papelera que había junto a la escalera, Alexandra subió otro tramo de escaleras. No vio que el profesor Atler salía de su despacho y la observaba en silencio.

Su mirada se deslizó pasillo abajo, y pensó en aquella joven a la que había visto allí por última vez.

La placa de latón con su nombre seguía junto a la puerta de su despacho, pero en el interior todo lo demás había cambiado. Alexandra se acercó a su antigua mesa y contempló las paredes, donde ya no colgaban sus títulos, los estantes, donde ya no estaban sus libros. Cogió una carpeta de encima de la mesa y, tras pasar unas páginas, empezó a leer, pero se volvió enseguida porque la puerta se abrió. Uno de los internos que antes trabajaban para ella entró. Los estudios interdisciplinarios que había cursado estando a sus órdenes dos años antes le habían permitido conseguir el puesto de ayudante de conservador en la sección de mineralogía. El hombre tenía olfato para los manejos políticos del museo. Y ahora ocupaba su despacho. Otra cosa que el profesor Atler había olvidado comentarle.

—Bueno, ¿cuándo se lo publican? —preguntó Alexandra.

El hombre volvió a dejar el informe sobre la mesa.

—A principios del año que viene. —Su piel tenía el tinte cobrizo de quien pasa demasiadas horas al sol—. ¿Ha tenido ocasión de leerlo?

—Es muy bueno —dijo, y se volvió a mirar su antiguo despacho, aunque solo fuera para que él no le viera la cara. Sus emociones eran demasiado intensas—. Parece que he colaborado obedientemente a enseñar a mi sustituto.

—Lady Alexandra... —El hombre parecía abochornado—. Creo que tendría que hablar con el profesor Atler. Pensé que lo sabía.

Alexandra salió.

Tras pasar unos instantes tratando de decidir si debía enfrentarse o no al profesor Atler, finalmente regresó a su pequeña área de trabajo junto a la Sala de Lectura. Apoyó las manos en la mesa y cerró los ojos. Sentía una fuerte presión en el pecho. Tenía un nudo en la garganta.

En un momento de desesperación, hasta pensó en acudir a su padre.

Pero se dio la vuelta, se dejó caer en su silla y prefirió olvidarse de aquello. De todos modos, su padre tampoco querría verla. No después del chasco del *Vanity Fair*. Además de ver su nombre destacado en la sección de sociedad de los periódicos, en el campo profesional le esperaban momentos difíciles. Alexandra sabía que estaban en el campo de batalla político donde se habían movido toda la vida y que aquella era la época más difícil del año.

En lugar de huir, bajó a las salas abiertas al público y se mezcló con los visitantes para mirar por última vez la exposición. Algunos la reconocieron y ella no dudó en atenderlos. Más tarde, se sujetó el sombrero al pelo y se fue, tras asegurarse de que su carta de dimisión llegaba al despacho de Atler.

Cuando sintió el sol en el rostro, Alexandra levantó la vista al cielo. No volvió a su casa. Llevaba una ropa muy sobria, como hacía normalmente cuando trabajaba, pero una mujer que iba por la calle sin acompañante siempre llamaba la atención. Era otra de las cosas a las que tenía que acostumbrarse ahora que vivía sola. Por las calles se oía el bullicio del tráfico y el sonido de la maquinaria pesada.

Se protegió los ojos para mirar el perfil de la ciudad. Había una curiosa yuxtaposición de lo viejo y lo nuevo en el contraste entre la cúpula de Saint Paul y los tornos y las máquinas que sobresalían por encima del paisaje industrial. Pero ¿acaso no era eso el desarrollo? Con el tiempo, lo que parecía caótico y catastrófico se convertía en algo ordenado y hermoso.

Una hora más tarde, Alexandra se detuvo en una bulliciosa esquina y contempló el edificio de ladrillo rojo del otro lado de la calle. La brisa le agitó la falda. No había vuelto a la oficina de Christopher desde la primera vez que estuvo allí, hacía meses. Muchas cosas habían cambiado desde entonces. Sonriendo para sus adentros, cruzó la calle y subió por la escalera hasta el piso donde Christopher tenía su despacho.

Minutos más tarde, Stewart informaba a Alexandra que Christopher estaba en una reunión. Se estaba haciendo tarde, y supuso que la reunión no tardaría en terminar. Se sentó a esperar en el vestíbulo. Al menos aún estaba allí. Con la esperanza de no estar molestando, le envió una nota.

Antes de que tuviera tiempo de colocarse la falda adecuadamente, Stewart volvió y le entregó obedientemente la nota de respuesta. Alexandra no esperaba ninguna respuesta. Y desde luego no tan pronto.

Desdobló el papel algo vacilante y leyó lo que ponía. Y enseguida levantó la vista y se sonrojó hasta la raíz del pelo. Gracias a Dios, Stewart no pareció reparar en su reacción.

—Disculpe. —Se aclaró la garganta y trató de parecer indiferente—. ¿Quién está con el señor Donally?

—Miembros del comité de obras públicas, señora.

Sus ojos fueron inmediatamente hacia la puerta. ¿Cómo era posible que Christopher le hubiera escrito algo tan gráfico y explícito estando allí sentado con los distinguidos miembros del comité?

—¿Cree que podría llevarle otro mensaje?

Cuando oyó que la puerta a la antesala de su despacho se abría otra vez, Christopher estaba jugueteando con una pluma, y su mirada se desviaba con inquietud hacia la ventana. Estaba sentado en el extremo de la larga mesa de reuniones, con las piernas estiradas, medio escuchando el monólogo de Ryan sobre el trazado del alcantarillado bajo la ciudad. Las nubes habían tapado el sol. En algún momento Christopher había dejado de tomar notas. Estaba pensando en el mensaje de Alexandra y la respuesta que él le había enviado cuando Stewart apareció con otra nota para él. Al otro extremo de la mesa, Ryan seguía hablando con un plano en las manos. Christopher abrió el pedazo de papel, y el murmullo de la conversación desapareció por completo de su mente. Muy a su pesar, sintió que una sonrisa quería aflorar a sus labios. Tras enviar inmediatamente una respuesta, se recostó en su asiento y sus ojos se cruzaron con la mirada oscura de Ryan. Su hermano no dejó de hablar en ningún momento, y a pesar de ello Christopher percibió en sus ojos una expresión de advertencia.

Y eso le molestó.

Le molestaba tener que estar en su oficina bromeando sobre política y sobornos para comprar a funcionarios cuando D&B estaba más cualificada y económicamente preparada que ninguna otra empresa de Londres para los proyectos presentados al comité. Le molestaba que el cielo se estuviera nublando. O que Alex pudiera cansarse de esperar y se marchara.

Aquella necesidad que sentía lo consumía. Le despertaba por las noches. Se colaba en las reuniones.

Quería llevar a Alex a *su* casa y hacerle el amor en *su* habitación, en *su* cama, arrullados por la luz de la luna y el satén. Al diablo con el protocolo y los rumores, al diablo con los criados. Con una oscura y posesiva sensación de erotismo, quería verla alcanzar el clímax bajo su cuerpo, verse reflejado en sus ojos cuando se corriera.

Una ojeada al reloj. Apenas había avanzado desde la última vez que lo miró. Cinco minutos antes de que su agitación se convirtiera en una frustración visible, la reunión terminó y los miembros del comité se marcharon.

—¿Me puedes explicar qué pretendes? —Ryan cerró la puerta que separaba las dos habitaciones.

Christopher ya estaba recogiendo sus papeles.

—Tendríamos que haber echado a esos chacales hace una hora.

—Necesitamos su apoyo, y lo sabes. Sobre todo si se retiran más inversores.

—Nos presentaremos ante el selecto comité de los Comunes si quieres, aunque la verdad es que me importa un comino, pero no pienso pagar más sobornos para que nuestro nombre siga en la lista de aspirantes.

—Pero ¿qué demonios pretendes, Chris? —La voz de Ryan estaba llena de frustración—. Primero aquella emotiva escenita con Brea en la estación el mes pasado. ¿Y ahora te dedicas a escribir mensajitos amorosos? Creo que ya no te conozco.

Christopher aún no había terminado de recoger, pero se detuvo. Se puso una mano en la cadera y pareció que iba a decir algo. Finalmente, se volvió.

—Estoy harto de política. De tener que estar siempre pendiente de las normas y las agendas personales de los demás. En cuanto a lo de Brianna, aquello fue algo entre ella y yo.

—O a lo mejor es que tienes a la hija de Ware en la cabeza y otras partes de tu anatomía que no mencionaré. ¿Se supone que tengo que marcharme un mes con mi esposa y confiarte este proyecto? ¿Tú oyes lo que estás diciendo?

—¿El qué, qué estoy diciendo?

—Los inversores no lo acaban de ver claro porque no creen que podamos completar el análisis en dos años. Con algunos rumores bien situados y otro escándalo, no sería difícil desestabilizar la estructura financiera de una empresa, sobre todo si esa empresa depende de los proyectos del gobierno.

—Sobreviviremos.

—Lo que menos falta me hace es que vengas y eches por tierra mi trabajo.

—Vete al infierno, Ryan. Yo he trabajado tanto como tú para que esta empresa fuera viable. Y no eres la respuesta de Dios a las plegarias de los ingenieros. Eres tan prescindible como lo somos todos.

—Tal vez. —Abrió la pesada puerta con violencia, con la mandíbula apretada, y se volvió a mirarlo furioso—. Pero tú no eres prescindible, y en estos momentos tu comportamiento nos tiene realmente preocupados a Johnny y a mí.

Ryan salió de la sala de reuniones, y la puerta se cerró tras él. Christopher apoyó las manos en la mesa. Su mirada se posó en las botellas de brandy y whisky irlandés que seguían en la mesa después de la reunión. El fuerte olor del whisky le hizo cerrar los ojos.

Renegando, se quitó la corbata y la arrojó sobre el sofá. En su interior no había nada que lo aproximara a la postura de su hermano.

¿Por qué no podía su familia dejarle en paz?

Christopher estaba en pie ante la ventana que miraba sobre la bulliciosa ciudad cuando Stewart entró.

—¿Sigue aquí lady Alexandra?

—Sí, señor. Está en el vestíbulo.

Christopher asintió con el gesto y esperó a que Stewart saliera.

Las sombras del atardecer habían empezado a colarse en la sala. Se quitó la chaqueta. La puerta de la antesala estaba abierta, y oyó que la voz suave de Alexandra le decía algo a Stewart. ¿Habría oído su discusión con Ryan? ¿La habrían oído los otros miembros del personal?

Christopher cruzó el despacho mientras Alexandra y Stewart hablaban de las precoces técnicas de ingeniería de las pirámides de Egipto. Se apoyó en el marco de la puerta y la oyó hablar en una terminología matemática que muy pocos entendían. Los observó a los dos sin que ellos le vieran. Sus ojos descendieron a sus pechos, luego siguieron la línea de su cuello hasta los suaves contornos de su rostro, la frente arrugada por la concentración. Aquella mujer le dejaba sin aliento. Pero era mucho más que eso.

Le hacía feliz.

Mientras la observaba, algo hizo que Alexandra volviera la cabeza. En cuanto le vio se puso en pie enseguida, mirándolo con expresión algo preocupada, y una sonrisa curvó las comisuras de su bonita boca.

—Stewart y yo estábamos comentando el sistema de notación numérica utilizado para diseñar las pirámides —dijo con expresión alegre en respuesta a su silencio—. Muy práctico, comparado con los cálculos que se hacen en la actualidad.

A Christopher no se le escapaba que su secretario y su ex mujer se habían saltado las fronteras sociales y se estaban tratando por el nombre. Con una sensación extrañamente territorial, miró al hombre.

—Yo cerraré, Stewart.

—Sí, por supuesto. Ya me iba, señor. —Stewart cogió su sombrero y su chaqueta. Dedicó una mirada inquieta a Alex—. Milady, he disfrutado de nuestra conversación. Ha sido de lo más esclarecedora. Tal vez en otra ocasión...

—Buenas noches, Stewart —dijo Christopher con brusquedad, consciente de que su comportamiento estaba siendo abominable.

Alexandra apartó la mirada de Christopher.

—Gracias, Stewart —le dijo al hombre justo antes de que la puerta se cerrara a su espalda.

En medio de aquel silencio, Alexandra se volvió de nuevo hacia la puerta del despacho, donde Christopher seguía apoyado contra el marco.

—¿Estás bien? —le preguntó.

Él se apartó de la puerta.

—Te he echado de menos. —Por la forma en que lo dijo, Alexandra supo que se moría por tocarla.

Christopher se acercó tanto a ella, que Alexandra tuvo que ladear la cabeza y lo miró con expresión decidida. No podía haberla echado tanto de menos. Pasaban juntos todas las noches.

—No pienso dejar que cambies de tema como haces cuando no quieres hablar de algo. ¿Has discutido con Ryan?

Él la sujetó por la cintura, poniendo sus manos sobre el corpiño acanalado, y la atrajo hacia sí.

—No tenía nada que ver contigo.

Ella evitó sus labios.

—¿Lo juras?

—Sí, buana.

—¡Christopher!

Esbozó una sonrisa, y Alexandra se preguntó si se saldría siempre con la suya con esa sonrisa no tan inocente.

—Creo que el mundo no sabe lo perverso que eres. —Se permitió relajarse en sus brazos—. No soportaría que te pasara nada. Me preocupo por ti.

—Puedo manejar a mi familia, Alex.

Alexandra se apoyó contra él y le rodeó la cintura con los brazos.

—Hoy he dimitido de mi puesto en el museo.

Él le hizo alzar el mentón y la miró con intensidad a los ojos.

—¿Tú qué habrías hecho en mi lugar?

Él esbozó una sonrisa torcida.

—Le habría dicho al comité en pleno que se fueran al infierno hace mucho tiempo.

—¿Significa eso que puedo ayudarte en tus investigaciones? Porque quiero encontrar al responsable de... de...

—Le encontraremos. Te lo prometí, ¿no es cierto?

Sus manos bajaron a sus pechos y un ronroneo bajo se formó en su garganta.

—¿Iba en serio lo de cenar en casa esta noche? ¿Todo?

—¿Te he sobresaltado? —Pronunció las palabras contra sus cabellos, pero Alexandra intuyó que sonreía.

—Sí, lo has hecho, Christopher. —Sus manos recorrieron su pecho musculoso, levantando un rastro de colonia—. Nunca he visto a nadie darse un festín de siete platos sin cubiertos.

—Ocho. —La voz de él se convirtió en un susurro ardiente contra sus labios y Alex cerró los ojos—. Me había olvidado de uno. —Y descendiendo el último milímetro la besó con voracidad.

Nueve, si contaban que también se había tragado su corazón. Alex estaba desesperadamente enamorada.

19

Alexandra se movió y abrió los ojos cuando el carruaje de Christopher se detuvo.

—Despierta. —Su voz rozó sus cabellos—. Estás en casa.

—No quiero ir a casa —gimió ella.

—Alex… —La arrastró con suavidad sobre el regazo y la besó, y luego dio unos toquecitos en el cristal del carruaje—. Tengo que irme. —Se la pasó al cochero para que la bajara y él bajó detrás, haciendo una mueca de dolor.

La niebla había caído sobre Londres como un manto. Aunque sabía que tenían una hilera de casas delante, se sentía como si él y Alex estuvieran solos en un mundo silencioso.

—¿No puedes hacer nada por esa pierna? —preguntó ella cuando llegaron a la puerta.

—Es por la humedad. Se me pasará.

Por el tono Alexandra supo que no quería hablar de su pierna. Le metió las manos bajo la chaqueta.

—Lo he pasado maravillosamente esta noche. Has encontrado una forma muy creativa de utilizar una mesa de reuniones. —Sus labios ardientes rozaron los de él.

Las manos de Christopher le recorrieron el abdomen y al momento se encontraron interpretando una danza privada.

—Lo sé. —Le apartó el pelo de la cara y miró con una sonrisa sus ojos somnolientos.

Antes de que el ambiente empezara a arder y se pusieran a hacer mucho más que besarse en el porche, Christopher estiró el brazo, abrió la puerta y se llevó un susto cuando un gato dorado se escurrió entre sus piernas y se coló en la casa.

—Creo que tienes compañía.

—Sí, ahora vive aquí. —Cruzó el umbral.

Como si ninguno de los dos quisiera ser el primero en soltar al otro, se mantuvieron la mirada. Christopher empezó a cerrar la puerta, estrechando cada vez más el espacio que había entre ellos, inclinado sobre Alexandra.

—Cierra con llave.

Alexandra le sonrió, con la mejilla apoyada contra el borde de la puerta.

—Buenos días, Christopher.

Él esperó hasta que la oyó girar la llave en la cerradura. Con las manos en los bolsillos, cruzó la calle apresuradamente y se dirigió hacia el sendero de ladrillo que rodeaba el museo. La nota que había recibido de Finley hacía una hora era breve pero muy precisa. Finley había descubierto algo importante en la investigación.

En medio de la espesa niebla, la luz de las farolas iluminaba débilmente. Christopher a duras penas distinguía la estructura palaciega que había al otro lado de la verja de hierro forjado. Giró y dejó atrás el museo, como una sombra. Los bajos del abrigo le golpeaban contra las espinillas.

De pronto la silueta de Finley apareció en medio de la niebla. Había otro hombre con él, bajo una farola, arrebujado en su chaqueta.

—Siento haberle interrumpido sus planes, señor Donally. —Aunque su sonrisa no parecía muy compungida—. Tengo aquí conmigo a cierto individuo que necesita hablarle a su señor de usted.

Aquel preámbulo tan abstruso hizo que Christopher volviera la mirada al hombre que esperaba bajo la farola.

—Potter, *a mhic* —susurró Finley en gaélico—. Cuéntaselo.

Potter se adelantó unos pasos al tiempo que se quitaba el sombrero de la cabeza.

—Se acuerda de mí, ¿verdad, señor Donally?

—Ya había renunciado a encontrarte.

—Me echaron. No tenían motivos, ninguno.

—¿Qué es lo que querías decirme?

Potter se movió con nerviosismo.

—¿Cree que puede valer veinte libras, señor?

Finley se volvió hacia el individuo.

—No importa —dijo Christopher sujetando a Finley para que no cogiera a Potter por el cuello—. Deja que hable.

—No he encontrado trabajo seguido ni para una semana —le explicó farfullando a Finley—. Me dijo que me pagarían bien por mi tiempo.

—Te daré veinticinco si la información es buena —dijo Christopher.

—La chica, Bridgett O'Connell. Es muy raro todo eso de que se haya muerto. —Hizo girar la gorra en sus manos—. Era una buena chica. Y entonces se lió con un señorito y se metió en un buen lío.

—Potter. —Christopher lo atajó con un gesto de la mano—. Al grano.

—Dicen que llevaba muerta semanas. Pero ¿cómo puede ser eso si yo la vi unos días antes de que la encontraran?

Aquello era una auténtica sorpresa y Christopher tardó unos segundos en digerirla.

—¿Dónde?

—Mi hermana vive en Sutton. Y yo voy los domingos para asistir a la misa y estar con los críos. Y la vi allí. Iba tapada con un chal. Pero la reconocería hasta con un saco en la cabeza.

Visiblemente satisfecho consigo mismo, Finley le entregó a Christopher un pedazo de papel. Era el duplicado del recibo de una casa de empeño.

—El tío de la chica es joyero —explicó Finley—. Era muy popular, hasta que hace diez años lo mandaron a la trena por vender joyas robadas. Ahora trabaja en ferias y otros espectáculos y tiene una pequeña casa de empeños y joyería en Sutton. Se hace llamar Smith.

Christopher miró la dirección del papel.

—El tío es el mismo que hizo que arrestaran a la señora de usted después de los disturbios de la feria por pegarle en la cabeza con un buda.

—Maldita sea, Finley, no es mi esposa.

—Lo que usted diga, señor Donally.

Meneando la cabeza, Christopher concentró la irritación creciente que sentía en Potter.

—¿Es aquí donde encontraré a ese tal Smith?

—Tiene la tienda cerca de la plaza de Sheller Street —dijo Potter—. Esa es la dirección.

—A lo mejor no es nada. —Finley se metió la mano en el bolsillo y sacó un colgante. Christopher reconoció enseguida el Cisne Blanco—. A lo mejor aquí a nuestro amigo solo le pareció ver a la señorita O'Connell. Pero la ocupación de su tío es la que es. —Le arrojó el colgante a Christopher—. He pensado que a lo mejor quería hablar con él. Y decidir qué hacemos.

Cerrando su mano enguantada sobre el Cisne, Christopher miró a Finley y luego levantó la vista hacia aquel cielo denso y opaco. Era imposible saber cuánto faltaba para el amanecer.

—¿Quiere que vaya con usted, señor Donally?

—No. —Había gente por las calles, grupos de hombres con ropas coloridas que se encaminaban hacia las tabernas locales. Aquella no era precisamente la mejor zona de Londres, y llevaba demasiado rato allí para no haber llamado la atención. Tras sacar un fajo de billetes, pagó a Potter.

Minutos después, encontró su carruaje donde lo había dejado, en la calle de Alexandra.

—Señor Donally —dijo su cochero bajando del pescante cuando él abrió la portezuela.

Alex estaba dentro, envuelta en una capa, cómodamente instalada en el rincón, entre las sombras.

—Hola, Christopher.

Él arqueó una ceja.

Alexandra se arregló la falda de manera ostentosa. No pensaba dejarse intimidar.

—Mmm, déjame ver. —Le examinó las manos enguantadas—. Altas horas de la noche. Una cita misteriosa. —Alzó el mentón—. ¿Qué tenía que decirte Finley que sea tan importante como para querer verte con tantas prisas?

Christopher la miró sin decir nada, y en parte se sintió relajado. Su mirada descendió a su bonita boca. El lado travieso que había en él no pudo por menos que sentirse admirado: después de la noche que habían pasado, ella aún tenía ganas de aventura.

Dios, si no la llevaba con él seguramente encontraría la forma de seguirle. Sus ojos examinaron el costoso traje verde rosado.

—¿No tienes algo más discreto que ponerte? Así llamas demasiado la atención, cielo.

Desde un extremo de la calle, Christopher miraba con los ojos enrojecidos. Durante un buen rato se limitó a estudiar los alrededores. No había orden en el trazado de aquellas calles de ladrillo. La pendiente había impedido que el carruaje esperara allí mismo, y Christopher había dejado que el cochero se fuera unas manzanas más allá y echara una cabezadita. Los escaparates de las tiendas se codeaban con habitáculos con fachada de piedra. En algún lugar la campana de una iglesia tocó la hora.

—Soy yo quien tendría que hablar con ese hombre. —Alex le pasó el nudillo por el mentón, cubierto por una barba incipiente—. Pareces un delincuente.

Christopher se inclinó hacia ella. Podía sentir su entusiasmo.

—A lo mejor yo lo parezco, pero tú lo eres. Si entras ahí te reconocerá. Y entonces todo el mundo sabrá que tuve que sobornar a un juez y a dos carceleros para que te dejaran libre. —Empezaba a sentir calambres en la pierna, necesitaba andar—. Calle arriba hay una taberna con dos mesas fuera, bajo un toldo. ¿Por qué no vamos a ver si les convencemos para que abran y nos sirvan el desayuno?

Tras sobornar a una mujer con aire somnoliento para que abriera el pub, Christopher pagó para que les sirvieran el café y los cruasanes fuera.

—Te lo pagaré todo —dijo Alex cuando llegó el café de Christopher—. Supongo que lo sabes.

Él no discutió. Si una cosa había aprendido era que Alex tenía una voluntad de hierro y que seguramente en alguno de sus cuadernos tendría un registro con todo lo que le debía.

—Aun así, sigo sin querer que entres en esa tienda.

—No lo entiendo, Christopher. —Movió el pie con nerviosismo bajo la falda—. Entonces, ¿para qué me has traído?

Sus dedos juguetearon con un mechón suelto de sus cabellos.

—Para que dieras un paseo. Así al menos te tengo controlada.

—Entonces creo que tendrías que entrar ya. El hombre podría escapar.

—¿Adónde? Su trabajo está aquí.

—A lo mejor sabe que estamos aquí.

—No lo sabe.

—Necesito hacer algo, Christopher.

Unos minutos después les sirvieron el desayuno y él le sugirió que comiera. En la última hora, la calle había comenzado a cobrar vida, la gente empezaba a salir para ir a sus trabajos y pasaban carruajes y carretas arrastradas por caballos. Christopher daba sorbitos a su café.

—A lo mejor hay una puerta en la parte de atrás. —Alex se limpió unas migas de la boca—. Podría huir —dijo, aunque obviamente no sería ella quien tendría que ir a comprobarlo—. ¿Qué haremos si no habla?

—He pensado que podríamos matarle —dijo él con cara muy seria, y apartó los ojos de la ventana del piso que había encima de la tienda para mirarla—. Poco a poco, claro. No sea que cambie de opinión y decida hablar.

Alexandra lo miró furiosa. Luego se rió.

Christopher la observó y sonrió.

—Eres muy impaciente, Alex. Relájate. Quiero vigilar la tienda un rato.

—Oh, Christopher. —Alex ladeó la cabeza y aspiró con fuerza—. Esto es lo que más he echado en falta todos estos años. El cambio. La aventura.

Y Christopher sabía que eso es lo que él significaba para ella.

Cambio.

Aventura.

Incluso si ella no se había dado cuenta, él sí.

Mientras que él se había labrado una vida estable, ella parecía haberse liberado de la suya. Y había algo invencible en una persona que se creía capaz de enfrentarse al mundo y ganar.

Su mano se cerró con fuerza en torno a su taza. Una ligera sensación de incomodidad se había apoderado de él. Porque también él empezaba a sentirse así.

—Ayer recibí una carta de Brianna —dijo Alex con la taza de café en los labios, sin hacer caso del silencio de Christopher. Él tardó un instante en reaccionar—. Dice que piensas volver a Carlisle para la boda de Ryan. —Y esto lo dijo directamente a la taza, antes de dejarla sobre la mesa—. Cree que cuando las aguas vuelvan a su cauce, quizá la dejarás regresar.

—No le negaré tu compañía. Pero no pienso volver a dejarla suelta por Londres contigo.

El silencio hizo que Christopher volviera sus ojos hacia ella.

—Tú y mi padre os habríais podido llevar maravillosamente, Christopher. —Su voz sonaba dolida—. Si no hubiera sido tan estúpidamente clasista.

—Tu padre tenía derecho a estar furioso, Alex —confesó

Christopher por primera vez en su vida—. Tenías diecisiete años. Yo sabía que lo que iba a hacer no estaba bien. Pero lo hice.

Ella cruzó los brazos.

—A pesar de tu esnobismo irlandés, a veces creo que me pones en un pedestal, Christopher. Yo también sabía lo que hacía.

—No me digas. ¿Y no será simplemente que estabas ampliando tus experiencias? Como ahora.

Ella se echó hacia atrás. Algo se había soltado dentro de Christopher, y ya no podía contenerlo.

—¿Crees que no sé que para ti he sido algo emocionante? ¿Que te ofrezco una vida que no podrías tener en ningún otro sitio? ¿Que siempre he sido eso para ti?

Ella tragó.

—¿Y no es eso lo mismo que soy yo para ti?

Christopher se inclinó hacia delante. No sabía cómo hablar de aquello. Porque en su interior todo se había vuelto del revés y el corazón le latía demasiado deprisa para pensar.

—Tú me das respetabilidad.

La expresión de los ojos de Alexandra se suavizó.

—Pero yo no soy nada respetable.

—Para mí sí.

—Si casi vivo en una casa arrendada. —Rió.

—Sí, pero mira todo lo que has conseguido. Demonios. —Christopher resopló al pensar en aquella necesidad que sentía de decirle cosas poéticas—. Por primera vez en mi vida no tengo claros cuáles son mis objetivos —dijo con una mueca torcida, acercándose más a ella—. Estoy enamorado de ti. Y no sé qué tengo que hacer.

—¿Lo estás? —Sus labios se entreabrieron.

Calle abajo, una puerta se cerró de golpe. Christopher se sintió molesto por la distracción y eso hizo que tardara un momento en identificar lo que oyó a continuación. Alex había lanzado una exclamación. Una joven había salido de la tienda.

Un hombre salió detrás, y se quedaron en la acera, cogidos de la mano, como si se estuvieran despidiendo.

—Es Bridgett O'Connell —susurró Alex.

Christopher miraba al hombre, que estaba de espaldas a ellos, con una creciente sensación de náusea. Llevaba una capa, y un mechón de pelo dorado asomaba bajo la capucha. La altura y el porte le resultaban familiares... y de pronto se quedó helado.

—No. —En aquel mismo momento Alex se puso en pie.

Christopher la cogió del brazo y la arrastró a la pared para que no la vieran.

—Tiene que ser un error. —Su voz se tiñó de pánico cuando vio que la figura de la capa se daba la vuelta y echaba a andar en aquella dirección—. Richard nunca haría nada ilegal. No lo haría. Deja que hable con él...

Christopher la miró fijamente y eso la hizo callar. ¿Creía de verdad que iba a dejar que se acercara a aquel individuo? Quitó su mano delicada de su brazo.

—Quédate aquí.

Ella lo aferró del brazo.

—No le hagas daño. Por favor...

—Abre los ojos, Alex. —Christopher le sujetó el rostro entre las manos y la obligó a mirarle. No sabía cómo ayudarla a soportar el dolor que aquello le produciría, pero no estaba dispuesto a permitir que lo defendiera—. Ha dejado que todos crean que esa mujer estaba muerta. Incluida tú.

Christopher pasó entre las mesas. El sol asomó entre las nubes. Entrecerrando los ojos para protegerse de la luz, volvió su atención a la tienda, a la joven, y luego se giró con aire asesino hacia Richard, que caminaba por la acera.

Cinco pasos después, Richard Atler vio a Christopher. Con una mano apartó la capa y se echó atrás la capucha que le cubría la cabeza. Finalmente se detuvo; tenía una expresión confusa en el rostro. Entre ellos había nueve metros de distancia y un banco.

Antes de que Christopher pudiera decir nada, Atler echó a correr, cruzó la calle y estuvo a punto de ser arrollado por un carruaje. Se abrió paso entre un montón de hombres y dobló la esquina.

Christopher le siguió renegando. No tenía la pierna para carreras, y aun así se las arregló para no perderlo de vista. La persecución siguió por una plaza y luego un callejón miserable. Atler saltó un charco y se metió en una cuadra. Christopher saltó el mismo charco y siguió a Atler al interior de la cuadra. Enseguida comprendió su error. La oscuridad del interior le desorientó.

Antes de que sus ojos pudieran acostumbrarse a la escasa luz, un ruido le alertó. Se agachó hacia un lado y evitó por muy poco que un cubo le acertara en la cabeza. Trastabilló, porque su pierna no pudo soportar el peso del cuerpo. Atler quiso golpearle, pero Christopher detuvo su puño con el antebrazo y lo arrojó contra la puerta de una caballeriza.

—No… no intentes golpearme, cabrón. —Lo tenía acorralado, con el antebrazo contra su garganta—. Eso me pone muy furioso.

—No permitiré que lo estropees todo —dijo Atler con voz ronca, y le asestó un rodillazo en el muslo.

Un dolor agudo sacudió el cuerpo de Christopher. Dio unos pasos inestables hacia atrás. Atler se soltó, dio un traspié, y enseguida se preparó para golpear.

Christopher esquivó el golpe, y el puño de Atler se estampó contra una abrazadera de madera.

—Jesús, María y José. —Retrocedió dando tumbos y tropezó con el cubo. Cayó contra una bala de paja—. Me he roto la maldita muñeca.

Christopher, que estaba encorvado y con una mano apoyada en el muslo, vio la mano ensangrentada de Atler a través de una bruma de dolor. Mierda, aquello dolía una barbaridad.

—Un nudillo tal vez —dijo sin ningún entusiasmo. Se dio cuenta de que Richard Atler le había hecho daño de verdad.

Apenas podía tenerse en pie—. Mejor eso que la nariz. O los jodidos dientes.

Apretando la mandíbula, Christopher se dejó caer contra la puerta de la caballeriza.

—¿Por qué no empiezas por explicarme qué haces con un ladrón de joyas? Por no hablar de una moza que supuestamente está muerta.

Atler se desplomó.

—No dejaré que te la lleves.

La gente había empezado a congregarse en la entrada. Una hermosa joven contempló la escena con los ojos muy abiertos y un puño contra la boca.

—¿Qué le ha hecho? —Con un sollozo, corrió hacia Atler—. Le ha herido. Está sangrando. Oh, mi pobre Dickie. Estás herido.

Atler trató de incorporarse sobre un codo.

—No pasa nada, Bridge.

Alexandra se abrió paso entre el gentío. Cuando llegó a la entrada, sus brillantes ojos verdes miraron con perplejidad a Christopher, luego a Atler. Christopher seguía apoyado contra la puerta de la caballeriza, y la rudeza de su expresión enmascaraba el terrible dolor que sentía en la pierna. Le dolía demasiado para preocuparse porque Alex le hubiera desobedecido.

Alexandra se dejó caer sobre la paja, junto a Atler, haciendo que su falda se hinchara.

—No tenías que haber huido, Richard —dijo mientras le daba unos toquecitos en los nudillos con un pañuelo que se había sacado de la falda—. Mira cómo tienes la mano. ¿Qué dirá tu padre?

—Por mí se puede ir al infierno. —Atler se volvió hacia la jovencita, que estaba sollozando, y acarició sus cabellos claros. Sus ojos se volvieron hacia Christopher llenos de ira—. Mi padre tiene la culpa de que Bridge tenga que estar aquí. Escondiéndose.

—No lo entiendo. —Alex se echó hacia atrás sobre los talones—. ¿Eras tú el que estuvo en las cocheras aquella noche? ¿La huella que conseguí era tuya?

—No y no. —Hablaba con el labio hinchado—. ¿Por quién me tomas, por un jodido voyeur?

—No sé. —La voz de Alexandra estaba teñida de exasperación—. Desde luego, aquel día, en el museo, no parecíais nada recatados. Señor, tendría que haber sabido que Dickie eras tú. —Alex miró a Bridgett directamente. A su vientre abultado. Y se ruborizó—. Me alegra que sigas con vida.

—Qué bonito. —Richard le quitó el pañuelo y se lo aplicó a los nudillos—. Yo también me alegro de que siga con vida.

—Esto no es propio de ti, Richard —susurró Alexandra.

—¿Y qué sabes tú de mí? ¡Nada!

Christopher ya había tenido bastante. Trató de apoyar el peso del cuerpo contra la caballeriza y miró a Alexandra.

—Me parece que los dos tenéis mucho que contaros. ¿Puedo sugerir que sigamos con esta conversación en algún lugar menos público?

Alexandra no dijo una palabra mientras caminaban de vuelta por la plaza. Richard los llevó a la tienda, un espacio pequeño y pintoresco lleno de muñecas, encajes y reproducciones de joyas. Justo la clase de lugar donde Alexandra podía perderse. Pero no ese día.

Christopher no se había equivocado respecto a la reacción del tendero. En cuanto el hombre la vio, supuso que había ido allí para robarle. Para su sorpresa, Richard se rió cuando oyó lo sucedido en la feria, y le aseguró a Smith que Alexandra no era ninguna buscona.

—Es una aristócrata educada —le aseguró a un nervioso Smith, que no parecía querer los problemas que aquella mujer podía acarrear a su negocio.

Cuando Smith se fue a la trastienda a preparar un té, Alexandra se volvió hacia Richard. Iba vestido con una sencilla chaqueta marrón y un pantalón negro. Bridgett se apoyaba en él, y sus ojos, del azul de la centaura, miraban muy abiertos, con desconfianza. No se habían movido de la parte delantera de la tienda.

—Y pensar que todos estos años mi padre te había tenido como un modelo de comportamiento —le dijo Richard mientras rodeaba con el brazo a Bridgett—. Me impresiona ver que después de todo tú también tienes defectos.

—No tiene gracia —susurró Alexandra.

—No es ningún insulto, te lo aseguro. Y ahora, «su majestad» —dijo haciendo una reverencia—, si nos disculpa, Bridge necesita descansar.

Y dicho esto, cogió a miss O'Connell en brazos y se la llevó arriba. Los bellos ojos de la joven miraron a Alexandra por encima del hombro de Richard, pero enseguida se volvió y apoyó la mejilla con gesto posesivo contra su pecho.

Obligándose a respirar, Alexandra se volvió hacia la vitrina llena de pequeños objetos y apoyó las manos contra el cristal. Tenía un nudo en la garganta. No porque Richard, el despreocupado, el granujilla irresponsable al que conocía de toda la vida parecía haberse enamorado, sino porque no había considerado necesario compartir sus sentimientos con ella.

¿Qué otros secretos tendría?

Alexandra no quería que su amistad pasara por aquella terrible prueba. Richard la asustaba. ¿Qué se suponía que tenía que hacer?

Un sonido a su espalda hizo que se volviera. Christopher estaba en el umbral de la puerta que llevaba a la trastienda, y la miró con una expresión totalmente ilegible. Se había mantenido al margen de la conversación, pero no había querido dejarla sola con Richard, ni con el joyero medio calvo. Sus emociones eran desordenadas, incontrolables, una compleja maraña. Sabiendo como sabía lo que Christopher pensaba de Richard, detestaba que viera que aquello le había dolido. Tragó con dificultad y se dio cuenta de que el nudo seguía en su garganta.

Podía oír la voz de Richard en el piso de arriba. Alzó el mentón.

—Bridgett está embarazada —dijo Alexandra, en un murmullo.

—Es evidente que lo está desde hace tiempo.

—Espera antes de llamar a las autoridades. Por favor. Deja que hable con él.

—Alex...

—¿Sabes lo que le pasa a la gente que va a la cárcel? Se mueren, Christopher.

Christopher se llevó una mano a la cadera. Por un momento apartó sus ojos, y luego volvió a mirarla. Furioso.

—No hagas esto.

Christopher se sentó en las escaleras que llevaban a los dormitorios, y la ira de Alexandra vaciló un instante. Casi parecía que no podía tenerse en pie.

—¿Por qué no me habías dicho que te habías hecho daño en la pierna?

Los párpados de Christopher se levantaron y dejaron al descubierto sus ojos azules. Por un momento, no dijo nada.

—Porque no podías hacer nada.

La estaba dejando fuera.

—Siempre haces lo mismo —susurró Alexandra con vehemencia—. Te apartas, te encierras y no dejas que nadie se te acerque.

—¿Qué quieres de mí, Alex?

—Quiero que no llames a las autoridades —dijo irracionalmente, consciente de que no controlaba sus emociones. Apretó los puños—. Quiero que por una vez confíes en mi buen juicio.

Él soltó un reniego. Alexandra ya empezaba a acostumbrarse.

—Qué lengua tienes, Christopher Donally. A veces olvido que te criaste en la calle y seguramente no puedes evitarlo.

Hubo un destello asesino en los ojos de él.

—¿Ah, sí?

El nudo de su garganta cada vez era más grande.

—Eres como mi padre. Cuando decides una cosa, de ahí no hay quien te mueva.

Y, viendo que la ira de él iba en aumento, se levantó apresuradamente la falda y trató de subir por la escalera. Pero él fue más rápido y la cogió del brazo.

—Yo no soy el enemigo, Alex.

Ella se soltó bruscamente y se sintió horrorizada porque, por un momento, era justamente lo que había sentido. Pero Christopher la abrazó y dejó que llorara contra su pecho. Alexandra se aferró a él.

—Tengo miedo.

—Lo sé. —Sus labios le rozaron los cabellos—. Lo siento, Alex.

Lo sentía, porque veía que Alexandra no podía pensar con claridad. Porque su amigo de la infancia seguramente la había traicionado. Porque, pasara lo que pasase, haría que arrestaran a Richard.

Apretando los dientes, Christopher la vio subir las escaleras.

—Es un buen chico.

La voz hizo que Christopher se volviera.

Smith llevaba dos tazas de té humeante en las manos. Christopher hizo una mueca. ¿Por qué no podía haber tenido un día más normal?

—También traía una para la dama —dijo Smith—. Aunque a lo mejor ya no le hace falta, con ese mal genio...

Christopher rodeó la taza con las manos y aspiró el aroma del té. No llevaba corbata ni chaqueta. No se había afeitado. Se había remangado la camisa y allí, sentado en las escaleras, supuso que debía de parecer un delincuente.

—Está cansada y asustada. Déjela en paz. —No pensaba tomarse el té, pero el olor le espabiló.

—Finley no me dijo que conocía a la señora. Me podía haber avisado de que pensaban presentarse aquí.

Christopher levantó la cabeza.

—¿Ha hablado con Finley?

—Ayer por la noche.

Lo cual explicaba por qué Finley había querido que fuera allí antes de acudir a la policía. Debía de saber lo de Atler.

—Ya veo. ¿Son viejos amigos?

—Finley y yo... digamos que tenemos algunas cosas en común de los viejos tiempos. Vino y me hizo un montón de preguntas. Le sorprendió que haya vivido aquí tanto tiempo y me mantenga limpio. Usted debe de ser el caballero que le contrató para que buscara unas joyas robadas.

Christopher se sacó el Cisne Blanco del bolsillo del chaleco.

—Entonces, imagino que Finley le preguntó por esto.

Smith dejó su taza en el mostrador de cristal y cogió el Cisne. Llevaba unos pantalones holgados de lana y una camisa sencilla. Al parecer, aquella mañana, antes de que le interrumpieran, había estado trabajando en la trastienda.

—Si me lo hubiera enseñado, habría avisado a Richard. Finley es un tipo listo. —Admiró el Cisne a la luz del sol—. Uno de mis mejores trabajos. Estos los vendemos bastante caros. —Le devolvió el Cisne y dijo—: No es ilegal.

—El robo de joyas sí lo es. Robar en el museo lo es.

—Richard hace los moldes y diseña el metal para las piezas. Yo creo las joyas sintéticas. ¿Quiere ver lo que hacemos?

Smith pasó a la trastienda a través de una cortina. Christopher se puso en pie. Tenía la pierna hinchada, y casi no podía moverse sin hacer una mueca. Miró hacia arriba, donde estaban los dormitorios, donde estaba Alex.

—No se preocupe por la dama, señor Donally. —Smith había vuelto—. Si Richard estaba tan enfadado es porque quiere proteger a Bridge.

Las paredes de la trastienda estaban ocupadas por armarios

de roble. Smith encendió una lámpara y la dejó sobre la mesa. Le indicó a Christopher que se sentara.

—Parece que necesita usted una silla más que yo, señor Donally.

—¿Hace mucho que conoce a Atler? —Christopher dejó la taza en la mesa.

Smith se acercó a los mostradores de madera.

—Dos años. Mi sobrina nos presentó. Mi Bridge siempre ha sido muy independiente. Se vino a Bloomsbury hace unos años, cuando su madre, mi hermana, falleció. La chica tenía algo de dinero, había ido a la escuela porque era hija del vicario, y consiguió trabajo en el museo. Ella y Richard..., bueno, se casaron el mes pasado. Una ceremonia civil. No pudo publicar las amonestaciones por miedo a su padre.

—¿Por qué dejó miss O'Connell el museo?

—No le quedó más remedio. Estuvo unos días enferma en cama por culpa del bebé, y me imagino que sus amigas empezaron a preocuparse. Y luego el padre de Richard se presentó en su casa dando gritos como si fuera el amo de todo. No sé cómo pero descubrió dónde vivía. Y le amenazó con toda clase de males si volvía a ver a su hijo. Le dijo que estaba despedida. Ni siquiera le pagó lo que le debía. Esa noche alguien entró en su piso y lo destrozó todo. Y desde entonces está en mi casa conmigo.

—¿Y el cadáver que encontraron en las obras?

—No sé —dijo Smith—. Robaron la ropa de Bridge y todo lo que tenía de valor en su casa. ¿Quién sabe? Lo único que sé es que Richard tiene miedo de que su padre la encuentre.

Smith sacó un montón de cajas de terciopelo negro y las colocó sobre la mesa. Una a una fue abriendo las tapas. En una de ellas había una colección de anillos y gargantillas de esmeraldas, broches de zafiro con forma de escarabajo y elefantes de rubí de color claro en otra. Todas las piezas eran réplicas del museo.

—Copiadas del original sin permiso, imagino.

—Ninguna pieza ha salido nunca del museo. Richard hace los moldes allí.

—¿Quién más tiene acceso al trabajo de Atler?

—Richard guardaba esto en una de las habitaciones que tiene en la casa de su padre. A veces hacía pases privados y tenía alguna pieza a mano. La que tiene usted era parte de esa colección.

Christopher miró el Cisne Blanco. En su vida había resuelto los suficientes enigmas para saber que aquello se estaba convirtiendo en algo mucho más complicado que la investigación de un simple robo.

—Tendrías que decir a las autoridades que está viva, Richard. —Alexandra estaba junto a la ventana, acariciando con suavidad las cortinas de muselina rosa. El sol le llegaba a través del cristal—. No hay razón para dejar que relacionen equivocadamente un asesinato con el museo.

—Supongo que a Donally le faltará tiempo para correr a aclararlo todo.

Alexandra volvió la cabeza y vio que Richard doblaba un delicado camisón y lo guardaba con mimo en una maleta que había sobre la cama. Miss O'Connell dormía cómodamente en otra habitación.

Apartó la mirada. Richard no había dicho apenas nada después de oír lo sucedido con los robos en el museo. Hasta era posible que el tío de miss O'Connell estuviera implicado. No sabía adónde pretendía ir, pero estaba claro que Richard se iba. Tenía miedo de su padre.

—Christopher está metido en esto porque yo le pedí que me ayudara. —Soltó el borde de la cortina—. ¿Por qué no me hablaste de miss O'Connell?

—Tú y yo hace tiempo que nos conocemos —dijo él sin levantar la mirada. Tenía el mentón y la mejilla amoratados por la pelea—. Pero, la verdad, no confío en ti. No quería que me delatadas cuando la policía hablara contigo, porque era evidente que tarde o temprano lo harían. No quiero tener que defender mi relación con Bridge ni aguantar tus sermones. Es insultante.

Por un momento se estudiaron en silencio, y a Alexandra le indignó que pensara aquello de ella. Porque, si bien se había mostrado crítica, también le había dado su apoyo. Si últimamente había tomado algunas decisiones duras, había mostrado compasión más que de sobra.

—Alguien ha muerto en el Támesis, Richard.

—Yo no he matado a nadie. —Sus manos dejaron de guardar ropa, levantó la mirada—. Pero tampoco les voy a cuestionar su descubrimiento. A diferencia de Donally, yo nunca he alardeado de moral ni ética. El hecho de que alguna pobre desgraciada decidiera tirarse al río justo donde él está trabajando fue pura coincidencia. Pero ha hecho que mi padre deje de perseguir a Bridgett.

Alexandra apretó la mandíbula y siguió mirando cómo hacía la maleta; la sensación de frustración era cada vez más grande.

—Todo esto no es más que una excusa para dejarlo todo. Todo tu trabajo...

—Yo quiero ser artista. Quiero ser libre de explorar mi alma. No pasarme el resto de mis días pudriéndome entre libros. Siempre lo he querido. Si te hubieras fijado un poco, lo sabrías.

Alexandra cruzó las manos con fuerza, cada vez más furiosa. Lo cierto es que estaba pensando en términos muy concretos, más preocupada por sus problemas que por el deseo de Richard de descubrirse a sí mismo.

—Te necesito a mi lado, Richard. —Alexandra se frotó la sien—. De verdad.

—¿Por los supuestos robos en el museo?

—No son supuestos. Soy yo quien presentó el informe ante tu padre. —La voz empezaba a flaquearle. Miró por la ventana y se apartó el pelo de los ojos. Una inequívoca sensación de náusea le recorrió la columna. El profesor Atler había vaciado su despacho, con los archivos originales—. Tu padre ha hecho venir a gente de la universidad para que hagan un inventario. Y si he guardado silencio durante tanto tiempo ha sido para proteger mi posición y el nombre del museo.

—Muy conveniente, ¿no crees?

La sensación de náusea no desaparecía.

—Richard...

Alexandra se acercó a la cama y le habló del inventario y los números de referencia que tenía en su poder. El profesor Atler había tirado la copia original de las hojas que ella le había presentado con la lista de objetos desaparecidos, pero aquella noche había hecho otra. Por eso había vuelto a su despacho. Para salvar los registros. Por eso había salido tan tarde aquel día y se encontró a Christopher y Brianna ante los ungulados con un número impar de dedos.

¿Sabía el profesor Atler que ella tenía una copia?

¿Era él quien se había colado aquella noche en las cocheras? De pronto todo encajaba.

—Si es él quien ha estado manipulando los archivos, entonces la mía es la única copia en la que aparecen mencionadas las piezas originales. Tengo registro de todas las entradas que ha habido en mi departamento en los últimos dos años.

—Jesús... —Richard se pasó las manos por el pelo—. No se acusa al conservador mayor del Museo Británico de conducta inapropiada. No, no se hace.

—¿Conducta inapropiada? —Alexandra se llevó una mano a la frente y meneó la cabeza—. ¿Y ya está?

Richard se rió con algo muy parecido a la amargura.

—Incluso con esa lista, la única forma de exculparte del todo sería explicar los fraudes e implicarme a mí. Mi padre te acusará de hacer una valoración equivocada de las piezas para salvarse y encubrir su delito. Perderás toda la credibilidad. Y al final él será más rico por los robos. Y, por más que lo odie en estos momentos, tengo que admitir que le admiro por su estratagema.

—Tu padre y el mío se conocen desde hace mucho tiempo. ¿Por qué hacerme algo así?

—Porque tú eres la única que podría protegerme. Porque, en mi estupidez y ceguera, nunca le creí capaz de hacer algo así. Tu padre no puede ofenderse porque hayas abandonado el museo voluntariamente. Mi padre tiene todas las cartas, Alexandra, y todas son ases.

Bajó la mirada al par de zapatitos que había sobre la cama. Christopher sabía la verdad. Cuando llegara el momento de informar al consejo de administración, él también estaría sentado ante esa mesa. Pero ¿qué diría para defenderla? ¿Que le había dado una copia de una pieza robada de la cámara de seguridad? ¿Una pieza que no podía demostrar que el profesor Atler había puesto allí? Y, lo peor de todo..., ¿qué daño podía hacer aquello a la reputación de Christopher?

Alexandra respiró hondo, tratando de entender todo aquello. No importaba si aquel resultado tan rocambolesco era solo producto de la mente artística y demente de Richard. Todo encajaba demasiado bien para no ser cierto.

Al levantar sus ojos llorosos, vio que Richard casi había terminado con la maleta.

—¿Tú creaste el Cisne que saqué de la cámara? —preguntó—. A tu padre debió de parecerle una imitación muy buena para utilizarla como lo hizo en la exposición.

Sus ojos se encontraron con los de ella.

—Tengo veintiséis años. Eso es lo más parecido a un cumplido que he recibido nunca de mi padre. Y podría ir a la cárcel por ello.

—Tú revisabas las fotografías y los dibujos de mi archivo —siguió diciendo Alexandra—, y mientras tú estabas en mi despacho, miss O'Connell se quedaba en el pasillo para avisarte si alguien se acercaba. ¿Luego sacabas la pieza de la cámara para hacer el molde?

Finalmente Richard asintió, con una mano en la cadera.

—Sé que piensas que la mayor parte del tiempo no soy más

que un bufón elegante. Yo soy el primero en reconocerlo. Lo soy. Y sabe Dios que durante toda mi vida he estado celoso de ti. Me dirás que soy desconsiderado, pues sí, pero eso es todo. Te juro que no he destruido ni he robado nada. Yo solo hago moldes.

—La mayoría de esas piezas no tenían precio, Richard. —Levantó la voz—. Podías haberlas dañado en el proceso para sacar el molde.

—¿No me digas que esto se va a convertir en otro de los sermones de Alexandra Marshall? Porque si es así, me temo que la conversación se ha acabado.

Alexandra bajó la tapa de la maleta con un golpe.

—Parece que para ti todo se acabó hace mucho tiempo. Si quieres pasarte el resto de tu vida escondido, es cosa tuya. No pienso detenerte.

Y dicho esto salió al pasillo. Christopher estaba con la espalda contra la pared. Al verla salir, se puso derecho y bajó los brazos. Alexandra se detuvo ante él, asintió con la cabeza, y tuvo que contener la inexplicable necesidad que sentía de echarse a llorar en sus brazos.

Los ojos de Christopher parecían más azules en su cara sin afeitar. No miró la habitación de donde Alexandra acababa de salir. No preguntó por Richard. Se había mantenido al margen.

Debía de pensar que era una completa estúpida.

—Quiero irme a casa —dijo Alexandra en voz baja, y la presencia cálida de Christopher pareció disolver el flujo helado de la realidad. Y entonces, antes de que pudiera oírla llorar, bajó por la escalera y salió a la calle.

El viaje de vuelta a Londres transcurrió casi en completo silencio. Alexandra abrió los ojos y se dio cuenta de que se había dormido. Christopher estaba sentado frente a ella. Miraba por la ventanilla, pensativo. Alexandra contempló su perfil moreno contra los rayos de sol que se colaban entre los árboles. Como si pudiera intuir su mirada, Christopher volvió la cabeza. Pero no dijo nada cuando vio que tenía los ojos fijos en él.

Alexandra sabía que no podía esconder la cabeza en la arena como un avestruz ahora que conocía los delitos del profesor Atler. Tenía que decidir el camino que debía seguir, cómo debía comportarse.

A Christopher no parecía molestarle el silencio. Finalmente, Alexandra preguntó:

—¿Qué vamos a hacer?

—Si te desacredita, ¿no se te ha ocurrido pensar que el profesor Atler tiene mucho que perder social y económicamente, porque perdería el apoyo de lord Ware? —inquirió; apenas había en él indicio alguno de emoción, salvo por el modo en que sus ojos la miraban—. ¿Qué motivo puede haber para querer enemistarse con alguien tan poderoso como lord Ware? —le preguntó—. Antes de llevar este asunto a las autoridades, necesito saber la respuesta. Y tu padre es la única persona que puede dárnosla.

Alexandra sintió que la sangre abandonaba su rostro. Le estaba pidiendo que acudiera a su padre.

—No querrá hablar conmigo.

—Por otro lado, Richard podría haber cambiado fácilmente las joyas. ¿Estás dispuesta a hablar a las autoridades de esa posibilidad? Porque si no lo haces es muy probable que gracias a ti le den una medalla al profesor Atler. —Le tendió el Cisne—. En estos momentos, pienso solo en ti.

Ella trató de volverse hacia otro lado.

—Lo siento. —Para su disgusto, las lágrimas empezaron a deslizarse por su rostro.

Alexandra era consciente de que, al acusar a alguien de la posición del profesor Atler, Christopher se arriesgaba a perder mucho más que ella. Debía ser cauto, porque si no tendría que aguantar la repulsa de una sociedad que ponía el honor de un hombre por encima de todo lo demás.

De pronto tuvo miedo por él. Por lo que le había hecho.

—Ven aquí. —Le tendió una mano.

A pesar de la aversión que Alexandra tenía al llanto, lloró.

En silencio.

Contra el pecho de Christopher.

No sabía por qué llorar primero. Si por haber perdido a Richard como amigo y su trabajo como arqueóloga o por el hecho de que, después de aquello, Christopher podía perder mucho más que su futuro en su propia empresa.

Por pocos principios que tuviera, no podía permitir que se hundiera con ella.

20

Tres días más tarde, aún no había amanecido y fuera todavía estaba oscuro cuando Alexandra se volvió en la cama y decidió que no podía dormir.

Mary seguía acostada. Alexandra subió al desván, encendió la lámpara de cristal con una cerilla de sulfuro y se sentó ante su nueva mesa de despacho. Luego, tras sacar las hojas, releyó detenidamente las cartas que había escrito para la Real Sociedad Geográfica y la Sociedad Histórica Británica. No muy satisfecha con lo que el día antes le había parecido un buen trabajo, se puso a reescribir las cartas, consciente de que su actual situación seguramente habría enturbiado el interés que en el pasado pudieran haber tenido por ella.

Y de pronto sintió que no le importaba. Estrujó las cartas y las tiró a la papelera, que estaba tan llena que se había desbordado.

En algún lugar unos perros ladraron. En la densa oscuridad que precedía al amanecer, todavía oía cantar a alguien al otro lado del patio. Su mirada se paseó por las paredes recién pintadas y las estanterías, la pequeña mesa de despacho y la lámpara, las cortinas de muselina que había puesto en la ventana oval que daba a la calle. Desde allí arriba tenía una panorámica perfecta del museo. Una escoba estaba apoyada en la pared, junto a la puerta. El día antes, había contratado los servicios de

Finley y los chicos para que le hicieran los estantes. Y, aunque Finley tuvo que separarlos tres veces porque se peleaban, habían hecho un trabajo soberbio.

No había visto a Christopher desde que la había dejado en casa hacía tres días. Y no porque él no lo hubiera intentado, dos veces. La noche antes, ella estaba trabajando arriba cuando él llamó a la puerta. Mary abrió y le dijo que no estaba. Ella se acercó a la ventana y lo vio cuando se volvía a mirar de nuevo hacia la casa, y se apartó de la ventana cuando miró hacia arriba.

Secándose la humedad de la cara, se obligó a concentrarse en el papel que aguardaba inocuamente a su izquierda. Una citación que había llegado la noche antes, casi a la hora de la cena. El profesor Atler no decía nada sobre las referencias que le había pedido, ni respondía a sus preguntas sobre el inventario, simplemente solicitaba una reunión con ella. Alexandra sabía que no podía postergar aquella reunión mucho más.

Antes de eso, cuando estaba colocando sus libros y libros de cuentas en los estantes nuevos, había encontrado su copia de las hojas de inventario en una de las cajas que aún estaban por desempaquetar. Mientras recordaba todo lo que Richard le había dicho sobre sus decisiones, pasó la mano por aquellas hojas que, si bien podían salvar su reputación, ciertamente relacionarían a Richard con delitos muy graves. Sintió rabia. Después de todo lo que había hecho por él, su deserción le dolía.

Pero lo cierto era que Richard nunca se había engañado respecto a sus propias capacidades ni su saber. Alexandra le había hecho sus trabajos en la universidad porque le hacía sentirse superior, no por ayudarle. Había escrito sus discursos y reforzado su trabajo en el museo por arrogancia, no por compasión ni lealtad. Él nunca había pretendido ser más de lo que era. En cambio ella sí.

Alexandra abandonó su santuario en el desván, fustigándose por su carácter vanidoso, por estar siempre regodeándose por su capacidad intelectual. Por sentir que, a causa de su torpeza en el plano social, estaba demasiado por encima de los otros para alternar en sociedad. Su mezquino enfrentamiento con el resto del mundo no solo la había aislado de sus compañeros de trabajo, sino de los de su clase. Hasta que conoció a Brianna no había sido realmente consciente de lo aislada que estaba de todo.

Hasta que conoció a la familia de Christopher no se había resentido realmente por su soledad.

Abrió la palma de la mano. El Cisne Blanco estaba ahí.

Sin embargo, aquellos últimos meses le habían devuelto algo que creía haber perdido para siempre.

Le habían devuelto la amistad de Christopher.

No importaba lo que él pensara sobre las decisiones que estaba a punto de tomar, tenía ese vínculo con él, y sabía que él también lo sentía. Y era la inequívoca pureza de esa emoción lo que le había permitido reunir el valor suficiente para hacer lo correcto.

No permitiría que renunciara a su futuro por ella. Prefería cortar la relación que había entre ellos que dejar que tomara una decisión de la que con el tiempo se arrepentiría. No soportaba pensar que algún día ella podía convertirse en el objeto de su rencor.

Todo esto es lo que se había estado diciendo a sí misma.

—¿Milady? —La voz de Mary hizo que se volviera, y se dio cuenta de que era la segunda vez que la llamaba.

Alexandra se había sentado en el banco del hueco de la ventana, en su salita, con el gato dorado hecho un ovillo a su lado, las piernas contra el pecho y el mentón apoyado en las rodillas. Volvió la cabeza, medio escondida entre las cortinas de terciopelo rojo. El clop clop de los cascos de los caballos resonaba en las calles adoquinadas.

Mary estaba junto a la lámpara de cristal abombada, con una taza en la mano.

—Le he traído café, madam. Tiene que comer algo. Lleva dos horas ahí sentada.

Alexandra aceptó la taza con una sonrisa vacilante.

—Tu café es mucho mejor que el mío. —Sonrió por encima de la taza humeante—. Gracias.

Mary arqueó la ceja con expresión experta mientras observaba a Alexandra.

—¿Se encuentra bien, milady?

Ella se llevó la taza a los labios y miró por la ventana. El amanecer empezaba a abrirse sobre la ciudad como un gran ojo azul. Desde allí podía ver el extremo sur del museo. Un pilar de piedra que se elevaba contra el cielo daba sensación de atemporalidad.

—Añoro mis baños matinales —dijo bajando la mirada al café caliente—. Darse un simple chapuzón se ha convertido en un privilegio.

—Sí, madam. Esto no es un palacio, pero caben tres personas. Y parece que ha encontrado una nueva fuerza en su interior, milady. Alfred y yo confiamos en que todo irá bien.

La confianza que Mary ponía en ella hizo que se sintiera muy poca cosa, que se avergonzara por no ser capaz de creer en sí misma. La miró fijamente.

—Las mayores satisfacciones que he sentido en mi vida las he tenido luchando con ese objetivo, sabiendo que si me esforzaba lo suficiente y tenía la suficiente confianza en mí misma, lo lograría. Pero en estos momentos estoy a punto de perderlo todo, me compadezco de mí misma. Esta incertidumbre me asusta.

—Nadie sabe qué ni cuándo pasará, milady.

Alexandra observó a aquella criada suya tan élfica.

—¿Crees que acabaré siendo una de esas excéntricas con turbante rosa que siempre andan burlándose de las normas y son un quebradero de cabeza para las grandes matriarcas de la sociedad?

—Dios nos libre. —Mary levantó los ojos al techo—. Los turbantes dejaron de estar de moda hace treinta años.

La absurda inocencia del comentario la sorprendió y de pronto las dos se echaron a reír. Alexandra sintió una fiera determinación. Viviría su vida como quisiera. Jamás volvería a depender de nadie.

—¿Crees que acabaré como mi padre? ¿Convertida en una persona inflexible, fría, y juzgando espantosamente mal el carácter de los demás? —preguntó cuando dio el último sorbo a su café.

—No, milady —dijo Mary con voz suave mientras le cogía la taza—. No sufra. Es usted demasiado buena para eso.

Alexandra la vio salir de la habitación. Ahora Mary y Alfred eran su familia y ella era la primera en admitir que su presencia le hacía la vida mucho más fácil.

Abandonó el estrecho hueco de la ventana. Fue a su habitación y, tras cerrar la puerta, se soltó el cierre del guardapelo que llevaba al cuello. Contempló sus filigranas de plata ante el tocador. Y abrió la tapa con el pulgar. Dentro había un delicado mechón.

Quizá finalmente había llegado la hora de enterrar su pasado y pensar en su futuro. Y en el de Christopher.

El asesor legal de Christopher consiguió hablar con él entre reunión y reunión. Sintiéndose muy poco afortunado por haberle encontrado, Joseph Williams vio con preocupación la expresión tensa que cubrió su rostro mientras hojeaba los papeles que le había entregado.

—¿Cuánta gente está al corriente de esto? —Donally levantó la vista de los papeles.

—Solo el hombre al que contrató —dijo Williams—. La información estaba enterrada en los archivos de alguna oscura iglesia fuera de Ware. Un antiguo jardinero de la mansión dio la pista.

Si alguna inclinación sintió Donally a comentar aquel nuevo giro en la investigación, se evaporó mientras pasaba las páginas. Williams había sido su asesor legal durante seis años y, hasta que empezaron a circular rumores recientemente, creía saber todo lo que había que saber sobre aquel joven advenedizo irlandés que había hecho tambalearse más de una pieza de la burocracia desde que D&B estaba bajo su mando. El padre de Donally fue un hombre dotado para la ciencia y los inventos, pero fue el hijo quien dio impulso a su genio. Williams no quería que el director de D&B quedara deshonrado por el escándalo que estallaría si todo aquello salía a la luz. Pero, si a Donally le preocupaba lo que estaba leyendo, sus facciones oscuras e implacables, casi febriles bajo aquella luz tenue, no dejaban traslucir nada. Ciertamente, Donally examinó cada una de las páginas del informe con expresión impasible, implacable. No parecía el ostentoso arribista que habían descrito recientemente varios periódicos en su sección de cotilleos.

Alguien le dio un golpe. El hombre se sentía algo limitado en el estrecho pasillo donde estaban en Whitehall, y fue un alivio cuando Donally se lo llevó pasillo abajo, a una zona menos concurrida. A su izquierda, el murmullo de un grupo de gente llenaba una pequeña antecámara, donde en esos momentos estaba reunido un selecto comité para obras públicas de la Cámara de los Comunes. El señor Donally y su hermano Ryan habían tenido una comparecencia aquella mañana. El hermano aún estaba dentro. Donally, que detestaba la política tanto como él, parecía algo impaciente, y se frotaba el muslo como si le doliera.

—Parece que el joven Atler es quien dice ser —dijo Williams, volviendo su atención a la página que Christopher acababa de pasar.

—Para disgusto de su padre —replicó Donally sin levantar la vista.

—Este año se han presentado algunos de sus dibujos en el museo de arte, bajo seudónimo, por supuesto. Según los informes, empezó a diseñar joyas hace cuatro años. Su padre lo descubrió y amenazó con mandarlo al extranjero con el ejército.

Williams se acercó más.

—Poco después, Richard Atler terminó sus estudios universitarios y obtuvo las mejores calificaciones de su clase. Al menos en eso demostró cierto potencial. Sobre todo si tenemos en cuenta que fue lord Ware quien lo apadrinó.

—Lo cual queda perfectamente explicado.

Mirando por encima de la montura metálica de sus gafas, Williams vio que Donally guardaba los documentos, dando por terminada la reunión.

—¿Qué piensa hacer? —preguntó, con la esperanza de que Donally explicara la expresión de sus ojos.

Si había una forma educada de anunciarle a alguien de la posición de lord Ware que tenía sus partes masculinas en un torno, Donally no parecía dispuesto a utilizarla. Ciertamente, se le veía lo bastante furioso para apretar un poco más aquel maldito trasto.

Christopher tendría que haberse sentido exultante, pero no era así. Había llegado a las oficinas de la Cámara una hora después en un estado particularmente lamentable, física y mentalmente, aquejado por una ligera fiebre que sabía que se debía a su pierna.

Se apartó la chaqueta a un lado y apoyó una mano en la cadera, justo debajo del clip de los tirantes, mientras miraba por una de las dos ventanas y trataba de no cargar el peso del cuerpo sobre su dolorida pierna. El sol salió de detrás de las nubes. Si antes no estaba seguro de la culpabilidad del profesor Atler, ahora no tenía ninguna duda.

Había enviado a Ware el paquete con los documentos que Williams le había traído. Después de meses de espera, finalmente tenía algo importante.

Maldito Ware y sus condenados secretos.

Cuando leyó el informe, estaba demasiado furioso para pensar en nada que no fuera arrojarle aquellos papeles a Ware a la cara y exigir una compensación por lo que le había hecho involuntariamente a su hija. Pero, en algún instante entre su reunión con Williams y el momento en que entró en aquella oficina, comprendió su propia posición en todo aquello.

Una puerta se abrió, y Christopher se dio la vuelta. Las suelas planas de su calzado se deslizaron con suavidad sobre la moqueta. En el interior de la sala adjunta, oyó la voz impaciente de Ware, y entonces el hombre apareció en la puerta y sus ojos pesados y apáticos se encontraron con el semblante inexpresivo de Christopher.

El pulso de Christopher se aceleró. A pesar de los años, en parte seguía sintiéndose como el advenedizo agregado militar que había contrariado a su superior.

—No canceles ninguna de mis citas —indicó la voz gruñona de Ware a su secretario.

El antiguo suegro de Christopher se apartó a un lado, indicando con aquel imperioso gesto que pasara a su santuario real.

La habitación olía a humo de cigarro y cuero viejo. En un rincón, un reloj de péndulo marcaba el paso de los segundos.

La puerta se cerró a su espalda. Ware volvió a su mesa maciza; sus pasos quedaron amortiguados por la moqueta de color pardo. Era tan alto como Christopher, y su autoridad rezumaba en su porte, en el corte de su traje oscuro. Bajo las patillas de bandolero, salpicadas ya de blanco, su boca dibujaba una línea completamente horizontal. Se dejó caer en su sillón sin invitar a Christopher a que tomara asiento, en un claro gesto de descortesía.

Algunas cosas nunca cambian, pensó Christopher con una leve sonrisa. Pero hacía mucho que había dejado de importarle lo que Ware pensara de él.

—¿Qué impertinencia es esta? —Saltándose los formalismos, Ware dio un golpe al paquete que tenía sobre la mesa. Se recostó en su asiento y agitó una mano con desprecio—. ¿Quién se cree que es para investigarme?

—He hecho que investiguen a Richard Atler. —Su mirada era directa—. Si hubiera mandado que lo investigaran a usted, no habría descubierto nada de todo esto.

—No tenía ningún derecho a...

Christopher se acercó a la mesa.

—Atler padre era hijo de la hija del vicario del pueblo, y nació cinco meses antes de que naciera usted, el hijo legítimo de la condesa. —Y pasó a exponer los hechos, rellenando las lagunas con su intuición. Por la reacción de Ware sabría si había dado en el blanco—. Se criaron juntos en la propiedad de los Ware. Seguramente él fue su único amigo, pero nunca fue su igual. Cuánto debía de molestarle saber que su madre no era lo bastante buena, que no tenía la posición necesaria para convertirse en la esposa de un conde... Que, de no ser por el tecnicismo de los votos matrimoniales, él habría heredado las propiedades de su padre. Que es su hijo quien tendría que heredar el título.

El rostro de Ware estaba rojo de ira.

—Si cree que voy a permitir que difame el nombre de un buen hombre está muy equivocado, Donally. No sabe con quién está tratando.

—Usted tampoco sabe con quién se enfrenta. —Christopher se obligó a contener la ira—. Créame, señor, no me importaría que lo colgaran de los pulgares y lo dejaran en la cárcel de Wapping hasta que se desmembrara. Pero el caso es que es usted el único que puede ayudar a su hija.

El cuero chirrió. Ware apoyó un codo en la mesa.

—Sé que mi hija ha dimitido de su puesto en el museo. Sus motivos ya no son de mi incumbencia. Ni me importan. Ahora está sola, como ella quería.

—Una pena, milord. —Christopher trataba de mostrarse diplomático—. Sobre todo porque sus problemas actuales no son culpa suya, sino de Atler. Nadie ha podido acceder a la investigación que se supone que está realizando.

Ware pareció vacilar.

—¿De qué está hablando?

Y entonces lo comprendió. Comprendió la violencia de la reacción de Ware. El hombre no sabía nada de los acontecimientos de los pasados meses. La ironía de todo aquello no alivió el nudo que sentía en el estómago.

—Hace casi cuatro meses su hija descubrió que en su departamento faltaban ciertas piezas y que otras se habían manipulado. Acudió a Atler. Poco después, la transfirieron a la Sala de Lectura. No quería que usted lo supiera. Pero por desgracia las circunstancias han cambiado.

—Y en cambio se lo contó a usted.

—Me pidió que investigara el origen de las joyas falsas. Le aseguro que acudió a mí porque no tenía a quien recurrir.

Ware guardó silencio el tiempo suficiente para que Christopher relatara los hechos. En un cuarto de hora, informó a Ware de los robos y de la ofensiva insinuación de que Alexandra había catalogado las piezas incorrectamente, o incluso de que podía estar implicada en los robos.

Cuantas más piezas encajaban en su sitio, más furioso se sentía Christopher por no haber visto lo que había tenido delante de las narices desde el principio.

—¿No se ha parado a pensar de dónde sacaron los periódicos tanta información sobre el pasado de su hija? ¿O en el dinero que costaría adquirir los derechos sobre sus deudas?

—Una coincidencia —replicó Ware, afectado; no quería reconocer que su propio hermano quisiera hacerle daño—. Y es imperdonable que sugiera que él pueda estar implicado.

Christopher apretó la mandíbula. Ware estaba ciego si no veía el riesgo que corría Alexandra.

—Pero lo cierto es que usted y su hija ya no se hablan. Divide y vencerás. La táctica más vieja para una guerra. Le ha dado donde más podía dolerle.

Ware palideció y Christopher vio el primer indicio real de duda cuando el hombre miró con aire perplejo el informe que tenía sobre la mesa.

—¿Sabe cómo llegué yo al museo? Atler me invitó. Quería que estuviera allí. Era inevitable que Alex y yo nos encontráramos.

—Salga de aquí. —La voz de Ware era un siseo malévolo.

Christopher apoyó las manos en la mesa.

—Mi teoría es que las acciones de Atler van mucho más allá de los robos en el museo. No hay ningún beneficio en lo que ha hecho. Lo que nos lleva a una única conclusión —dijo lacónicamente—. Desde el principio el objetivo era usted. Su vida personal y profesional. No le importa cómo conseguir su venganza. Pero yo diría que le odia lo bastante para servírsela bien fría.

Algo pasó por los ojos grises del diplomático antes de que agachara la vista. Estaba claro que Ware apreciaba a su hermano, y que el sentimiento no era mutuo. Consciente de lo que él mismo sentía por su familia, Christopher sintió una chispa de compasión por el tirano.

—No deseo tener que sacar esta información ante la opinión pública, milord. Y si hasta ahora no he acudido a la policía ha sido por Alexandra.

—¿Qué es lo que quiere, Donally? —dijo Ware con voz áspera.

—El consejo tiene autoridad para retirar a Atler de su puesto hasta que se aclaren los hechos. Quiero que la investigación la lleve alguien a quien no se pueda comprar o sobornar. Alguien con autoridad suficiente para investigar sin miedo a represalias. Y usted puede hacer esas cosas.

Ware estaba rígido como una piedra, tratando de no perder la compostura. Movido por un sentimiento espontáneo de respeto, Christopher se dio la vuelta. Tanto si quería aceptarlo como si no, Ware sabía que su antiguo yerno tenía razón.

La oficina estaba bien decorada, llena de libros con encuadernación de cuero, algunos de ellos abiertos o con puntos de marcación en diferentes páginas. Christopher apartó la mirada y, sin que nadie le dijera nada, decidió marcharse. Ya había dicho lo que tenía que decir. Le dejaría a Ware unos días para que pudiera reconciliarse con la realidad de su situación. No por algún indeleble sentimiento de lealtad familiar, sino porque Alex necesitaba a su padre a su lado.

Christopher abrió la puerta.

—Con usted todo es una competición. A muerte. —La voz de Ware le hizo detenerse—. Siempre tiene que derrotar a su oponente como sea, ¿no es así?

Christopher se volvió lentamente, apretando con fuerza el picaporte. Ware se levantó de su mesa.

—Incluso en Tánger, cuando sus amigotes le desafiaron a cruzar la sala y sacar a bailar a mi hija, la hija torpe y simplona de lord Ware, para usted la autoridad no era ninguna barrera. Si no le hubiera robado la posibilidad de tener una vida con alguien digno de su posición ahora no estaría en el museo.

El color subió por el cuello de Christopher.

—¿No se le ocurrió pensar que yo sabía lo de la apuesta? —añadió Ware—. ¿Que estaba al corriente de las crueldades soeces que la gente murmuraba a su espalda? Se aprovechó de su soledad y su inocencia para beneficiarse.

Christopher trató de controlar los sentimientos de ira y vergüenza que le atenazaban por igual. Le dolía ver que aquel familiar dolor en la boca del estómago seguía ahí. La mueca burlona de un pasado que no quería desaparecer. Él había servido a su reina. Había pagado muy caros sus pecados. Después de su regreso a Inglaterra había pasado años tratando de dar respetabilidad a su nombre. De compensar el hecho de que era católico, irlandés, pobre. De que quería más de lo que tenía.

Y sin embargo a Alex todo aquello nunca le importó. No, el problema siempre había estado en él, muy arraigado en su interior. Salvo aquella vez, la única..., cuando imaginó un futuro diferente gracias a Alexandra.

Incluso ahora, la emoción lo embargaba, porque, una vez más, comprendió que Ware fue el responsable de que él no estuviera presente cuando su hijo nació.

—¿No piensa negarlo?

Christopher rara vez malgastaba saliva ante lo obvio. Mientras evaluaba a Ware con mirada lenta, de pronto sintió un profundo orgullo por Alex, por haber tenido la infancia que había tenido y haber conservado la capacidad de amar a otros.

Christopher despreciaba a aquel hombre.

Despreciaba la pomposidad de los de su clase. La autoridad sagrada que permitía que hombres como él se regodearan en su vanidad. La falta de igualdad entre él y Ware le enfurecía tanto que de buena gana le habría obligado a ponerse de rodillas y a trabajar en las alcantarillas. Las verdaderas entrañas de Londres. Y no en aquella ciudadela de burocracia de la que tanto se vanagloriaba.

En cinco minutos Ware había conseguido desbaratar algo que él había tardado diez años en controlar y dejar bien escondido en su interior.

—¿Acaso espera alguna revelación en sentido contrario, milord? —Tuvo que hacer un gran esfuerzo para no cerrar el puño—. ¿Alguna mentira que milagrosamente cambie mis motivos para derretir a su princesa? —El hecho de que seguía teniendo poder sobre Ware a través de Alex no se les escapaba a ninguno de los dos. Sí, aquel malnacido podía morirse de rabia. Le importaba un comino lo que pudiera interpretar con sus palabras—. Debe de mortificarle terriblemente saber que ha estado conmigo estos últimos meses.

—Ella nunca ha sabido ver cómo era de verdad.

—Es de corazón blando. Pero no es estúpida. Insulta usted su inteligencia.

—Y tú sobrevaloras su capacidad de entender a la gente.

—Y, por supuesto, usted, que todo lo ve, sí la entiende, ¿no es así? —Christopher le dedicó una mirada llena de desprecio—. Usted, el todopoderoso lord, que sale siempre en defensa del deber y el honor. Y pensar que por un tiempo yo le admiré por lo que representaba. ¿Cree que no sé lo que le hizo a mi familia?

Lord Ware calló; su expresión era torva y sombría.

—Cuando me negué a aceptar la anulación, hizo que destituyeran a mi padre de su puesto en el consejo de la Academia de las Ciencias. Mi padre, que tenía una docena de patentes en metalurgia y otra docena en la industria del acero. Perdimos nuestra casa en Londres. De no haber sido por su socio, mi padre no habría vuelto a trabajar. Mi madre enfermó, y mi padre se trasladó a Carlisle. Por supuesto, para entonces yo llevaba casi dos años en la India. Antes de mi heroico regreso, mi madre había muerto. ¿Sabe qué quiero, milord? ¿Qué quiero de usted y de todo? Quiero paz. Aquí... —Y se dio con el puño en el pecho—. Quiero una vida que pueda compartir con orgullo con mis hijos. Una familia que se sienta orgullosa de llamarme padre, hermano, tío. Quiero que se mantenga alejado de mis asuntos. Que salga de la Comisión Real para Obras Públicas. Que si fracaso, sea por mis propios actos, no por los suyos.

Aún con la mano en la puerta, Christopher se volvió para salir.

—Donally. —Una vez más, Ware le detuvo—. A pesar de los esfuerzos de los responsables, los negocios fracasan si no reciben el apoyo necesario. D&B no es inmune a los caprichos económicos y políticos del mercado, como bien sabe. La financiación puede acabarse. Da la casualidad de que conozco a tres de los miembros del comité para el proyecto del túnel. Y sé que no se tomará una decisión definitiva hasta final de año. D&B aún podría entrar en el juego.

Ware le acababa de dar en el lugar más vulnerable y, por la expresión triunfal de sus ojos, se notaba que lo sabía.

—Si siente algo por mi hija, verá que lo mejor para todos es que se aleje de su lado.

—Desde luego. —Christopher rió con amargura. Le enfurecía ver que Ware tampoco era inmune a los sobornos o que estaba dispuesto a apartarlo de una forma tan indigna—. Ha sido una conversación muy liberadora, milord —dijo con su voz más inexpresiva—. Y me llamo *sir* Christopher. Sir Christopher Bryant Donally. —Reculó con impaciencia, sin pensar ya en nadie que no fuera él mismo. Ware no merecía una consideración especial—. Tiene hasta mañana antes de que me presente ante los otros miembros del consejo del museo —dijo con voz neutra—. Y luego acudiré a las autoridades. Y, ahora, si me disculpa, milord.

Si en algún instante existió la posibilidad de que fueran aliados, había pasado. ¿Por qué demonios se había molestado en ser tan considerado?

Lo único que quería era salir de allí. La pierna le dolía. A pesar de sus esfuerzos, no pudo evitar cojear. Salió por la puerta y se detuvo. Alexandra estaba en una silla, contra la pared, como una estatua. Había oído todo lo que habían dicho desde el momento en que abrió la puerta, ella y la media docena de personas que trabajaban en la oficina. Se puso en pie lentamente, con su cartera de cuero pegada al pecho.

—Lo siento —susurró, pero él no demostró ningún tipo de emoción, y Alexandra no supo qué más decir.

Christopher se marchó con gesto totalmente inexpresivo. Solo quedó el tictac del reloj y el sonido del tráfico fluvial que llegaba desde el exterior.

Sí, Alexandra lo sentía. Pero no sentía lo que había sucedido entre ellos hacía diez años.

Pasó ante el perplejo secretario y se detuvo en el umbral. Su padre estaba derrumbado sobre su enorme mesa de despacho, atestada de libros y de una vida de tesoros reunidos durante sus viajes, con la cabeza entre las manos en una extraña manifestación de desespero. Nunca le había visto tan derrotado, tan cansado.

El hombre levantó la cabeza.

Por el suelo había varios papeles, como si una mano furiosa los hubiera tirado. Alexandra entró y cerró la puerta. Y su padre vio cómo se agachaba a recoger los papeles. La vio leer el informe, hoja tras hoja. Y luego la vio dejar el informe sobre su mesa.

Alexandra levantó la vista, sin acabar de creerse lo que decían aquellos documentos. Sentía una fuerte presión en el pecho. La confianza que tenía en él ya no existía. La había destruido con su terrible secreto, con la forma abominable en que había tratado a Christopher.

A ella.

Ni por un momento había antepuesto la integridad de Atler a la de su hija...

Se sentía como si se estuviera muriendo por dentro.

¿Le había demostrado alguna vez su padre verdadero afecto? Si era así, ella no lo recordaba. No recordaba que hubiera reído nunca con ella, que hubiera bromeado, que le hubiera demostrado lo que significa amar a alguien incondicionalmente. La había privado incluso de la posibilidad de saber que tenía una familia. Tantos años de soledad durante su infancia, y en realidad no estaba tan sola. Porque Richard era su familia.

Y de alguna forma Christopher había descubierto la verdad.

—En lugar de ir a las autoridades ha acudido a ti, papá. Te estaba haciendo un favor. Porque es un hombre decente.

Pero ella no pensaba hacerle el mismo favor. Toda la información que llevaba en la cartera iría directa a la policía. Se dio la vuelta y fue hasta la puerta; el susurro de su falda fue como un tributo silencioso al comedimiento.

—¿Decente? Donally ha tenido el descaro de venir aquí y amenazarme. A *mí*. —Su padre se puso en pie. La mano de Alexandra vaciló sobre el picaporte. El hombre parecía haberse recuperado, hasta que lo miró a los ojos—. Sé que hará que me arrepienta de cada palabra que he dicho aquí.

Alexandra se dio cuenta de que le tenía miedo.

—No malgastará su tiempo con una venganza personal, papá.

Su padre le dedicó una mirada penetrante.

—¿Eso crees? ¿Incluso sabiendo todo lo que sabes de él?

—Si te refieres a la apuesta... —rió agriamente y, con un toque de orgullo, añadió—: Desde luego, se ganó hasta el último chelín...

—Lexie...

Escudándose en la ira que sentía, Alexandra miró a su padre

con expresión inquisitiva. Y él, muy rígido, le dedicó una mirada penetrante, como si acabara de darse cuenta de que era ella quien estaba allí ante él.

—¿Por qué has venido?

—Tenía una cita. —Encogió un hombro con un movimiento casi imperceptible—. Era la única forma de poder hablar contigo.

El silencio pesaba sobre la habitación.

Su padre tenía el traje arrugado tras haber estado derrumbado en la silla. Se había metido una mano en el bolsillo y de pronto pareció muy vulnerable, allí, solo, detrás de su mesa, con aquellos pedazos de su vida extraídos de los archivos de su pasado. Para ella siempre había estado por encima de los simples mortales, y el hecho de sentir lástima por él le resultó chocante. Ya no le importaba si tendría o no el valor de enfrentarse a Atler y hacer lo correcto incluso ante la opinión pública. En su interior, algo se había roto y la había liberado de su padre.

—Lo siento por ti, papá. —Alzó el mentón, tratando de mantener la voz firme, consciente de que seguramente los dos estarían solos hasta el fin de sus días—. Durante toda tu vida has cogido todo lo que no podías controlar y lo has destrozado. Siempre has tenido el poder y la influencia para cumplir tus amenazas. Pero no pudiste doblegar a Christopher. Y no porque no lo intentaras. Y me avergüenza, porque su único crimen fue quererme.

—Ese no fue su crimen.

—Pensabas que no podría querer a alguien como yo. Que tenía que haber otros motivos. No soportabas la posibilidad de perder. Te daba miedo. Era un estratega brillante, un hombre ambicioso que empezaba a obtener un reconocimiento por su trabajo. Te asustaba porque era indiferente al protocolo. No tenía miedo. Ni siquiera de ti.

Su padre no apartó la mirada. Alexandra seguía mirando su rostro ojeroso, consciente de que por primera vez en su vida no la había interrumpido ni amenazado. No se había ido hecho una furia.

—Le quiero, papá. Es mi vida. Y espero que eso no elimine la posibilidad de que D&B vuelva a optar al proyecto del canal —dijo con sarcasmo—. Y si su empresa consiguiera ese proyecto gracias a tu influencia, sería justicia poética.

Agitó una mano señalando el informe que había sobre la mesa.

—Decidas lo que decidas, es cosa tuya. Solo sé que haré lo que pueda por ayudar en esta investigación que yo inicié. Yo, no Christopher. He dimitido de mi puesto en el museo. Quiero algo más que pasarme la vida enterrada en un sótano con objetos muertos y polvorientos del pasado. —Por primera vez entendía realmente a Richard—. Quiero vivir, papá.

Alexandra vaciló, con la mano en el picaporte, tratando de controlar sus emociones, sin saber muy bien por qué dejaba pasar aquellos segundos de más antes de abrir la puerta. Quizá esperaba alguna señal de su padre que le hiciera ver que la quería, que dijera algo para que supiera que entendía su posición. Pero el hombre se había vuelto hacia la ventana, y su orgullo volvía a interponerse entre ellos como una barrera. Era el primer gesto familiar que veía en él desde que habían empezado a hablar. Mientras miraba la espalda rígida de su padre, Alexandra lamentó pensar que jamás la conocería realmente.

—Adiós, papá.

Salió al vestíbulo, y cada paso que dio la alejó más de su antigua vida. Apretó la marcha y de pronto se encontró corriendo escalera abajo. Cuando salió a la calle y se puso a buscar a Christopher, su corazón latía a toda velocidad. Las calles estaban atestadas: carretas de granja y carruajes, gente trajeada, obreros y mujeres que paseaban con sus hijos. La marea alta trajo consigo una brisa fuerte y refrescante. A lo lejos oía el retumbar de una perforadora. El mundo estaba lleno de vida, y ella quería formar parte de esa vida.

Girando sobre sí misma, Alexandra dejó que su mirada siguiera el arco de nubes. Gaviotas blancas flotaban en corrientes invisibles, con las alas extendidas, recortadas contra la luminosa y azul bóveda celeste. Alexandra se metió descalza en un terreno vallado de césped, hasta que un policía la obligó a salir. Y entonces cogió un ómnibus. Nunca había subido a uno de aquellos pesados vehículos. El ómnibus pasó por calles que nunca había visto, zigzagueando por las estrechas y sencillas avenidas que formaban la ciudad. Su vestido marrón de *mousseline de Chine* flotaba delicadamente a su alrededor, y no se dio cuenta del color que embellecía sus mejillas. Algunos rizos castaños se habían desprendido y se agitaban con la brisa. Y de pronto reconoció la calle que llevaba a Sutton y se apeó del vehículo en la siguiente parada; sabía que la gente estiraría el cuello para verla marchar.

Abrió su ridículo y, tras contar los billetes que llevaba, paró un cabriolé. Cuando llegó a la tienda, supo por boca de Smith que Richard ya no estaba allí.

—Seguramente habrán salido del país, madam. —Smith estaba en la puerta, limpiándose las manos con un trapo sucio, con aire avergonzado. Luego se echó el trapo al hombro y miró a la calle—. Mis disculpas, madam. No esperaba visitas.

Alexandra lazó una ojeada al cabriolé. Había prometido al cochero una propina si la esperaba.

—Necesito dejar una carta para Richard —dijo con rigidez—. ¿Tiene papel y una pluma que pueda utilizar?

El hombre se apartó a un lado y la dejó pasar. Le puso papel y tinta sobre el mostrador y, tras entregarle la pluma, apoyó un codo encima. Alexandra mojó la pluma en el tintero y empezó a escribir, pero de repente levantó la vista.

—¿Cree que podría dejarme un poco de intimidad, señor?

El hombre encogió los hombros y se apoyó contra los estantes con los brazos cruzados.

—No hay muchas damas de tanta alcurnia que vengan a mi tienda. Tal vez le interese alguna de mis joyas.

Ella levantó la cabeza, con la pluma en el aire.

—¿Las de Richard?

Él asintió. Mientras él iba a la trastienda a buscar las cajas, Alexandra escribió su carta. Smith sacó las joyas.

Colocó con delicadeza las piezas sobre un retal de terciopelo negro y lo empujó hacia ella. Alexandra las estudió. Estaban hechas en plata de ley y oro, y eran exquisitas.

—¿Richard las ha diseñado? —Las sostuvo a la luz. Seguramente si le compraba algo, pensaría que era por caridad, pero le daba igual. Richard era un caso para la caridad, y con un bebé en camino, si anteponía su orgullo al bienestar de su hijo, ella misma le abofetearía. Sin duda un hombre que había vestido con rayas de colores podía aguantar un poco de caridad.

Además, las joyas eran realmente hermosas.

—¿Cuánto ganaría él si compro todo lo que hay en esta caja?

—La mitad. Se lleva la mitad de lo que vendo.

—¿Será honrado y le hará llegar el dinero?

El hombre se llevó la mano al pecho.

—Milady, Bridge es mi sobrina.

—Si le engaña, Finley lo sabrá, y no tendré ningún reparo en ordenarle que le parta las dos manos.

Smith abrió la boca, y a Alexandra le produjo cierta satisfacción saber que era capaz de cumplir su amenaza.

—Puede hacer que me las lleven a mi casa. Entonces le pagaré el total. —Alexandra garabateó su dirección al pie de la carta que había escrito. Puesto que tenía papel y tinta en su tienda, supuso que Smith sabría leer. Luego, arrancó cuidadosamente el pedazo con la dirección y se lo entregó—. Mi regalo de bodas para mi primo. Y una recompensa para usted.

Smith miró el papel, algo perplejo, y la miró a ella.

—Estamos en paz por el golpe que le di con el buda —dijo Alexandra.

Al oír esto, el hombre se frotó la calva y se ruborizó.

—Sí, madam. Esto me compensará más que bien. —Y le abrió la puerta de la calle antes de que tuviera tiempo de llegar.

Sonó una campanilla—. Usted no es como esos otros aristócratas finos que he conocido, madam.

Alexandra arqueó las cejas. Toda ella era fruto de la educación que había recibido.

—Algunos no estarían de acuerdo, señor Smith. —Y volvió a ponerse los guantes—. Dígale a Richard que no se acerque a Londres por un tiempo. Y, dígale… dígale que entiendo lo que ha hecho.

Esperaba que él entendiera lo que estaba a punto de hacer.

21

Ryan se volvió al oír que llamaban a la puerta de su habitación.

—Señor, hay alguien que desea hablar con su hermano —dijo el mayordomo.

Ryan bajó por la escalera mientras acababa de arreglarse el puño izquierdo de la camisa. No esperaba visitas a una hora tan temprana. Y desde luego, no la de un hombre que le desagradaba tanto. Por la razón que fuera, Christopher había decidido continuar su relación con un destacado delincuente.

—Finley. —Acabó de ponerse el gemelo de plata—. ¿Qué puedo hacer por ti a estas horas?

Si Finley reparó en la animosidad de Ryan, no hizo caso. El hombre estaba ante la puerta, con el bombín en la mano.

—He venido a comentar unas cosas con su hermano de usted. ¿No le ha visto?

Ryan se colocó bien el puño.

—Una o dos veces en mi vida.

—Tiene usted mucho sentido del humor. —La boca de Finley hizo una mueca desagradable—. Pero así no me ayudará a encontrar al señor Donally.

Ryan prefirió no preguntar si había probado con su alteza real, la señorita Marshall, y desde luego no tenía intención de enviar a aquel delincuente a las oficinas de Westminster, donde la comisión les esperaba a él y a Christopher al cabo de dos horas. Lo cierto era que su agenda no le había permitido ver a Christopher desde hacía casi cuatro días. Desde que empezaron a circular rumores sobre el enfrentamiento entre él y lord Ware.

Ryan solo podía rezar para que el Todopoderoso tuviera piedad y Chris no hubiera arruinado el futuro de D&B.

—¿Qué es eso que tienes que hablar con él?

—El *Times* quiere una entrevista. Alguien les ha dicho que viene al gimnasio casi todas las tardes. Pero por lo visto ese alguien olvidó mencionar que hace casi una semana que no aparece. Y si quiere que le diga la verdad, eso no es normal. Han estado preguntando si lord Ware le recomendó para el consejo del museo.

—¿Ware? —La risa de Ryan fue breve—. ¿Están locos?

Finley vaciló.

—Señor, ¿es que no ha visto el periódico de la mañana?

Ryan llegó a la propiedad de Christopher en las afueras de Londres a la puesta de sol. Bajó de su montura ante la casa y, tras pasar las riendas a un joven mozo, avanzó a toda prisa por el sendero de grava.

—Cepíllalo bien, chico. —Ryan había forzado mucho al animal.

Se quitó los guantes mientras paseaba la mirada por la fachada de la casa. Allí fuera, con la capa y las botas negras, no era más que una sombra entre la niebla del atardecer. En la casa había luz prácticamente en cada ventana. Subió por la escalera y, cuando llegó arriba, la puerta se abrió. Era Barnaby.

—Llevo todo el día dando vueltas para llegar hasta aquí. —Ryan entró en el vestíbulo—. ¿Dónde está? ¡Hace días que no se presenta en la oficina de Westminster! Y yo acabo de enterarme.

—Señor, su hermano no es el mismo desde hace unos días.

La semana pasada volvió de Londres con el humor más negro que le he visto nunca —dijo Barnaby—. Ha estado enfermo. Tiene la pierna hinchada. Lleva días sin dormir. Y no ha querido que avise a nadie ni que le pidiera a usted que viniera.

Ryan se detuvo para pasarle la capa y los guantes.

—Ayer vació hasta el último armario de la casa buscando algo para beber. Anoche mandé llamar al médico.

—Maldita sea, Barnaby. Sabes que detesta a los médicos.

—Ciertamente. —El hombre se puso muy rígido—. No se creería usted lo que su hermano nos dijo que podíamos hacer. Y luego nos echó, señor.

Ryan pasó a grandes zancadas.

—¿Está en la biblioteca?

—Arriba, señor. Ha pedido que le lleváramos el periódico. Pero, dadas las circunstancias, hemos pensado que es mejor que no lo vea. Sir Donally no puede despedirme dos veces. —Suspiró con indignación.

—No dejes que vea ningún periódico hasta que yo te lo diga.

—Señor. —Barnaby le hizo detenerse cuando ya iba a mitad de la escalera—. El médico dijo que si no cuidaba esa pierna…

Tras subir los escalones de dos en dos, Ryan avanzó por el corredor enmoquetado. Encontró a Christopher en su habitación, de espaldas a la puerta. Solo llevaba puesta una bata, y estaba de cara a la ventana dividida por un parteluz. Sus cosas del ejército estaban tiradas por el suelo. Los cajones estaban abiertos, como si alguien los hubiera estado registrando.

—Christopher… —Sus palabras se le ahogaron en la garganta.

Su hermano se dio la vuelta. Apenas podía andar, y no apoyaba la pierna mala. Tenía una pistola de cañón corto en la mano.

—No me vas a retener. Y no quiero que vuelvas a traer a ese condenado cirujano a esta casa. ¿Lo entiendes?

Ryan no reconocía a su hermano; una sensación de alarma

le recorrió la espalda. La barba negra de una semana le daba un aspecto feroz. Incivil. El de alguien capaz de dispararle. Si la pistola estaba cargada.

—¿Antiguos recuerdos del ejército? —Ryan se puso delante de él—. Tendrás que sujetarla en alto si quieres dispararme.

—Vete al infierno, Ryan. Tendría que dispararte. —Se volvió hacia la cama con aire disgustado, agitando la pistola—. ¿Sabías que no hay una maldita botella de nada en esta jodida casa?

—¿No me digas que piensas espantar al médico con esa pistola de juguete?

Christopher se quedó mirando el arma descargada que tenía en la mano como si no acabara de entender qué hacía ahí. La noche antes había vuelto a tener la misma pesadilla.

Sentía la cabeza embotada, como si tuviera resaca. Aquel condenado médico le había estado palpando y pinchando la pierna como si fuera una jodida falda de ternera. Él se lo había advertido, le conminó a que no lo hiciera, pero el hombre no hizo caso. Seis años antes ya había apuntado con una pistola al médico que quiso amputarle la pierna. Y se había mantenido consciente hasta que vio que empezaban a coserle. Estaba medio muerto. Y cuando despertó el dolor era tan intenso que fue como una pesadilla. Aún tenía la pistola en la mano, pero al menos había conservado la pierna.

—Le diré a Barnaby que prepare un baño.

—No lo harás. Le he despedido, junto con el resto de los criados de esta casa. Ni siquiera puedo conseguir que me traigan un periódico.

Cualquier otra persona habría visto un gesto bondadoso en la sonrisa de Ryan. Pero Christopher habría dado lo que fuera por borrársela de la cara.

—Por supuesto, no hay que tolerar la insolencia —dijo Ryan—, sobre todo cuando anteponen tu bienestar a su sustento. Túmbate, Chris. —Ryan hablaba con voz pausada pero autoritaria—. Voy a echar un vistazo a esa pierna.

Christopher sentía un dolor punzante en la cabeza. Era como si alguien le hubiera echado una manta húmeda sobre los sentidos. Con la pistola todavía en la mano, miró con gesto impasible la puerta, detrás de su hermano.

—No tienes ninguna posibilidad de llegar a la puerta. —Aquellas palabras penetraron en su conciencia. La expresión de los ojos de Ryan y su propia debilidad ya hacían prever el resultado de cualquier posible discusión—. Túmbate, Chris.

Christopher trastabilló y un insulto brotó de sus labios.

—Esto no cambia nada.

La presión de su pierna se alivió en cuanto se tumbó, hasta tal punto que casi dio un suspiro. Detestándose profundamente por su debilidad, no reaccionó cuando Ryan cogió un lado de la bata y la abrió.

Se hizo el silencio. El tipo de silencio que dice las cosas a gritos. Christopher sabía lo que su hermano estaría viendo y la conclusión que seguramente sacaría. El muslo estaba hinchado y tenía el doble de su tamaño normal. La superficie de la cicatriz estaba tensa y blanca contra la zona púrpura de alrededor. La cosa era grave.

Ryan se dejó caer en el asiento que había junto a la cama y se pasó una mano por el pelo. Sus ojos adquirieron una expresión furiosa.

—¿Cuánto tiempo llevas así?

Christopher se negó a contestar.

—Necesitas un especialista.

—Necesito una bebida.

—He oído decir que el daño causado por la metralla puede manifestarse años después. Hay un conocido cirujano de campaña en Edimburgo. Estuvo en Crimea…

—Sé quién es.

—¿Por qué no le habías dicho nada a nadie?

Christopher se cubrió el rostro con el antebrazo y no contestó. Ryan cogió la pistola, que Christopher había soltado junto a la almohada.

—No soportas depender de nadie, ¿verdad? —Fue hasta la puerta y llamó a Barnaby. Sus botas altas de montar claqueteaban sobre el suelo—. Estáis todos contratados otra vez —le dijo al viejo sirviente—. Ahora trabajáis para mí.

—No lo hagas, Barnaby —le advirtió Christopher.

Sin hacer caso, Ryan pidió que le trajeran sábanas limpias, comida caliente y que preparan un baño arriba.

—Será un placer, señor.

Dos horas más tarde, Christopher se había bañado, había comido y lo devolvieron puntualmente a su cama. Como una febril Florence Nightingale con pantalones, su hermano supervisó todo el proceso, y luego le ayudó a apoyar la pierna sobre una almohada y lo tapó.

Christopher trató de ponerse cómodo. No quería ninguna maldita manta, y se la quitó de encima con el pie.

—Tráeme algo para beber, Barnaby —le dijo al mayordomo con el brazo sobre la cara, tan agotado que los ojos se le cerraban—. Estoy harto de que nadie me haga caso en mi propia casa.

Ryan se apoyó con aire indolente contra uno de los postes de la cama.

—Ahora trabajan para mí, ¿recuerdas?

Christopher bajó el brazo y vio que su hermano le observaba con ojos astutos del color de la noche. De toda la gente que conocía, su hermano pequeño era la peor persona que podía haberle encontrado. No le dejaría morirse en paz.

—Es una jodida pena que no te pueda despedir. Te lo estás pasando en grande.

—¡Bravo! Por fin sonríe.

—Vete al infierno, Ryan.

—Ese mal humor no te viene solo por la pierna, Chris. Aunque eso por sí solo ya es bastante malo. He oído lo que pasó en el despacho de lord Ware.

El brazo de Christopher seguía sobre su frente.

—No necesito tus condolencias. No soy tan débil como para eso.

—¿Tú? ¿Condolencias? ¡Ja! No las mereces. Desde que reanudaste tu relación con su majestad, has pasado de ser un hombre de negocios responsable e ingeniero de talento a un lunático agresivo.

Sí, eso era cierto. No se lo discutió.

Pero nada podía borrar la abrumadora sensación de que le había fallado a Alexandra. Primero, por tratar de ocultar su relación, y luego, por marcharse de la oficina de su padre, cuando lo que tendría que haber hecho era ponerse de rodillas y explicarle lo que acababa de escuchar.

Y ahora no podía ir a ningún sitio.

—Deja que te diga una cosa. —Ryan apoyó el pie contra el colchón—. Si quieres ayudarla, lo mejor que puedes hacer es curarte y apartarte de su camino. Personalmente, creo que su alteza tiene más agallas de las que nunca habría creído.

Algo en el tono de Ryan le hizo incorporarse sobre los codos.

—¿De qué estás hablando?

Ryan se inclinó hacia delante.

—Cuando te fuiste de la oficina de lord Ware, aunque ignoro cuál de los dos se considera el ganador —dijo haciendo un inciso—, parece que su majestad terminó lo que tú empezaste. Se tiró sobre el viejo lobo como una leona. Por ti. Por lo que he oído decir, parece ser que todo el personal estaba con la oreja puesta en la puerta. Y entonces su majestad fue a la policía y denunció los robos de ciertos objetos que no tenían precio en el museo. Denunció por conducta impropia al conservador mayor y pidió una investigación. Incluso el hijo de Atler volvió ayer para declarar contra él. Y luego su majestad contrató a tu asesor legal para que la defendiera, porque Atler ha tratado de poner en duda su credibilidad profesional.

—¿Cómo sabes eso?

—Hoy su alteza ha ido a buscarte a las oficinas de Westminster. Stewart le dijo que te estaban enviando el trabajo a casa. Así que le puso a él al corriente. Ni siquiera sabía que Stewart y ella se conocían.

—Entonces, ¿Stewart y Williams la han visto?

—Y también Finley —añadió Ryan—. Tuve el placer de cabalgar en compañía de tu viejo amigo hasta la oficina para ir a buscarte. Parece ser que un tal Smith se puso en contacto con él porque tenía información sobre uno de sus colegas. El individuo había estado alardeando de tener ciertas joyas robadas cuando se enteró por el periódico de los robos cometidos en el museo. ¿Tiene esto algún sentido para ti? Porque yo la verdad es que no entiendo nada.

Tratando de no hacer caso del rugido que notaba en sus venas, Christopher cerró los ojos.

—Sí —murmuró. Alex estaba librando una guerra en Londres y por lo visto lo estaba haciendo mucho mejor que Atler. De hecho, aquel viejo cabrón seguramente estaría en la cárcel antes de que acabara el año—. ¿Algo más?

—La parte positiva es que la afluencia de visitantes al museo se ha multiplicado por veinte, se venden más periódicos y tu amada se ha convertido en la nueva heroína de las asociaciones que piden el sufragio femenino. —Ryan arqueó las cejas—. Y, de alguna forma, en todo este embrollo tu nombre no se ha mencionado ni una sola vez.

Ryan tapó a su hermano.

—¿Todavía quieres beber hasta perder el conocimiento? ¿O me das permiso para dejarte acostado y pedirle al médico que vuelva?

—¿Dices que ha visto a Stewart? —Volvió a incorporarse sobre los codos—. Pregúntale a Barnaby si hoy ha llegado algo de la oficina.

Por un momento pareció que Ryan se iba a quejar. Christopher se dejó caer sobre las almohadas, completamente agotado.

—Tú pregunta, Ryan. Luego te prometeré lo que tú quieras. Veré a tu maldito médico.

Diez minutos más tarde, el paquete con papel de embalaje

marrón llegó a su habitación en una bandeja, acompañado por un cuenco de caldo de pollo. Christopher lo abrió. Mientras pasaba las diferentes notas e informes sobre análisis de proyectos, sus dedos se detuvieron. Una sonrisa se formó en sus labios. De haber podido, su corazón habría dejado de latir. Aquella caligrafía casi ilegible era tan poco femenina que, de no haberla conocido tan íntimamente, habría pasado el papel sin fijarse. Dejó el paquete a un lado, después de coger el único periódico que había. Se volvió para mirarlo junto a la lámpara que había junto a la cama.

Quizá Alex no poseía la florida caligrafía de un poeta, pero utilizaba el lenguaje de una forma que cualquier hombre habría saltado verjas solo para verla. Incluso un cojo. Y le daba igual si Stewart lo había leído.

La vulnerabilidad de Alexandra envolvió su pecho y apretó.

Las dos últimas líneas eran un torpe intento de insinuación, y a pesar de su torpeza, resultaba considerablemente carnal. Christopher se dejó caer contra la almohada y leyó la carta otras dos veces.

La amaba.

Totalmente.

La candidez de Alexandra, su lealtad, cada milímetro de aquella nobleza suya tan descolocada le hacían sentirse tan humilde… ¿Cómo podía pensar que le estaba protegiendo, si el solo hecho de pensar que podía volver a perderla le destrozaba?

Se pasó la mano por el muslo hinchado. No había dejado de ver una y otra vez la expresión de sus ojos cuando la dejó plantada en el vestíbulo de la oficina de su padre. Tendría que haberse quedado y haberle dado una explicación. Y había tratado de convencerse a sí mismo de que no había huido de ella.

Porque Christopher Donally nunca huía de nada.

Pero ahí estaba, tan claro como el agua: había huido.

Llevaba toda la vida huyendo de sí mismo.

Él era el único responsable de su estado de ánimo. Había cogido su inexperiencia y se había vuelto una persona beligerante y arrogante. Siempre tan presuntuoso, enfrentándose constantemente a las normas para demostrar que era más que un simple y pobre católico irlandés. Que tenía tanto talento como su padre. Siempre tan condenadamente rebelde. Y sin embargo, esa actitud desafiante también había sido su mejor baza.

Christopher cerró los ojos y lanzó una risa breve y sentida, y por primera vez desde hacía días sintió calidez en sus venas.

Al admitir sus miedos, se dio cuenta de que había conseguido superarlos, superar sus propias expectativas.

Alexandra le había hecho volver al punto de partida. Le había hecho reconciliarse con su pasado. Con su lado más oscuro, por así decirlo.

Pensó en ella, con los ojos aún cerrados. Había razones obvias por las que la quería. Ciertamente, la cuestión física era importante. Su libido se había multiplicado por diez desde que Alex había vuelto a entrar en su vida, y eso era algo que no acababa de asimilar. También estaba su familia. Convencerles para que aceptaran lo que sentía por Alex no sería fácil. Con excepción de Brianna, que era una romántica empedernida, nadie lo entendería. Y luego estaba el interrogante de si lo que sentían les permitiría superar el revuelo social que provocarían al casarse o si, por el contrario, acabarían con el corazón destrozado.

El amor solo no serviría para superar todos los obstáculos, pero seguro que el dinero ayudaba. Y él tenía dinero. Un dinero que le permitiría casarse por la iglesia. Y hasta encontrar un cirujano competente. Ahora lo único que tenía que hacer era convencer a Alex de que valía la pena luchar por un futuro en común.

—Me gustaría que llegara un día en que a mí el trabajo me hiciera igual de feliz. —Ryan lo observaba desde la puerta, y Christopher apreció su generosidad, porque, además de preocupación, en sus ojos vio su resignación ante lo inevitable—. ¿Piensas casarte con ella?

Christopher haría cuanto estuviera en su mano por minimizar el impacto de su decisión, pero no pensaba ceder.

—La llevo en mi corazón, Ryan. La familia tendrá que aceptarlo.

Ryan asintió.

—Al principio será bastante incómodo —dijo con un desparpajo obviamente forzado—. Dale unos años y seguro que acaba ganándonos a todos en el croquet.

Alexandra rompió el sello que cerraba el sobre blanco y abrió apresuradamente la carta que Mary acababa de entregarle. Había llegado justo cuando acababa de sentarse a desayunar. El intenso aroma a bollos y jamón llegaba desde la cocina. Fuera, el tiempo seguía igual de apagado y húmedo, con nubes bajas. El comedor estaba oscuro, así que Alexandra acercó la carta a la luz.

—¿Quién la ha traído, Mary?

Con excepción del apoyo incondicional de la liga sufragista, el concepto de leprosa social había adquirido un nuevo significado para ella desde que el escándalo del museo había aparecido en los periódicos. Le daba miedo leer la carta.

—Un correo, señora. Creo que dijo que venía de la oficina del señor Williams.

Su corazón ya había empezado a acelerarse cuando Mary preguntó:

—¿Querrá más café, madam?

—Guarda un poco de jamón para los chicos, Mary —contestó ella sin apartar los ojos de la carta—. No tardarán en llegar con la compra del mercado.

Aquella letra tan definida pertenecía a Christopher.

Alexandra no estaba segura de haber contestado a la pregunta de Mary. El corazón le golpeaba con fuerza en el pecho. No tenía sentido intentar negar la calidez que notaba por dentro. Porque estaba ahí, bien clara. Christopher había contestado a su carta.

¡Tres páginas!

La carta hizo que ansiara tocar físicamente mucho más que el papel. E hizo que se cuestionara todas las ideas absurdas que se había impuesto para mantenerse lejos de él. Porque el ansia, la necesidad de verle era abrumadora.

De pronto, rendirse al caos de su mundo le pareció un poco más fácil. Había algo tan masculino en la forma enérgica y directa con que le escribía…

La amaba.

Le pedía que se casara con él.

Sus piernas la llevaron a su habitación. Cerró la puerta y, movida por un arrebato de emoción, leyó las páginas otra vez. Christopher volvía a ser el cazador consumado, y había algo terriblemente emocionante en el hecho de ser la presa.

Estaba al corriente de la denuncia que había puesto contra Atler —aunque, ¿quién no lo estaba en Londres?— y sabía que Richard había vuelto a la ciudad. Había dado su permiso al señor Williams para facilitarles cualquier información conseguida durante su investigación.

Y esperaba que contestara a su pregunta.

Las dudas la asaltaron. Ella lo quería allí, a su lado, pero al día siguiente, en otra carta, Christopher le decía que no le convenía tenerlo allí con ella. Por supuesto, tenía razón al no ir al rescate, porque Alexandra no necesitaba que la rescataran. Ver que Christopher creía en ella de aquella forma le hizo sentirse orgullosa. Y sabía que su presencia allí solo serviría para alimentar los rumores de la prensa y fomentar la idea que el profesor Atler había difundido entre la opinión pública sobre la integridad moral de Alexandra.

Sin embargo, en lo referente a los negocios y asuntos legales, Christopher se mostró inflexible. Le dio consejos estratégicos, que Alexandra utilizó dos días después para solicitar una comparecencia ante el consejo de administración del museo.

Y, una vez más, le dejó esperando su respuesta.

La respuesta de él ante su silencio en relación con su propuesta llegó aquella noche.

Cásate conmigo, Alex. ¿No crees que ya es hora de que dejemos atrás esta locura? CH.

Alexandra cerró los ojos y se recostó sobre la cama. El colchón crujió bajo su peso.

¿Cómo puedes estar tan ciego? ¿Es que no ves lo que esto podría costarte? Normalmente eres más racional. A.

Aquella tarde, mientras fuera caía una tormenta, Alexandra esperaba con impaciencia la respuesta. Para entonces, ella y Christopher se habían montado su propio servicio de mensajería, entre los chicos, Finley y la oficina del señor Williams. El pelirrojo le entregó la última carta; estaba enfadado porque la lluvia le había calado hasta los huesos y se le veía tan relamido como si acabara de salir de la iglesia. Tras asegurarle que no parecía ningún santo, Alexandra le hizo pasar y le dejó comiendo unos bollos mientras Mary le servía una sopa. Subió a su despacho a toda prisa y abrió la carta húmeda.

¿Tienes miedo por mí o por ti misma? Estás siendo testaruda. Pero, claro, siempre lo has sido. CH.

Si soy testaruda es por el bien de los dos. No pienso convertirme en tu asidero. Ese no era el propósito de mi primera carta. ¿Cómo es posible que no veas que es mejor así? A.

Apenas había pasado un día cuando Alexandra recibió la respuesta. Cuando estuvo sola en su habitación, desgarró el sobre.

No puede haber otro modo. Ya no. Y ahora deja que te pida perdón por haberte puesto en un lugar cuando tú merecías mucho más. Te he amado desde el primer día, cuando miré al otro lado de aquella sala de baile y te vi en pie junto a la mesa con los aperitivos, sola, siguiendo el ritmo de la música con el pie mientras veías cómo los otros bailaban. Llevabas un vestido plateado. Nunca te había visto. Pero sabía quién eras. No estuvo bien que me acercara a ti por los motivos que lo hice, pero eso dejó de importar enseguida. Te quería. Quería lo que podías hacer de mí. Tú me diste algo por lo que creer en mí mismo. He vivido la soledad otras veces, pero nunca como en estos diez años que han pasado desde que te perdí. Muy pocas veces he compartido con nadie el compañerismo que había entre tú y yo, y estoy convencido de que es suficiente para sustentar un matrimonio. No creo que me equivoque. Y si ahora pudiera ir a buscarte, lo haría. CH.

Ni se te ocurra venir aquí. ¿Es que no has visto los periódicos? La prensa se ha cebado con este caso como si fueran sanguijuelas. Trataré de escabullirme y buscar una forma de verte. Quiero darte la respuesta en persona. Y, por cierto, yo también sabía quién eras tú antes de aquella noche en la sala de baile. Te vi un par de veces en el despacho de mi padre. Yo ya te había echado el ojo antes de que tú te fijaras en mí. A.

Es bueno saberlo, vida mía, lo cual hace que mi propuesta sea más importante. Nuestro encuentro tendrá que ser después de la boda de Ryan en septiembre. Hay otras razones por las que es mejor que permanezcas en Londres y ganes tu batalla. No pretendo sonar misterioso. Espero tu respuesta. Mi corazón.

Siempre tuyo,

CHRISTOPHER

La caligrafía de Christopher ya no tenía el estilo vigoroso al que estaba acostumbrada. Siguió las letras con el dedo.

—Richard estará aquí en una hora, madam —dijo Mary desde la puerta de su habitación un rato más tarde.

Alexandra estaba en la cama, tendida sobre el estómago, con la cabeza apoyada en la mano, y miraba la carta de Christopher con cierta sensación de tensión.

—Gracias, Mary —contestó ella, ausente.

Aquella mañana había recibido un mensaje de la policía pidiéndole que fuera al museo. Richard había recibido una nota parecida.

Alexandra sacó a toda prisa el papel de carta. Quería que Christopher le explicara el tono de su carta, porque, ciertamente, era muy misterioso, y no le había gustado nada. Su pluma quedó suspendida en el aire porque oyó que llamaban a la puerta de la calle. Se giró y miró el reloj del tocador. Richard no llegaría hasta al cabo de media hora. Desde la sala de estar, una voz severa la hizo levantarse de la cama. Se estaba poniendo una bata cuando Mary apareció de nuevo en su puerta.

—Milady —dijo en tono alarmado—, es el señor, ¡su padre!

Estaba sentado en la salita cuando Alexandra apareció unos minutos más tarde. La barrera que lo había protegido toda su vida había desaparecido. Tenía las piernas estiradas, cruzadas por los tobillos, y daba golpecitos en el borde del asiento con dos dedos. Alexandra se detuvo, medio dentro medio fuera de la habitación, justo en el límite de aquella línea invisible que les separaba, consciente de que no podía pasar más allá. Él levantó la mirada, y entonces se irguió y se levantó.

—Papá —dijo Alexandra, dejando que la pregunta de por qué estaba allí quedara suspendida entre ellos.

—No estás vestida. —Su voz sonó brusca, tan reprobatoria que Alexandra agachó la mirada para comprobar su aspecto—. ¿No tenías una entrevista con la policía esta mañana?

Alexandra se puso derecha, porque se dio cuenta de que su padre tenía intención de ir con ella.

—¿Cómo lo sabes?

—Esta mañana Atler ha anunciado su dimisión ante el consejo y la prensa —replicó él—. Y ha accedido a firmar una confesión.

Alexandra lo miró con consternación.

—Yo... no entiendo.

Sin darse la vuelta, su padre dijo en voz baja:

—Sir Donally tenía razón respecto a los motivos... los motivos de mi hermano. Me detesta. Y por eso quería hacerte daño a ti. —Sus ojos vacilaron ligeramente cuando la miraron—. Seguramente se habría salido con la suya si hubieras actuado de otra forma. Lo que me avergüenza de todo esto es que si hubieras acudido a mí hace meses no te habría creído. Por tanto, no tengo excusa.

—Y en vez de eso has conseguido un acuerdo. Muy oportuno para él. —Una vez más, con sus maneras aristocráticas, se había hecho con el control.

Los ojos grises de su padre la miraron con intensidad.

—O firmaba una confesión antes de esta mañana o se arriesgaba a ir a juicio. La justicia no se habría mostrado precisamente comprensiva y no habría querido pasarse el resto de su vida donde yo me habría asegurado de que lo mandaran. De este modo, él tiene cierta tranquilidad y tú no tienes que pasar por la agonía del juicio.

Alexandra habría pasado por diez juicios si hacía falta, por muy espantosos que fueran. Atler merecía la cárcel. Merecía llevar un collar de hierro al cuello el resto de su vida.

—No has hecho esto por tu nobleza de carácter ni nada parecido. Solo tenías miedo al escándalo que se habría desencadenado de haberse celebrado el juicio.

—Tanto si te gusta como si no, se trata de ti, Lexie. Y de Donally. Yo no he hecho nada. Has sido tú —dijo en voz baja—. Tú, Richard y sir Christopher. Yo solo me he ocupado de que se haga una investigación en toda regla. Será mi última actuación antes de presentar la dimisión.

Alexandra miró al suelo con una profunda sensación de frustración. No se le escapaba que su padre hablaba de Christopher con un respeto poco habitual. Pero, a pesar de sus intentos por salvar el abismo que los separaba, Alexandra se estremeció. No podía olvidar tan fácilmente lo que su padre le había hecho a Christopher. Seguramente nunca podría.

—Papá, Richard me acompaña, y también el señor Williams.

—Entró en la salita—. Me pides que formemos un frente común, cuando en realidad no lo somos. Siento mucho que ya no te quede nadie. Pero te lo has buscado tú solo. Así que, si no hay nada más…

Su padre se volvió hacia la ventana. Ya no era el poderoso diplomático que controlaba su mundo. Con aquella vestimenta oscura y formal, se le veía viejo, fuera de sitio, y sus maneras aristocráticas palidecían entre aquel entorno tan femenino. La sensación de que era vulnerable la atravesó como un chillido, y tuvo que controlar el impulso de preguntarle si había seguido tomando sus pastillas para el corazón.

El hombre se aclaró la garganta y la miró directamente.

—Hace cuatro días envié una nota al consulado de Tánger preguntando por… mi nieto. Ellos pueden averiguar a dónde trasladó sus restos la iglesia antes de que la derribaran. He pensado que tu hijo debía estar en Ware.

Antes de que Alexandra pudiera contestar, un sollozo se ahogó en su garganta.

—¿Sabes dónde está la tumba? ¿Dónde está, papá?

Su padre iba a decir algo, pero entonces, como si acabara de tomar una decisión, se metió la mano en la chaqueta y sacó un paquete viejo y marrón. Miró los bordes estropeados del paquete, y lo dejó en la mesita que había junto al sofá, para ella.

—No sé por qué lo he guardado todos estos años. Pero lo hice.

Alexandra cogió el paquete y comprobó el contenido. Cartas.

Cartas de hacía diez y once años. Docenas de cartas de Christopher. Y de ella.

Con la vista nublada por las lágrimas, Alexandra miró a su padre.

—Encontrarás todas las cartas que le escribiste mientras estuviste en el consulado, y las que te envió él desde la India. —Bajó la voz, como si la emoción le embargara—. No tenía otra forma de protegerte, Lexie. Tenías diecisiete años. Él era un bebedor empedernido... ¿Cómo se supone que tiene que enfrentarse un padre a algo así?

Alexandra se dejó caer sobre el sofá, en parte para no perder el hilo de sus pensamientos.

—Te escribía casi cada semana. Te escribía cuando veía que no le contestabas. Hasta te escribió cuando recibió los papeles de la anulación del matrimonio con la carta que decía que no los impugnarías.

—Lo hice porque pensé que era lo que él quería. —La angustia le oprimía el pecho—. Oh, papá. Todos estos años pensó que no le amaba lo bastante para luchar por él.

—Te escribió la última carta unos días antes del levantamiento, justo antes de que su acuartelamiento quedara sitiado.

—¿Y por qué me das esto ahora?

—Soy un diplomático, y ni siquiera soy capaz de negociar una tregua con mi hija.

—¿Tregua? —Tanta arrogancia le daba ganas de reír.

El pasado no iba a desaparecer solo porque su padre hubiera decidido limpiar su conciencia. O porque hubiera cambiado de opinión sobre un hombre al que había estado a punto de destruir. A su manera, al traer los restos mortales de su nieto a casa, Alexandra suponía que estaba tratando de aferrarse a lo poco que le quedaba.

—¿Qué le pasó en la India? —musitó Alexandra sin levantar la vista.

Su padre se sentó y apoyó la frente en el mango de su bastón.

—Dímelo, papá. ¿Qué le pasó a Christopher en la India?

—Donally fue uno de los mejores hombres de sir Lawrence en Cawnpore. Ni siquiera yo puedo cuestionar su valor.

Alexandra no conocía aquellos nombres que tan familiares parecían resultarle a su padre. Pero no importaba. Conocía los hechos. ¿Quién no los conocía? El acuartelamiento se había rendido después de un sitio de tres meses y sus ocupantes fueron aniquilados. Hombres, mujeres y niños.

—El capitán Donally fue uno de los cuatro hombres que sobrevivieron. Consiguió salir con vida de la carnicería. Y a pesar de ello, se unió de nuevo a la lucha hasta que la guerra acabó. Sirvió como oficial de inteligencia en el frente, a las órdenes del brigadier general Neill... Donally resultó herido cuando salvó la vida del general, pero no sin antes haber ganado tres medallas. Eso sirvió para limpiar su currículum e hizo que su historial llegara a las personas apropiadas. Un año después de su regreso a Inglaterra, fue nombrado caballero por la reina.

—¿Y pensaste que con eso había bastante, papá? —Su voz era áspera.

—Dadas las circunstancias, no cambiaría nada de lo que hice. No era mi intención enviarle a la guerra. Podían haberle sometido a un consejo de guerra y haberle encarcelado por lo que hizo en Tánger, o haberle mandado a Crimea o a la provincia de la Frontera Noroeste. Era un soldado profesional, Lexie. Podía haber acabado destinado en esos sitios de todos modos.

—¿Tuviste algo que ver con el hecho de que D&B perdiera el proyecto del canal?

—No —dijo el hombre, muy serio—. Pero con posterioridad se ha descubierto que otra de las empresas aspirantes era insolvente. La empresa de Donally & Bailey fue descartada por su inexperiencia, nada más. Sinceramente, en mi opinión, el ejército paralizará el proyecto antes de que pueda realizarse. Un túnel que nos una con el continente sería un importante riesgo para la seguridad nacional. Es absurdo.

—Dios santo. —Alexandra miró al techo, indignada—. No puedo creer que hayamos acabado hablando de la seguridad nacional. —Se enjugó la cara y se sentó—. Christopher te dijo que no te metieras en sus asuntos. Y, ahora que lo pienso, creo que lo decía muy en serio.

Se puso en pie y empezó a andar arriba y abajo.

Lo único que sabía era que amaba a Christopher con todo

su corazón y que su padre le había obligado a elegir entre los dos. Y algo así no podía borrarse solamente con unas cuantas palabras.

Pero, mientras andaba arriba y abajo, cada vez más deprisa, notaba algo que trataba de aflorar en su conciencia. Se detuvo en su peregrinación y miró a su padre. ¿Por qué iba a ponerse él de pronto del lado de Christopher? Al darle aquellas cartas, eso era exactamente lo que hacía. Sintiendo que el color abandonaba su rostro, Alexandra miró el paquete y comprendió.

—Has descubierto algo sobre mi hijo, ¿verdad?

Su padre gruñó algo en respuesta y cogió su sombrero con aquel tono desdeñoso con que siempre indicaba que la conversación había acabado.

—El policía te espera, Lexie.

—Papá… —Se interpuso en su camino—. ¿Dónde está enterrado?

—Por Júpiter —gruñó por lo bajo—. Donally es un hijo de puta irlandés. Durante más de diez años no ha sido más que un incordio. Si tú quisieras, seguro que podría encontrar algo ilegal en lo que hizo y hacer que lo juzgaran.

—¡Papá!

—Y aun así, es difícil no respetar sus motivos.

Seguramente con aquello ya estaba diciendo más de lo que quería. El hombre la miró furioso, como si estuviera a punto de violar uno de los siete sacramentos. Pero recuperó la compostura enseguida.

—Tu hijo está enterrado en Carlisle, Lexie. Donally hizo que lo trasladaran hace años, antes de que derribaran la iglesia del cuartel.

Alexandra sintió que se quedaba sin aire. Tenía un nudo tan grande en la garganta que no sabía cómo tragar sin delatar el dolor que sentía.

—Tiene que haber un error. —Su mano aferró el guardapelo, porque volvía a llevarlo.

Pero por la mirada de su padre comprendió que no había ningún error. Que seguramente había sido tan concienzudo en su investigación como Christopher en la suya.

Y eso hizo que le dieran ganas de asestar un puñetazo en su mundo de fantasía. Un mundo construido durante aquellos últimos meses sobre la confianza, el honor y la integridad.

¿Christopher lo sabía desde hacía años? ¡Lo sabía!

Pero, por una vez, su padre no lo miraba con aquella expresión de «Te lo dije». La irritación desapareció del rostro de Alexandra porque comprendió algo de vital importancia. Su voz sonó áspera y tensa.

—Admiras lo que hizo, ¿verdad? Por eso me has traído el paquete.

El hombre farfulló algo incoherente y abrió su reloj de bolsillo.

—No espero que me invitéis a la boda. Pero imagino que la habrá con o sin mi bendición. —Cerró el reloj y giró sobre sus talones—. Llegaremos tarde si no te vistes. Tengo un periódico en el carruaje. Te espero allí.

Cuando salió de la salita, Alfred le abrió la puerta de la calle. Pero su padre se volvió a mirarla. Había muchas cosas en aquella mirada. Calma. Aceptación. Aprobación. Y entonces se puso el sombrero y salió.

Su padre nunca la había mirado así. Nunca en toda su vida.

Aunque eso seguía sin compensar sus pecados. Seguramente nada podría remediar lo que había hecho. Pero ya no le tenía miedo. Ya no tenía miedo de fallarle.

Sobreviviría aunque no volviera a trabajar en el museo. Y la ciudad podía hacer lo que quisiera con su reputación. Porque también sobreviviría a eso.

Richard apareció a su espalda.

—No sé si algún día seré capaz de llamar tío a tu padre —le dijo.

Ella rió, porque de lo contrario se habría echado a llorar.

Amaba a Richard. Había vuelto a su lado y había hecho lo correcto.

—Bridgett está con Mary en la cocina —dijo Richard—. Vimos el carruaje de su señoría a la entrada y entramos por la puerta trasera.

Se echó el pelo hacia atrás y abrazó a Alexandra.

—Llegados a este punto, yo tendría que decir alguna cosa, pero mucho me temo que se me han acabado los comentarios irónicos.

—Vaya, cuando más te necesito ¿vas y me fallas? —se lamentó ella con una risa rota. Se limpió los ojos en la chaqueta de él y lo miró—. ¿Te he dado las gracias por volver?

—Muchas veces.

—Siento lo de tu padre…

Él la obligó a callar.

—Yo no.

La casa olía a cerdo asado. De la cocina llegaba el sonido de una animada conversación.

—Milady. —Mary se puso en pie cuando Alexandra entró. Corrió hacia el horno mientras se quitaba el delantal blanco—. ¿Quiere vestirse ya?

La mesa con caballetes que había ante el horno estaba llena de cosas. Los chicos estaban allí. Parecían más limpios que nunca; inclinados sobre un cuenco caliente de natillas que había preparado Mary, sorbían cada una de aquellas preciosas gotas. Bridgett se hallaba sentada en un extremo, y sus rizos dorados estaban sujetos con unos lazos rojos. Alexandra le devolvió el saludo y sonrió. Mary y Alfred se encontraban en el otro extremo. Incluso el gato dorado estaba ociosamente tumbado ante la puerta. Por primera vez en varias semanas, la tensión abandonó sus músculos. Miró a aquellas personas que estaban reunidas en torno a su mesa.

Su mesa.

Y se dio cuenta de que ella formaba parte del grupo.

—Sí —le contestó a Mary—. Tengo que vestirme.

Con gesto pensativo, Alexandra dejó el paquete sobre la cama. Su pensamiento ya no estaba en los acontecimientos de ese día.

Quería ir a casa. A su verdadera casa.

22

—¿Ha dicho Williams adónde se ha mudado? —Christopher arrojó al suelo la última carta que había recibido de su asesor legal y la brisa que entraba por el balcón dispersó las hojas.

Colin estaba cómodamente sentado a un lado de la cama, haciendo las veces de secretario. Estaban a media tarde, en la propiedad de la familia en Carlisle, y el suelo estaba bañado por una luz ambarina. Los árboles se mecían suavemente bajo la brisa, más allá de los baluartes de la fortaleza de los Donally. En las pasadas semanas la casa se había ido llenando de amigos y familiares que llegaban para celebrar las nupcias de Ryan.

Christopher hizo una mueca cuando el cirujano tocó la herida del muslo, y si aguantó fue solo porque quería que todos se fueran de una vez.

—¿Podrá caminar hasta el altar en la boda de Ryan —preguntó Johnny— o tendrá que empujarlo Rachel en una silla de ruedas?

—Ya he retirado los puntos. —El doctor se incorporó y miró con gesto indignado a Christopher por encima de su nariz ganchuda—. Aunque solo por los problemas que me ha dado tendría que habérselos dejado más tiempo. —Su mirada incluyó también a Ryan y Johnny, que estaban apoyados contra el armazón de la cama, observando el proceso—. Como pueden ver, está vivito y coleando.

El hombre cogió su cartera y del interior sacó un frasco de cristal que contenía un pedazo de metal.

—Para usted. —Y le entregó el recuerdo a Christopher—. El golpe que le dio el joven Atler debió de soltar el trozo de metralla que tuvo dentro del muslo todos estos años. Y finalmente se abrió paso hasta la superficie. Apenas tuve que cortar para extraerlo.

Christopher contempló la pieza con desagrado. Era increíble que una cosa tan pequeña le hubiera amargado la vida de aquella forma durante tanto tiempo. Supuso que estaba en deuda con Richard por haber escogido tan bien dónde darle el rodillazo.

Tres semanas antes, Christopher había regresado a Carlisle para someterse a aquella arriesgada intervención. Y ahora lo único que quería era que le dejaran en paz para poder volver con Alex. Durante un mes entero los tiranos de sus hermanos se habían turnado para asegurarse de que el inválido no se movía.

No había tenido noticias de Alex desde que estaba allí. Como miembro del consejo de administración del museo, había recibido una carta en la que se le comunicaba la dimisión del profesor Atler hacía dos semanas. En los periódicos habían aparecido declaraciones de lord Ware explicando que por motivos de salud se trasladaría a Atler fuera de Londres. Sería ingresado en el asilo de Mayfair.

Además, Ware se había responsabilizado de la investigación y de pagar las indemnizaciones. En cuestión de semanas, el escándalo ya había pasado a la tercera página del *Times* de Londres.

De no haber estado tan impaciente por tener noticias de Alex quizá se habría sentido más aliviado.

Ahora que tenía el diagnóstico del médico y sabía que su recuperación era inminente, pidió a su familia jovial y protectora que se marchara y llamó a Barnaby. Él y el viejo mayordomo no habían hablado desde que lo despidió, y ahora se encontraba en la desafortunada posición de tener que suplicarle formalmente sus fieles servicios. En aquella casa de tiranos, necesitaba un aliado. Incluso Brianna se había mostrado obstinada y no había colaborado cuando se trataba de dejarle salir o hacerle llegar una comida decente, o cualquier otra libertad de las que tendría que haber gozado sin discusión en su casa.

Barnaby apareció momentos después.

—¿Puedo ayudarle, señor?

Christopher esperó hasta que estuvieron solos para destaparse y salir de la cama. Tenía la pierna rígida, pero al menos le funcionaba. Sin que sus carceleros lo supieran, había estado practicando desde la operación.

—Barnaby, quería disculparme por el comportamiento que tuve hace unas semanas. —Cerró la puerta con llave. Solo llevaba la ropa interior, y consiguió encontrar una bata en su armario.

—No es necesario, señor. —Ayudó a Christopher a ponerse la bata.

—Sí lo es. Fue un gesto demasiado impulsivo, y equivocado.

—Usted siempre es impetuoso, señor. No me pareció nada raro.

—Ya veo. —Christopher se puso el cinturón de la bata—. Entonces, me he estado preocupando por haberte ofendido por nada.

—Eso parece, señor. Ninguno de los miembros del personal nos lo tomamos en serio cuando nos despidió.

—Por supuesto.

—No ha sido usted mismo… desde hacía meses, señor.

En cambio Christopher estaba sorprendido ante lo mucho de sí mismo que había aflorado a la superficie en aquellos últimos meses. Era él mismo mucho más de lo que lo había sido en años.

—Deseo salir de esta casa. Necesito ropa, Barnaby.

Las pobladas cejas de Barnaby se levantaron.

—Evidentemente, si su familia lo considera necesario tendrá usted su ropa, señor.

—Barnaby... —Se frotó el cuello y se obligó a respirar—. Es importante que vaya a Londres.

Sin dejarse impresionar por los ruegos de Christopher, el viejo mayordomo esperó a que le diera permiso para retirarse.

—Le sugiero que hable con su familia, señor. Ellos dieron la orden expresa de que no se le proporcionaran ropas hasta que la herida estuviera curada. Es evidente que no confían en que se preocupe usted por su salud. Si desea bajar y acompañar a los demás, el desayuno se servirá abajo.

Había varios periódicos tirados sobre el sofá. Christopher cogió unos cuantos, además de unas lentes, y bajó. Los niños jugaban fuera, en el césped, y sus risas le impulsaron a salir al porche. Al poco, ya lo habían instalado en una silla, como si fuera un inválido, con la pierna apoyada en un otomano, y se quedó allí sentado como un rey que contempla a su corte desde el porche.

—De verdad, tendrías que cuidarte más. —Rachel le echó una colcha sobre los hombros.

—Estamos en agosto, Rache. —Ryan se rió desde la puerta, detrás de Christopher—. No necesita una jodida manta.

Rachel se puso derecha enseguida.

—Tu problema, Ryan Donally, es que tienes demasiado tiempo libre. Te has convertido en un ogro —afirmó, y se fue en un revuelo de muselina amarilla.

—Rachel... —Ryan se pasó las manos por el pelo y renegó.

Christopher le miró arqueando las cejas.

—¿Tío Fer?

Christopher se volvió a mirar. La pequeña Katherine estaba a su lado, con una pelota en las manos. Era toda lazos y volantes, y tenía las mejillas arreboladas de correr.

—¿Quieres jugar a pasar conmigo?

Christopher miró el césped, y vio que los niños estaban jugando a pasar el balón de una forma bastante agresiva.

—Son malos —anunció la pequeña de Johnny con el fervor de una niña de cuatro años.

—No te dejan jugar, ¿verdad?

Ryan cogió a la niña en brazos.

—Yo jugaré contigo, muñequita. Les vamos a enseñar a esos dos lo que se están perdiendo.

La mirada de Christopher se encontró con la de su hermano por encima de la cabeza de la niña. Katherine rió y, meneándose en brazos de Ryan, se soltó y se fue dando brincos hasta el césped.

—¿Me quieres decir qué te pasa con Rachel? —preguntó Christopher.

Ryan bajó por la escalera dando saltos.

—Pues no, la verdad. —Y se dio media vuelta con aire atlético—. Algunos entendemos lo que significa compromiso y responsabilidad mejor que otros.

—Te estás pasando de listo, Ryan. —Johnny salió al porche—. No es el momento…

—Maldita sea, ¿y por qué no? —Volvió a subir dos peldaños—. ¿Por qué siempre tienes que protegerle?

Christopher se sentó en el borde de la silla.

—Vaya, no me había dado cuenta de eso.

—No quiero que vuelvas a la oficina de Londres. Johnny y yo lo hemos estado hablando. La productividad ha bajado un diez por ciento desde que tú estás allí.

Christopher miró a Johnny, que de pronto se había quedado muy callado. Un músculo se movió en su mandíbula. Se llevó la mano a la cadera. La risa que sentía formándose bajo la superficie no era agradable, pero tampoco contenía la ira que tendría que haber sentido.

—¿Y dónde quedan Brianna, Rachel y Colin en este pequeño consenso autocomplaciente?

—¿Autocomplaciente?

Johnny refrenó a Ryan.

—Brea ha ido con Colin a recoger a David a la estación

—dijo—. Ella no lo sabe. Rachel piensa que Ryan es un idiota. No te voy a dar los detalles de la discusión que tuvimos esta mañana. Colin... no es que no te considere capacitado.

—Y un cuerno —espetó Ryan—. Rachel no sabe nada del negocio. En cambio Colin conoce los ingresos y las cifras de pérdidas. Brianna no puede votar todavía.

Johnny miró a su hermano entrecerrando los ojos.

—¿A ti qué te pasa? Chris no es responsable de las fluctuaciones del mercado...

—Dimito. —Christopher miró a sus hermanos—. Me voy.

Johnny lo miró con expresión tensa.

—Ninguno de los dos quiere eso.

—¡Tío Ryan! —llamó Katherine con impaciencia.

Ryan miró atrás por encima del hombro. La brisa agitó las mangas de su camisa. Se volvió de nuevo hacia Christopher, con mirada dura.

Si nuestros socios no te compran tus acciones, lo haré yo. —Y, dicho esto, se dio la vuelta y se fue corriendo a jugar con Katherine.

—Jesús —gruñó Johnny—. No puede ser tan cabrón. No sé qué le ha dado.

—A lo mejor sabe que se va a casar con la mujer equivocada.

Johnny cruzó los brazos, se apoyó contra la pilastra más baja, y arqueó las cejas con expresión pensativa. Luego se recuperó y apartó la mirada.

—Ryan es impulsivo y decidido. Cuando se le mete algo en la cabeza, no hay nada que hacer.

—Ya sé cómo es Ryan. —Christopher observó a su hermano mientras arrojaba a Katherine por los aires. Aparte del hecho de que Ryan le culpaba por haber perdido el proyecto del canal, entre ellos había habido siempre una competencia que Christopher no entendía—. De no ser por él no habría visto al médico. Se preocupó lo bastante por mí para ayudarme.

—¿De verdad piensas dimitir? ¿Así, sin más?

Christopher desvió la mirada a su hermano. Al ver la expresión tensa de su rostro, esbozó una sonrisa, aunque no fue una sonrisa especialmente afable ni fraternal.

—Sí. —Se sintió maravillosamente bien al decirlo—. Hoy mismo.

Volvió a la casa renqueando, con la bata rozándole las piernas.

—No lo hagas, Chris.

—¿Te da miedo no ser capaz de llevar el timón? ¿O que Ryan intente quitarte el control?

Johnny lo detuvo antes de que llegara a la puerta de la salita.

—Tengo miedo de las consecuencias para nuestra familia.

—Yo no soy la cola que mantiene unida a la familia, Johnny. Somos cinco hermanos los que estamos en la empresa. Seis si cuentas a Rachel. David fue lo bastante listo para saltar del barco hace años, y yo represento los intereses de Brianna.

—¿Y qué pasa con esta casa? ¿También piensas vender la parte que te corresponde? ¿De la casa de papá?

Christopher miró a su alrededor. Oficialmente, la casa era de la familia, pero Christopher y Brianna habían vivido allí los últimos años. El revestimiento de madera de las paredes y las repisas de mármol instaladas el año antes daban una sensación de opulencia. Una delicada colección de porcelana china ocupaba varias vitrinas en la habitación. En cada extremo ardía un fuego, pero solo una de las arañas venecianas estaba encendida, justo bajo la que él estaba en aquellos momentos.

Es curioso que en otro tiempo todo aquello le hubiera parecido tan importante. Que hubiera pensado que la categoría de un hombre se medía según su riqueza. Y que la nobleza estaba más en la cuna que en el carácter.

—Solo es una casa, Johnny.

No llevaría a Alex allí.

Desde el exterior oyeron un estallido de risas entusiastas. Christopher se acercó al largo ventanal y miró los jardines mientras Johnny salía al porche. David había llegado. Con la excepción de la vestimenta negra de religioso, su hermano, el salvaje, el calavera, no parecía haber cambiado mucho en los dos años que hacía que llevaba el hábito. Se arrodilló y cogió a Katherine en brazos y de pronto quedó arropado por la familia. Todos le adoraban. Sobre todo los niños.

Christopher salió al porche. Las pasadas semanas él y David habían mantenido una intensa correspondencia, y lo miró con expresión neutral. Johnny estaba junto a él en el porche. Ryan se acercó a la escalera y se detuvo. David levantó la vista y le vio.

—¿Has tenido un buen viaje? —preguntó Christopher.

David avanzó hasta la escalera; sus ojos marrones chispeaban.

—No pasa todos los días que un hombre de Dios consigue un vehículo de motor. Casi me siento como si fuera el Papa. —David subió los escalones de uno en uno—. Pero no he venido solo. —Le pasó la niña a su madre y acabó de subir la escalera—. En la estación conocí a una joven dama, muy interesante y bien vestida, que acababa de llegar de Londres. —Con las manos en las caderas, dijo—: Imagina mi sorpresa cuando se me acercó y me preguntó si era familiar tuyo. Te conoce bastante bien. Desde hace más de diez años, creo que dijo.

Christopher bajó un escalón.

—¿Alex está aquí? —De pronto se había convertido en el objetivo de todas las miradas—. ¿Dónde?

—Ha pedido permiso para ir al cementerio. Brea la ha acompañado.

—¿El cementerio? —Su corazón retumbó. Tendría que haberlo sabido… aquello solo era cuestión de tiempo—. ¿Cuánto hace de eso?

—Media hora.

Christopher bajó por la escalera. No podía correr, pero por todos los santos que tampoco pensaba ir paseando tranquilamente. Antes de llegar a los límites de la propiedad, se dio cuenta de que le seguían. La familia en pleno iba detrás, avanzando por aquel camino poco frecuentado y cubierto de malezas. Brianna no sabría dónde estaba enterrado su hijo… a menos que David se lo hubiera dicho.

Encontró a su hermana quince minutos después, con la cabeza inclinada, a una distancia respetuosa de la mujer que estaba arrodillada ante la tumba de su hijo. Brianna le vio. Si algún reproche tenía contra él, cuando se volvió para marcharse y dejarlo a solas con Alex, sus ojos azules no reflejaban nada.

Christopher, en su confusión, se quedó paralizado. Al verle, Alex se puso en pie lentamente. Y se quedaron mirándose a través del vacío en el que de pronto se había convertido una vida entera. Se la veía tan hermosa bajo los rayos fragmentados del sol..., sollozando bajo las extensas ramas de los árboles que quedaban por encima de la tumba solitaria. Iba vestida de azul.

—Christopher. —Se enjugó un ojo y bajó el pañuelo—. ¿Por qué vas con bata y zapatillas?

Christopher se miró como si no acabara de entender lo que había oído. Su pelo negro estaba revuelto. Una barba incipiente le cubría la mandíbula. Pero cuando sus ojos volvieron a levantarse estaban llenos de determinación. En muy poco tiempo, Alex había vuelto a convertirse en su vida.

—Tuve ciertos problemas con la pierna.

Los ojos de ella bajaron enseguida a la pierna en cuestión.

—¿Qué ha pasado?

—Por lo visto Richard me hizo un favor al golpearme en el muslo. El golpe desalojó un pedazo de metralla que llevaba dentro desde que me hirieron. He tenido que someterme a una intervención quirúrgica...

Ella lo miró con enfado.

—¿Cómo has podido no decírmelo? ¿Cómo es posible que no me hayas dicho nada?

—Alex...

Cuando quiso acercarse, ella se apartó.

—¡No me toques! —Los ojos se le llenaron de lágrimas—. Si no... si no me echaré a llorar. —Agitó las manos ante el rostro, como si intentara contener el llanto—. Tienes demasiados secretos, Christopher Donally. Tendría que tirarte algo a la cara. El puño, por ejemplo.

—Alex, por favor. —La atrajo hacia sí y ella lloró contra su pecho—. Tendría que haberte dicho lo de nuestro hijo. Tendría que habértelo dicho en cuanto te vi.

Ella meneó la cabeza.

—Tienes que creerme, no pretendía engañarte.

—Tú no lo entiendes…

Las lágrimas de Alexandra calaron la tela de la bata. Christopher no podía hacer nada. Había tantas cosas que quería decirle… pero tenía miedo de haber perdido su oportunidad. Entonces, ella alzó el rostro con los ojos llorosos y brillantes.

—No lo entiendes, Christopher. —Le sujetó el rostro entre las manos—. No estoy triste. Le trajiste de vuelta a casa. ¿Sabes lo mucho que eso significa para mí? Incluso si pensaba que te había perdido para siempre y que me odiabas…

—Nunca te odié. —Su voz sonaba áspera.

—O que me habías olvidado.

—Olvidé por un tiempo. Necesitaba olvidar. Pero era mi hijo, y no podía permitir que quedara enterrado en algún lugar perdido, en un país dejado de la mano de Dios, y menos en Ware. Lo quería aquí. No dije nada porque no quería más peleas. Tenía que asegurarme…

Alex le sujetó la cabeza con fuerza y le hizo bajar hasta su boca. Y le besó.

Con fuerza.

Y si alguien de la familia seguía todavía sobre la loma, hubo de ver que él la abrazaba y la apretaba contra sí. Sus labios recorrieron su mejilla, y hundió el rostro en sus cabellos perfumados.

—Sea lo que sea que teníamos, vale la pena conservarlo, Alex. —Le acarició el pelo y le hizo alzar la cabeza—. Vale la pena aguantar diez escándalos. Vale la pena luchar por ello.

—Pero nunca podré darte otro hijo…

—Te quiero, Alex. Quiero a una mujer que sepa lo que es una perforadora de Sommelier, que aprecie el arte del *Kama Sutra*… en todas sus formas. Que no tenga miedo de su pasión o de hacer lo correcto cueste lo que cueste. —Apoyó la frente contra la de ella. Cuando habló de nuevo, lo hizo con una voz baja y fiera—. Quiero despertarme a tu lado por las mañanas. Quiero que tu rostro sea lo último que vea antes de cerrar los ojos por la noche. Que salgas de mis sueños y entres en mi vida. —Le sujetó el rostro entre las manos, con suavidad—. No tenemos por qué vivir aquí, en Inglaterra. Necesitan ingenieros para el canal de Suez. Podemos ir a Egipto. Y podrás estudiar toda la historia que quieras. Escribir libros que pongan a todos los eruditos en su sitio. Hacer el amor conmigo todas las noches. —Le dedicó aquella infame sonrisa suya y Alexandra supo que estaba perdida—. Me siento muy solo sin ti.

Ella rió. Era una novedad ver a la poderosa cabeza de D&B con aire tan perdido.

—Además, ya me has visto en bata. —Le besó en la frente, los labios, la nariz—. Tienes que casarte conmigo, he comprometido tu honra.

—Te quiero —dijo ella riendo.

—Lo sé —declaró él con voz juguetona. Sus palabras le rozaron la sien—. Ese es uno de los factores que han jugado en mi favor.

Alexandra se enjugó los ojos y apoyó la mejilla contra su corazón.

—¿Y qué pasará con D&B? ¿Qué pasa con tus sueños?

—Ryan me comprará mi parte. Lo hemos decidido hoy mismo. Una decisión unánime.

Ella alzó el rostro.

—¿Estás seguro?

La indiferencia con que encogió los hombros fue más una sensación que un hecho.

—Tengo dinero suficiente para que nademos en la abundancia hasta que tú recibas tu herencia.

A pesar de sus palabras, Alexandra sabía que él nunca permitiría que le mantuviera. Aun así, seguramente no se hacía una idea de lo rico que se iba a hacer al casarse con ella. En su calidad de esposo, se convertiría en el tutor legal de sus bienes. Todo le pertenecería a él.

—Te quiero, Alex —susurró—. Te quiero tanto que me duele. ¿Vale la pena que luchemos por nosotros?

Ella se apoyaba en su fuerza y se dio cuenta de que él se apoyaba en la de ella.

—Me parece que me has enseñado unas cuantas cosas sobre lucha.

De pronto los dos se encontraron mirando la lápida de mármol. En su superficie, una única fecha que hablaba de la vida que yacía allí debajo. Permanecieron ante la tumba, con las manos entrelazadas, él con un brazo alrededor del hombro de Alexandra, viviendo aquel instante en silencio. Eran unos padres que habían sufrido una pérdida. Que habían pasado su duelo por separado y ahora compartían juntos el momento. Pasó un buen rato antes de que abandonaran el cementerio.

Christopher no volvió a la casa por el camino principal.

—Siento haber tardado tanto en volver a ti. —Alexandra apoyó la cabeza en su hombro y le ayudó a caminar. Ahora Christopher cojeaba visiblemente—. Tenía que atar ciertos cabos de la investigación y necesitaba otro lugar donde vivir.

Entraron discretamente por la puerta destinada al servicio y subieron sigilosamente por la escalera posterior.

—¿Y adónde fuiste?

—Nos instalamos en tu casa.

Christopher se detuvo en la escalera.

—¿Os instalasteis en mi casa?

—Sé que fue un atrevimiento por mi parte. Pero sabía que tú estarías ocupado aquí durante unas semanas por la boda de Ryan. He dejado a Mary y Alfred allí. —Sus dedos lo sujetaron por la parte superior de los brazos—. Los chicos nos visitan de vez en cuando. No están tan mal cuando se lavan. Y Mary se asegura de eso antes de dejarlos entrar. ¿Estás enfadado?

—¿Enfadado? —Con los ojos puestos en los labios de Alexandra, Christopher la empujó contra la pared. Ya había dejado muy claro en el pasado que no era precisamente un caballero, y sus manos volvieron a demostrarlo—. Llevo semanas pensando en ti —dijo con voz ronca, haciéndola subir de espaldas—. Muerto de preocupación porque no contestabas a mis cartas.

—Tendría que haberte escrito. Pero lo que quería decir hay que decirlo en persona.

—Dios, te quiero —musitó contra sus labios.

—Christopher —susurró ella, con las manos apoyadas contra su pecho—. ¿Por qué entramos a escondidas en tu casa?

—Porque está en guerra con el clan de los Donally. —Brianna estaba sentada en el último escalón, con el mentón apoyado en el brazo, observándolos.

Christopher lanzó un reniego y apartó sus manos de Alexandra, pero la posición en que estaban en la escalera dejaba pocas posibilidades para disimular.

—Y por eso no le culpo. —Brianna se puso en pie, entre el susurro de su falda de seda rosa.

Alexandra vio la mirada que se cruzó entre los dos hermanos, y no estaba preparada cuando Brianna se acercó a ella y le dio un abrazo.

—Creo que es usted la mujer más valiente que conozco, milady. Me gusta mucho. —Sus ojos azules se volvieron a mirar a Christopher—. Y tú… —Brianna se arrojó a sus brazos, y Alexandra vio que él hacía una mueca de dolor por la presión que el peso de su hermana hizo caer sobre su pierna—. Iré a vivir contigo.

—Gracias, Brea. Sin duda tu presencia me dará una gran paz mental. —Le guiñó un ojo a Alexandra.

—Solo quería que supierais que estoy de vuestro lado —dijo cuando se apartó.

—Gracias, Brea.

—Habíais discutido, ¿verdad? —preguntó Alexandra cuando Brianna se fue.

Momentos después, Alexandra y Christopher estaban solos en la habitación de él. Christopher cerró la puerta.

—Deja que te diga una cosa —dijo al ver la expresión acusadora de sus ojos—. Nunca hago nada a menos que yo quiera. No me arrepiento de nada con respecto a D&B. En cuanto a mi familia... discutimos continuamente. Ya te acostumbrarás. Pero, en estos momentos... —Su mano se fue hacia el picaporte, detrás de Alexandra, e hizo girar la gran llave en la cerradura—. Lo único en lo que puedo pensar es en tenerte desnuda debajo de mí.

Alguien llamó a la puerta.

—Mierda. —Christopher alzó la vista con gesto furibundo—. ¿Qué pasa ahora?

—Mis disculpas, señor —dijo Barnaby desde el otro lado de la puerta—. Las maletas de la señora acaban de llegar de la estación...

—Llévalas a la posada, Barnaby. —Christopher la sujetó por la cintura y la atrajo hacia sí—. Y eso incluye mi ropa. La señora y yo pasaremos la noche allí. Dile a mi hermano, al cura, que quiero verle.

La habitación donde estaban tenía numerosas ventanas que daban al lago. Unas cortinas blancas suaves como gasa se movían con la brisa. Solo un aliento separaba la sonrisa de él de la expectación de ella.

—Te quiero.

Sus ojos se encontraron y se amaron en un abrazo atemporal, y entonces él bajó su boca a los labios de ella. Mucho después, cuando finalmente él se apartó y ella abrió los ojos, Alexandra alisó un rizo oscuro de su frente.

—Tú ya no tienes a D&B. Tú y tu familia estáis en malos términos. Yo ya no tengo una carrera. ¿Dónde has dicho que nos dejaba eso exactamente?

—En el mismo lugar donde empezamos.

Y era maravilloso poder empezar por ahí.

Christopher y Alexandra se casaron aquella noche bañados

por la luz de la luna y el suave resplandor de las linternas, igual que habían hecho hacía tantos años. Más adelante ya se casarían en una ceremonia pública, rodeados por los amigos de ella y la familia de él, pero aquella noche les pertenecía solo a ellos.

Bajo las estrellas, tantos años atrás, la hija del diplomático había descubierto mucho más que el amor de un joven soldado irlandés. Había descubierto su destino.

Impreso en Talleres Gráficos
LIBERDÚPLEX, S.L.U.
Pol. Ind. Torrentfondo
Ctra. Gelida BV-2249 Km. 7,4
08791 Sant Llorenç d'Hortons (Barcelona)